¡Haz rentable

TU RESTAURANTE!

Controla los costos y los gastos

¡Haz rentable

TU RESTAURANTE!

Controla los costos y los gastos

Jorge Lara Martínez Lazcano

LIMUSA

Lara Martínez, Jorge
  ¡Haz rentable tu restaurante! Controla los costos y los gastos
/ Jorge Lara Martínez Lazcano. -- México : Limusa, 2008.
xiv, 214 p.: il., fot.; 27.5 x 21 cm.
ISBN-13: 978-607-5-00015-2.
Bibliografía: p. 211.
Rústica.

1. Costos de producción 2. Restaurantes -- Administración

Dewey 657.837'5 | 22 / L318h   LC: TX911.3

DERECHOS RESERVADOS:

© 2008, EDITORIAL LIMUSA, S.A. DE C.V.
GRUPO NORIEGA EDITORES
BALDERAS 95, MÉXICO, D.F.
C.P. 06040
☎ 51 30 0700
📠 55 12 2903
🕸 limusa@noriega.com.mx
www.noriega.com.mx

CANIEM NÚM. 121

PRIMERA EDICIÓN
HECHO EN MÉXICO
ISBN-13: 978-607-5-00015-2

LA EDICIÓN, COMPOSICIÓN, DISEÑO E IMPRESIÓN DE ESTA OBRA FUERON REALIZADOS
BAJO LA SUPERVISIÓN DE GRUPO NORIEGA EDITORES
BALDERAS 95, COL. CENTRO. MÉXICO, D.F. C.P. 06040
1256480000908544DP9212IE

Dedico este libro
con cariño y amor
para mis hijos
Ceci y Yorch

Contenido

Prólogo

El costo de alimentos y bebidas en la industria de los restaurantes es una variable que se debe controlar de manera minuciosa con un amplio conocimiento de sus diferentes etapas y causas que puedan generar diferencia entre lo esperado y lo real.

El costo de alimentos y bebidas es el principal **gasto*** de la operación de un restaurante y que por la naturaleza de un gran número de productos perecederos, puede ser sujeto a múltiples variantes, que con un eficaz o ineficaz control se vuelven determinantes para que el rendimiento sobre las ventas marque la diferencia entre la permanencia o declinación de la empresa.

El control de costos es una herramienta que debe contar con métodos y sistemas probados; objetivos, políticas y procedimientos claros, que no estén sujetos a la improvisación o al método de prueba y error, con el cual se espera un resultado y llega a otro sin saber qué sucedió, y que para corregir se reacciona probando alguna idea o acción sin base técnica o de experiencia anterior.

Jorge Lara plasma en este texto muchos años de experiencia como ejecutivo y profesional en empresas exitosas de la industria de los restaurantes, durante los cuales ha experimentado los métodos de varias organizaciones y por lo tanto ha conocido de primera mano sus resultados. De igual manera transmite amplios y probados conocimientos adquiridos a través de una larga carrera docente, que incluye mucha investigación y aplicación práctica en un gran número de asesorías al gremio restaurantero.

Los diferentes y bien estructurados capítulos permiten al lector, ya sea el profesional que desea incrementar sus conocimientos, asegurar un sistema, desarrollar un nuevo método o buscar un formato específico, asimismo para que el alumno lo utilice como un texto para soportar una investigación o como apoyo a conceptos recibidos en una clase especializada en la materia de control interno en la administración de un restaurante.

El presentar recomendaciones concretas, tablas con ejemplos reales y casos prácticos, enriquece y garantiza el aprendizaje tanto del alumno como del profesional que lo consulte. Demuestra la aplicación y despliegue de las diferentes y variadas, pero muy necesarias fórmulas para realizar los cálculos esenciales del control, facilitan su aplicación práctica de manera inmediata.

Las frases concretas vertidas como recomendaciones sirven de indicadores o instrucciones que cumplen con el propósito de pensar y razonar sobre ellos e imaginar de inmediato la forma en que se pueden llevar a cabo en nuestra operación.

---

* El significado de las palabras en negritas puede consultarse en las páginas 197-203.

Los cuestionamientos del capítulo 1 sobre *monitoreo* y *optimización de los gastos* van sabiamente dirigidos hasta lograr un profundo y útil autoanálisis, que de aplicarse constantemente generará una excelente retroalimentación para la mejora continua del control de los gastos y por consiguiente lograr mejores resultados económicos para la empresa.

La redacción concreta y sin mayores tecnicismos hace de este libro una lectura y consulta de fácil asimilación y comprensión. Es una compilación de conocimientos y experiencias que faltaba para apoyar el desarrollo profesional, lectura obligada que permite al empresario avanzar en la eficiente administración de su restaurante; al maestro sustentar sus exposiciones temáticas y conceptuales en ésta tan necesaria materia del Control de alimentos y bebidas; así como al estudiante el facilitar y practicar los diferentes ejercicios y tener la información suficiente y adecuada previa a la situación.

Seguramente el lector disfrutará este libro, valorando el acervo que en él se plasma, gracias al entusiasmo y entrega de un gran profesional de la industria de los restaurantes del cual me siento muy honrado de ser en algún periodo de mi vida, condiscípulo, colaborador y por siempre amigo, que le admira y le reconoce el valor, la constancia y entrega al dedicar muchas horas de investigación y redacción de este excelente libro *Haz rentable tu restaurante*, controla los costos y gastos, lo cual es una clara muestra del gran espíritu de servicio que siempre ha caracterizado a Jorge.

Fernando Del Moral Muriel
Director General
La Hacienda de los Morales

Introducción

Este sincero resumen de experiencias pretende aportar, a quienes laboran en la industria de la **hospitalidad**, una forma de abordar o explicar lo que es para mí el *Control de costos de los alimentos y bebidas*. Durante múltiples sesiones de capacitación y desarrollo personal y profesional de gerentes de distrito de restaurante para diferentes franquicias e independientes, me pude percatar de lo importante que es hacer sencillas y prácticas las tareas de manejo y dirección de las actividades de producción y servicio en restaurantes.

Si estudias alguna carrera de administración de negocios, y en especial en administración de restaurantes, o trabajas ya en uno y tienes en perspectiva desarrollarte como gerente, es necesario que recuerdes que el dinero invertido por los empresarios en la compra de materia prima o las cantidades presupuestadas destinadas para pagar gastos como gas, luz, renta, y otros más, te exige, como gerente, previsión al definir los controles necesarios, tiempo para analizar los resultados obtenidos, y dedicación para poner en práctica los cambios, siendo en ocasiones, demasiado estresante para los gerentes novatos.

"El calibre de ser gerente de un restaurante se mide por el acertado y eficiente control de los gastos y del costo de operación, lo que se traduce en... rentabilidad del negocio"

Día a día al administrar el restaurante como gerente te preguntas:

¿Cuándo debo comprar la materia prima? ¿Estoy solicitando lo necesario?

¿Por qué encuentro vegetales rezagados en la cámara de refrigeración?

¿Por qué desechamos productos con moho al menos una vez a la quincena?

¿Con qué frecuencia hago compras de emergencia? ¿Estas compras me provocan reposición frecuente del fondo chico de caja?

¿Dispongo de una base de datos actual para decidir la compra de mercancías?

Si hoy renuncia el jefe de cocina.... ¿quién definirá con certeza la requisición de compra de productos perecederos?

¿El sabor de los platillos que sirvo en mi restaurante es siempre igual?

¿Conozco con detalle los alimentos que consumen mis colaboradores?

¿Dispongo de registros donde se detallan las mermas ocasionadas al procesar y cocinar carnes?

¿Considero el factor de mermas para costear los platillos y bebidas, y para valorar los inventarios?

¿Tengo identificadas las diferencias entre el consumo (costo) real contra el que debería ser (potencial)?

Las anteriores y otras más interrogantes las vive y sufre el encargado del negocio, por lo que las herramientas de planeación y control que encontrarás en esta obra, te orientarán y aclararán tus dudas.

El enfoque de la mayoría de los libros especializados en este tema, está dirigido a la centralización de funciones diarias, semanales, quincenales y mensuales realizadas por el analista de costos de alimentos y bebidas en la operación hotelera, al capturar y procesar la información para determinar el costo mensual de alimentos y bebidas; dando asesoría constante a los responsables de restaurantes y bares. A manera de ejemplo el analista de costos en un hotel:

- Verifica y avala lo que solicita el chef, el jefe de bares o el almacenista, al departamento de compras.
- Valora los movimientos de mercancías entre centros de consumo.
- Cuida de cerca el uso racional de cortes de carne y productos de alto valor.
- Y sumamente importante, consolida la información de costos diaria, semanal y mensual de cada restaurante o bar del hotel.

Youshimatz describe: "las funciones generales del contralor de Alimentos y Bebidas de acuerdo con el diagrama del ciclo de control que incluye Requisiciones del almacén, Compras, Recepción de mercancías, Almacenamiento de las mercancías, Despacho de las mercancías y Venta de alimentos y bebidas".[1]

Existe otra bibliografía de la *Contabilidad de Costos Industriales*, que considera que el costo de los alimentos está impactado por los **gastos fijos** o **variables** de la operación, como el gasto de gas y corriente eléctrica al cocinar los alimentos, la porción de valor por el gasto de mano de obra utilizada, cierta cantidad de agua y otros gastos como la reposición de equipos, la papelería utilizada durante el servicio y venta y otros más. "Esta forma de control no es aconsejada o acogida por los profesionales de esta rama productiva para el control de costos en la preparación y venta de alimentos y bebidas."

En un *restaurante independiente* o de *cadena*, el gerente es el responsable de prever, dirigir su negocio y solucionar las oportunidades de mejora que se presenten. En muchas ocasiones habrá quien pueda falsear o errar en el cálculo del resultado final; sin embargo, el gerente interesado en su negocio podrá en todo momento modificar las tendencias negativas del costo.

"Él es el responsable del dinero invertido en la compra de materia prima, por lo que debe asegurar que ésta se emplee con cuidado y acertadamente, al preparar y vender alimentos y bebidas."

Los restaurantes requieren crear, mantener y desarrollar negocios exitosos que cumplan con su función social de crear fuentes de trabajo. Pienso que estarás de acuerdo en que esto se logra al satisfacer las necesidades del cliente y superar sus expectativas de vivir una grata experiencia al co-

---

[1]   Alfredo Youshimatz, *Control de costos de alimentos y bebidas*, México, p. 42-44.

mer fuera de casa, y este objetivo se alcanza manteniendo la consistencia en la calidad de los alimentos y en el servicio que prestan los colaboradores internos.

Cumplir con la meta anterior te permitirá alcanzar los presupuestos de ventas y solventar los gastos fijos de manera sana, ya que contarás con los recursos suficientes. Tus compras generarán el **"efecto cascada"** al adquirir de proveedores de alimentos y bebidas; al mantener salarios y compensaciones competitivas; al desarrollar las potencialidades de los colaboradores; así como, de poder disponer de efectivo para el pago de compromisos. Si se logra vender lo presupuestado y, ¿por qué no?, superarlo, el control de los gastos se facilitará bastante.

El tema medular de este libro es el Control del costo de los ingredientes utilizados en la preparación y en el servicio de alimentos y bebidas. Como gerente debes fomentar la participación decidida de cada empleado, vendiéndole la mística laboral de cuidar como si fuese propia la mercancía que maneja o custodia. Lógicamente para lograr la calidad y mantenerla como parte de la vida de la empresa, se requiere que todos los trabajadores, entiendan que su papel es muy importante para lograr la finalidad y objetivos del negocio, haciendo lo siguiente:

- Manejar y corregir oportunamente los resultados.
- Optimizar el costo de inventarios.
- Usar racionalmente los productos, al
  - identificar oportuna y certeramente las necesidades de compra de alimentos y bebidas;
  - recibir y almacenar las mercancías con alto compromiso y seguridad;
  - asegurar que se elaboren los alimentos y bebidas consistentemente y con calidad, y
  - prevenir que se sirva al cliente lo que satisfaga sus necesidades y supere sus expectativas.

Trabajé para un restaurante donde la clientela abarrotaba diariamente el lugar. La especialidad eran las hamburguesas de "jamón" 100% de carne de res que se cocinaba diariamente, la carne se rebanaba finamente al **armar** el sándwich ...

¡Realmente eran exquisitas y únicas!

Un respetable director de operaciones... después de analizar el costo, decidió que lo más importante eran las ganancias y ordenó reducir en ½ onza la porción de carne. Durante más o menos dos meses se jactó de haber reducido el costo, de haber mantenido las ventas y de lograr una mayor **contribución marginal**. Pero poco a poco el disgusto de los clientes se tradujo en pérdida de confianza y lealtad.

> "Una vez establecido un precio inicial, existen varias situaciones que impulsan a una firma a modificar su precio. Así, al incrementar los costos, tal vez los directivos decidan elevar los precios en vez de mantenerlos y reducir la calidad del producto o promoverlo más agresivamente."[2]

Una tarea importante y fácil para controlar los costos es vigilar atentamente los rangos de temperatura de los productos alimenticios que se adquieren, almacenan y procesan, para evitar que se acorte su tiempo de vida y deban desecharse por que se echaron a perder, por lo que el colaborador "debe comprar la idea", convencerse y comprometerse a vigilar y prever que estos estándares se mantengan, ya que es una exigencia para mantener el control y la calidad.

---

[2] Walter Stanton Etzel, *Fundamentos de Marketing*, Ha, ed., México, Mc Graw-Hill, 2001, p. 36.

"La aspiración fundamental de la administración de la calidad es el autocontrol y la autodirección... para propiciar que el personal realice su trabajo y cumpla sus objetivos sin la necesidad de supervisión o sistemas de control correctivo."[3]

Al final de esta obra encontrarás en forma detallada, las ventajas de contar con la tecnología de soporte para realizar los cálculos y conocer oportuna y rápidamente el valor de compra de los alimentos y bebidas recibidos en almacenaje, los vendidos por hora, por turno, por día, por semana, por mes, por sección de la carta; y los consumidos analizando su clasificación (abarrotes, cárnicos, lácteos, vinos, cervezas, etc.). Además, podrás comparar los software de algunos proveedores identificando las ventajas o beneficios que ofrecen para dinamizar la operación del restaurante. Por ejemplo, los consumos efectuados durante el día te ofrecen información oportuna y acertada de lo que requieres comprar.

La secuencia de los "Casos prácticos", al final de la obra, te dará la idea general para que desarrolles las bases de datos y hojas de cálculo que resuelvan las necesidades de control interno de tu negocio.

---

[3]   Lourdes Münch, *Fundamentos de administración*, México, Trillas, 2001.

1. El negocio de restaurantes

Al administrar exitosamente tu restaurante debes dedicar tiempo, importantes recursos y atención para:

- Monitorear y mejorar los ingresos.
- Controlar los costos.
- Monitorear y optimizar los gastos.

El Estado de resultados en un restaurante muestra principalmente los apartados de ventas, costos y gastos. El Total de Ventas, La **Utilidad Bruta** y la Utilidad de Operación sirven para calificarte como administrador. Debes atender, con mucho cuidado estos parámetros durante el mes, y al final de éste se concentran.

En la tabla 1.1 encontrarás un ejemplo de estado de resultados que es muy parecido al de otras empresas, donde se analizan los tres rubros con los que el gerente de restaurante debe trabajar con alto grado de profesionalismo: ventas, costos y gastos.

Tabla 1.1. Estado de resultados

	Febrero de 2008	
	Parciales	**%**
Ventas		
Ventas alimentos	116 785.99	75.3
Ventas bebidas	38 259.20	24.7
Total de ventas	155 045.19	100.0
Costos		
Costo alimentos	43 276.00	37.1
Costo bebidas	9 597.00	25.1
Total de costos	52 873.00	34.1
Utilidad bruta	102 172.19	65.9
Gastos		
Fuerza de trabajo	39 874.16	25.7
Gastos de producción	3 040.23	2.0
Gastos venta	13 544.20	8.7
Gastos de administración	4 969.52	3.2
Gastos de mantenimiento	5 102.34	3.3
Gastos de promoción	2 873.98	1.9
Total de gastos	69 404.44	44.8
Utilidad de operación	32 767.75	21.1

1.1. MONITOREO Y MEJORA DE LOS INGRESOS

El reporte mensual de ventas (tabla 1.2) es el instrumento que te ayuda a identificar y comparar periódicamente las ventas en los rangos que te interesa analizar:

- Por desayuno, comida y cena.
- Cuánto ingresó debido a los alimentos y a bebidas.
- Por día, semana, mes, trimestre, o año.

La ventaja de monitorear diariamente las ventas, es que en caso de ser necesario, puedes poner en práctica estrategias específicas de venta o acciones para corregir o modificar las tendencias. Al actuar oportunamente, corriges las desviaciones al presupuesto, día a día tienes oportunidad de "enderezar el rumbo" y eliminar así las "sorpresas" al final del ejercicio mensual.

Al vender más, el control de gastos se te facilitará enormemente. Administra la riqueza al preocuparte por las ventas, no recortes gastos por no lograr las ventas esperadas o pronosticadas. ¡Empuja las ventas!

1.1.1. Cómo vender más

Para aumentar significativamente las ventas de tu restaurante debes mejorar todo lo que emprendes, como la calidad de los platillos y bebidas que ofertas, otorgar servicios con **valor agregado**, crear ambientes agradables y cómodos donde el cliente se sienta a gusto y desee regresar por esa magnífica experiencia.

> "Stephen Covey, en su obra *Los 7 hábitos de la gente eficaz*, hace hincapié en que ..."El mercado está cambiando con tanta rapidez que muchos de los productos y servicios que satisfacían los gustos y las necesidades del consumidor hace pocos años, ahora se han quedado obsoletos. El liderazgo **proactivo** enérgico debe controlar constantemente el cambio ambiental, en particular los hábitos y motivos del cliente, y proporcionar la fuerza necesaria para organizar los recursos en la dirección correcta."[1]

Si tomas como guía la *Matriz crecimiento producto-mercado*, es necesario que decidas qué es lo que más conviene. El restaurante puede estar en condiciones de entrar en el mercado, o de desarrollar nuevos mercados o productos, o diversificar su oferta. A continuación encontrarás una serie de cuestionamientos que pueden ayudarte a decidir.

PENETRACIÓN EN EL MERCADO

- ¿Deseas que los clientes consuman más?
- ¿Deseas atraer a clientes que normalmente acuden a otros restaurantes?
- ¿Deseas mejorar los procedimientos de producción y servicio?
- ¿Deseas realizar actividades de ***Local store marketing***?

---

[1]   Stephen Covey, *Los 7 hábitos de la gente eficaz*, 2ª. ed., México, Paidós, 1994, p. 128.

Tabla 1.2. Reporte mensual de ventas

Febrero 2008

Día		Ventas netas				Presupuesto de ventas			Clientes				Consumo promedio	
		Alimentos	Bebidas	Total	Acumulado	Día	Acumulado	Diferencia	Comidas	Cenas	Total	Acumulado	Diario	Acumulado
Vie	1	22 253.45	9 537.19	31 790.64	31 790.64	38 148.77	38 148.77	-6 358.13	102	164	266	266	119.51	119.51
Sáb	2	26 798.13	11 484.91	38 283.04	70 073.68	34 454.74	72 603.50	-2 529.82	132	201	333	599	114.96	116.98
Dom	3	25 324.81	10 853.49	36 178.30	106 251.98	39 796.13	112 399.63	-6 147.65	127	184	311	910	116.33	116.76
Lun	4	12 579.12	4 759.31	17 338.43	123 590.41	13 870.74	126 270.38	-2 679.97	64	82	146	1 056	118.76	117.04
Mar	5	14 871.71	4 269.73	19 141.44	142 731.85	20 098.51	146 368.89	-3 637.04	70	99	169	1 225	113.26	116.52
Mié	6	15 069.21	6 458.23	21 527.44	164 259.29	26 909.30	173 278.19	-9 018.90	88	102	190	1 415	113.30	116.08
Jue	7	19 079.40	8 176.89	27 256.29	191 515.58	24 530.66	197 808.85	-6 293.27	98	145	243	1 658	112.17	115.51
Vie	8	32 621.96	13 980.84	46 602.80	238 118.38	37 282.24	235 091.09	3 027.29	158	267	425	2 083	109.65	114.32
Sáb	9	33 241.87	14 246.52	47 488.39	285 606.77	42 739.55	277 830.64	7 776.13	164	237	401	2 484	118.42	114.98
Dom	10	36 545.53	13 090.94	49 636.47	335 243.24	57 081.94	334 912.58	330.66	161	257	418	2 902	118.75	115.52
Lun	11	15 157.30	6 495.98	21 653.28	356 896.52	20 570.62	355 483.20	1 413.32	72	102	174	3 076	124.44	116.03
Mar	12	16 001.31	6 857.70	22 859.01	379 755.53	24 001.96	379 486.16	270.37	82	105	187	3 263	122.24	116.38
Mié	13	18 552.72	7 951.17	26 503.89	406 259.42	29 154.28	408 639.44	-2 380.02	91	126	217	3 480	122.14	116.74
Jue	14	36 511.92	17 076.54	53 588.46	459 847.88	48 229.61	456 869.05	2 978.83	206	283	489	3 969	109.59	115.86
Vie	15	31 355.88	13 468.23	44 824.11	504 671.99	49 306.52	506 175.57	-1 503.58	157	216	373	4 342	120.17	116.23
Sáb	16	33 646.72	14 420.03	48 066.75	552 738.74	43 260.08	549 435.65	3 303.09	163	256	419	4 761	114.72	116.10
Mié	27	18 552.72	7 951.17	26 503.89	959 317.56	34 455.06	979 438.04	-20 120.48	81	147	228	8 168	116.25	117.45
Jue	28	25 881.09	11 091.90	36 972.99	996 290.56	33 275.69	1 012 713.73	-16 423.18	130	205	335	8 503	110.37	117.17
Vie	29	31 760.14	11 040.06	42 800.20	1 039 090.75	47 080.22	1 059 793.95	-20 703.20	123	229	352	8 855	121.59	117.35

DESARROLLAR EL MERCADO

- ¿Deseas desarrollar estrategias para que tus platillos sean degustados por nuevos clientes?
- ¿Deseas enfocarte a nuevos segmentos como familias, graduaciones, iniciar el servicio a domicilio, o extenderte a nuevas áreas geográficas?

DESARROLLAR EL PRODUCTO

- ¿Deseas vender a tus clientes actuales nuevos servicios como sería instalar una boutique con tabaquería y librería, vender con *souvenirs* la imagen de tu restaurante, establecer servicio de desayuno, organizar y brindar el servicio de banquetes o servicio a domicilio?
- ¿Deseas mejorar la calidad del restaurante, aumentar el aforo, incluir en la carta cortes de carne a la parrilla, conformar paquetes, o revisar la calidad de los productos?

1.1.2. ¿Qué puedes hacer dentro del restaurante?

Si quieres vender más, debes "aterrizar" los esfuerzos y actuar de inmediato. Bastará que te concentres en dos aspectos básicos:

- Aumentar el número de **transacciones**. Dedícate a aumentar el número y la frecuencia de sus visitas de clientes.
- Incrementar el **cheque promedio**. Esto lo conseguirás haciendo que el número de clientes por mesa sea mayor y que consuman más.

Como en cualquier batalla que se desea ganar, la puesta en práctica de estrategias y tácticas dependerá de lo que quieras conseguir en cierto momento.

Es acertado que diseñes o apoyes decididamente las promociones que realice el corporativo o franquicia, así como otras actividades en las que tu restaurante se vea involucrado, por ejemplo, mes del comensal, feria de las flores, el niño y la mar, mes de la cocina oaxaqueña, etc. La promoción de ventas hace posible la respuesta inmediata del cliente y aumentar así el número de transacciones por frecuencia de visita.

De ti depende que sucedan los siguientes hechos:

- Una excelente limpieza del restaurante, y pon especial atención al mantenimiento en las áreas e instalaciones de servicio al cliente.
- Fomenta y desarrolla en tus colaboradores una mejor actitud de servicio. Da a tus empleados *empowerment*, que consiste en delegar en ellos la responsabilidad junto con la autoridad completa, para que tomen decisiones en relación con la atención integral de los clientes.
- Asegura que la calidad de los alimentos y bebidas que ofreces sea consistente. Una frase muy popular de David Cielak, director de operaciones de Romano's Macarroni Grill, era recordar en todo momento a su personal... "Siempre igual"
- Haz que tu equipo de colaboradores se divierta al trabajar.
- Haz estudios de percepción del precio pagado en relación con el producto y servicio recibido por el cliente. Las experiencias personales proyectan en la mente del cliente si el precio que pagó fue justo por lo que recibió en tu restaurante.

- Inventa y desarrolla "recompensas" a la lealtad de tus clientes. Además es muy importante resarcir al cliente los inconvenientes que haya experimentado en su visita.
- Entrega valor agregado. Ofrece opciones como menú del día, especialidades de la casa o del chef, platillos saludables "bajos en calorías", menú para niños, etcétera.
- Entrega a tus clientes tarjetas de descuento progresivo por consumos repetitivos y para sus visitas posteriores.
- Da puntos al cliente para que pueda canjear por cenas de 19:00 a 21:00 horas.

Eleva el cheque promedio promoviendo "la comida completa", es decir, vender más platillos por persona y persuadiendo a los clientes para que completen su orden.

- Fomenta que tus clientes asistan en grupo, por ejemplo "En festejo de cumpleaños, el agasajado no paga". "En grupos de más de 10 personas, recibe 10% de descuento o los refrescos son gratis".
- Tus empleados son vendedores que describen apetitosamente los platillos (figura 1.1) y las bebidas. Capacítalos para que apliquen la técnica **AIDA** al momento de interactuar con los clientes. Ésta consiste en:

    A llamar la **A**tención,
    I crear **I**nterés,
    D despertar el **D**eseo, y
    A lograr la **A**cción de compra.

Figura 1.1. Presentación de un platillo

- Ofrece porciones grandes, paquetes, opciones para dos o más personas. Los paquetes son bien recibidos por su precio bajo, pero con esto se logra que el cliente consuma más, con la consecuente mejora del consumo promedio.
- Tu cliente debe percibir que obtiene un precio ventajoso al decidir comprar porciones grandes. Los tamaños grandes en refrescos de máquina deben percibirse con ventaja en relación con tamaños menores, por ejemplo: 16 onzas a $10.00, 22 onzas a $13.00 y 32 onzas a $16.00.
- Lleva a cabo acciones que promuevan el valor agregado en la sala de espera como ofrecer café, periódico y revistas y algo más que haga la espera amable. Obtén de tu proveedor degustaciones de vinos, flores y objetos publicitarios.

- Proporciona servicio telefónico, cambiadores para niños en los baños, juegos y educadoras para el esparcimiento de niños.

1.1.3. ¿Qué hacer en el área de influencia del restaurante?

- Investiga cuál es el "tamaño del negocio potencial" que existe en la zona de influencia.
- Cuantifica el tránsito que ocasionan las escuelas, oficinas, cines, gimnasios, centros comerciales tanto en días laborables, como en fin de semana.
- Identifica otros **generadores de tráfico**, es decir, ¿qué motiva a los clientes a transitar por vías cercanas a tu restaurante?
- Ubica en un croquis los restaurantes que son tu competencia directa. Haz una lista y describe sus **productos "vaca"** y "estrella".
- Investiga cuál es tu competencia indirecta. Sin duda, los puestos de comida del tianguis del martes (o de cualquier otro día) lo son.
- Descubre qué motiva al oficinista, que normalmente es tu cliente, a comer en otro sitio el día de quincena.
- Crea acciones para incrementar las ventas en momentos en que éstas bajan. Haz que sucedan cosas importantes y únicas.
- Mide el tráfico que generan los eventos locales o temporales.
- Averigua de dónde provienen tus clientes en el desayuno, comida y cena, tanto entre semana como al final de éstas.
- Haz que tus clientes satisfechos te recomienden. Invítalos a que hablen de tu restaurante.
- Presume limpieza, actitud, producto y servicio.
- Pon en un lugar muy visible el **Distintivo "H"**. Exhibe los certificados químicos de calidad en el agua, y de los usados en la desinfección de verduras para ensaladas, éstos comunican confianza.

Una vez que analices tus **fortalezas** saltarán a la vista las **áreas de oportunidad** donde buscarás resultados de mejora en la venta. A manera de ejemplo resalto:

- Tendencias de baja de ventas en cierto periodo.
- Las ventas de desayuno en martes y miércoles son las más bajas.
- La venta de cenas entre semana está cierto porcentaje debajo de lo presupuestado.
- La **mezcla de ventas** (*product mix*) de la arrachera durante el mes pasado estuvo 20% debajo de lo normal.
- El consumo promedio en fines de semana bajó 15% comparado con semestre pasado.
- La calificación del servicio pasó de 95 a 80% en las cenas.

Una vez identificados los problemas debes establecer acciones correctivas, pero antes definirás los objetivos. La mejor forma de tratarlos es redactando ¡lo que quieres alcanzar!, el cómo, el cuándo lo lograrás y cómo lo medirás.

- Si quieres incrementar las ventas del café capuchino indica, ¿cuánto más? ¿Para cuándo? ¿Cómo?
- Lograr un consumo promedio de $180.00, ¿es realista esta meta? ¿Para comida o cena? ¿Cuándo se lograría?
- Mejorar la imagen del restaurante, ¿para cuándo? ¿Cómo la medirás?
- Vender banquetes, ¿para cuándo? ¿Cuál será el perfil de tu cliente? ¿Qué porcentaje de venta en relación con la del restaurante?
- Incrementar la calificación del servicio, ¿a qué fecha? ¿En cuánto? ¿En desayuno? ¿En comida?

Ejemplo:

Área de oportunidad

Los martes y los miércoles durante el desayuno el número de clientes ha bajado en 20% y aún peor, es que el consumo promedio está 8% abajo.

Objetivos

- El número de clientes promedio en desayunos los martes y miércoles debe aumentar de 72 a 94 para el próximo mes de febrero.
- El consumo promedio en el servicio de desayunos debe aumentar de $52.00 a $58.00, el próximo mes de febrero.

ESTRATEGIAS OPERACIONALES Y PROMOCIONALES

- Utilizar la base de datos del directorio de oficinas de corporativos cercanos, para aumentar las transacciones de martes y miércoles.
- Motivar a los clientes de fin de semana para que desayunen los martes y miércoles, obsequiando los descuentos atractivos para la siguiente semana.
- Entregar tarjetas VIP a los clientes de fin de semana en las que se les dé derecho a beneficios exclusivos en desayunos de martes y miércoles.
- Promover paquetes especiales para clientes con tarjeta VIP.
- Capacitar al personal en técnicas de promoción de venta para que los clientes actuales aumenten su consumo promedio en desayuno.
- Impulsar un concurso interno de ventas, estableciendo un reto alcanzable y con premios importantes que beneficien tanto al personal de cocina como al de servicio. Este concurso debe promover mejorar y mantener LAPS (Limpieza, Actitud de trabajo en equipo, Producto de calidad y Servicio excelente).

1.1.4. El posicionamiento de tu restaurante

El **posicionamiento** del restaurante se hará realidad cuando el contenido del menú y mística del servicio, satisfaga completamente las necesidades del segmento de mercado que has elegido o identificado, empleando una mezcla de mercadotecnia (producto, ubicación, precio de venta y comunicación comercial), que proyecte en la mente del cliente la ventaja competitiva de tu restaurante:

"Un lugar que conjunte la oportunidad de comer y beber bien, y que el cliente perciba haber tenido la mejor experiencia de comer fuera de casa"

La **productividad** mide lo bien que has combinado los recursos para lograr resultados deseables, es decir, no es producir más, sino mejor y se traduce en:

- Mejor control de costos.
- Optimización de los gastos.
- Satisfacción de los clientes.
- Liderazgo en el nicho de mercado.

- Consolidar la marca de tu restaurante.
- Lograr más utilidades en beneficio del inversionista y de los colaboradores.
  Herrera de la Fuente dice: "una orquesta es tan buena como el peor de sus músicos", idea que aplica muy bien a las empresas.

"Lo que no está afinado está desafinado, y lo que no está a tiempo está a destiempo". No hay términos medios.

En los restaurantes la productividad (tabla 1.3) se calcula relacionando:

a) El gasto de fuerza de trabajo entre la ventas, para calcular el porcentaje que representa el gasto de sueldos y prestaciones en relación con la venta lograda.
b) La ventas entre las horas trabajadas por lo empleados, lo que se interpreta como cuánto vende el restaurante por cada hora pagada a los empleados.

Tabla 1.3. Cálculo de productividad
(Gasto fuerza de trabajo)

		Gasto fuerza de trabajo	
	Sueldos	128 580	16.0%
	Comida de empleados	24 110	3.0%
	Comida de ejecutivos	6 430	0.8%
	2% nóminas	16 070	2.0%
	Finiquitos	402	0.1%
	IMSS, SAR, Infonavit	43 710	5.4%
	Capacitación	8 035	1.0%
	Botiquín	4 020	0.5%
A	Total gasto	$231 357	28.8%
	Venta mensual	$803 620	100%
B	Horas trabajadas	2 886	$278.45

El enemigo a vencer para lograr mayor productividad es la resistencia al cambio, ya que el empleado del restaurante, sea cocinero o mesero desconoce lo que se quiere hacer, o porque tiene una vaga idea, del nuevo monto de consumo promedio que se pretende lograr y cómo conseguirlo, o también puede tener miedo de cambiar su forma de trabajar, porque el reto o el esfuerzo que debe realizar es mayor para conseguirlo. O también porque antes recibía un porcentaje por el consumo promedio alcanzado y ahora al exigirle algo más, podría ver reducido lo que actualmente recibe.

1.2. CONTROL DE LOS COSTOS

El **costo** es el valor de los ingredientes que conforman o integran un platillo. Para una hamburguesa estos son: el jitomate, la lechuga, el queso, la carne, el pan, la mayonesa. O los que conforman una piña colada como, el jugo de piña, la crema de coco, la leche evaporada, el ron y, en algunos casos, deberás incluir el costo de los hielos si careces de una máquina.

El personal del restaurante ayuda a lograr la productividad y alcanzar los costos deseados, pero lo medular es "hacer las cosas bien y a la primera". Ésta es siempre una exigencia para el *control* y *calidad total*, con lo que puedes:

- Lograr platillos y bebidas de calidad, preparándolos siempre igual con base en recetarios y ayudas visuales.
- Evitar el desperdicio en la transformación de la materia prima desde que llega hasta que la sirves como platillo o bebida.
- Investigar constantemente alternativas para comprar con mejores condiciones de pago, superar los atributos del producto y lograr precios de compra ventajosos.

1.2.1. Flujo para el control

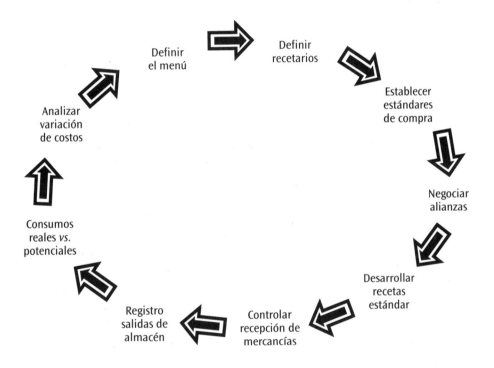

Figura 1.2. Flujo para el control

1. La definición de la oferta gastronómica del restaurante contenida en la carta o menú de alimentos y en la lista de bebidas y vinos. El estudio de mercado deja entrever cuáles son los gustos y preferencias de los clientes potenciales que la empresa debe satisfacer.

   Eduardo Guajardo describe que para Juran "los parámetros determinan la adecuación al uso [...] uno de ellos es [...] en la calidad de diseño debe realizarse una completa investigación de mercado, donde se definan cada una de las características del producto y las necesidades del cliente, para posteriormente establecer las especificaciones del proceso".[2]

---

[2]   Eduardo Guajardo, *Administración de la calidad total*, México, Pax México, 1996.

2. La experimentación al preparar platillos y bebidas mezcladas es la siguiente tarea que concluirá con lo que será tu menú de alimentos y lista de bebidas. Entonces podrás definir los recetarios básicos y los complementarios, siendo estos últimos, las bases (caldos, frijoles, salsas, velouté, jugo, mezcla colada, etc.) o guarniciones, garnituras o adornos que se requieren confeccionar previamente, para más tarde terminar un platillo o bebida. La investigación de calidad de los ingredientes, sus sabores, sus texturas, su **aprovechamiento** en crudo y cocinados, conjuntarán los atributos distintivos o característicos que permitirán atraer y satisfacer los gustos de los clientes.

Eduardo Guajardo refiere a Feigenbaum como el que se enfoca a definir [...] los costos de calidad se definen como aquellos costos incurridos por una industria para dar al cliente un producto de calidad.[3]

3. Después de los experimentos, el siguiente paso es la consolidación de la calidad y la diferenciación de la oferta, describiendo con exactitud los estándares de compra, que son las características de los productos o materia prima que adquirirás, siendo éstos la marca, la presentación, el color, el tamaño, el grado de calidad, el sabor, el empaque o embalaje, y en general los atributos específicos. Para mantener la calidad, los estándares deben permanecer invariables.

4. Después de haber establecido los recetarios y los estándares para la producción de alimentos y bebidas, es el momento de negociar con los proveedores las alianzas comerciales, para tener el aprovisionamiento de insumos que les aseguren a ambos las mejores condiciones, en una relación de ganar-ganar y convertirlo, de cierta manera, en un socio solidario para lograr los objetivos de la empresa.

Eduardo Guajardo resalta que de los 14 pasos de Deming "mejorar el sistema de producción y servicios en forma constante y permanente para mejorar la calidad y la productividad, y reducir los costos. Debemos trabajar en forma continua para reducir los desperdicios y errores buscando mejorar la calidad en todas y cada una de las actividades de la empresa".[4]

5. Tras lograr las alianzas, es necesario convertir las raciones y porciones que el cocinero o cantinero emplea en sus labores como son taza, cucharada, pizca, **dash**, onza, etc., en unidades y valores que permitan conocer con detalle el valor o costo de un platillo o bebida, lo que denomino hasta este momento como receta estándar. Al mismo tiempo conocerás el costo unitario del producto, lo que te permitirá calcular con base en el precio el porcentaje de costo.

6. Una vez definidas las necesidades de compra con base en la mezcla de ventas real o presupuestada y haber solicitado la materia prima con toda oportunidad a los proveedores, es momento de controlar la recepción de mercancías y verificar que los estándares de calidad se cumplan.

7. Una vez recibida la mercancía es muy importante exigir que se observen las condiciones de almacenaje de los productos y se realice adecuadamente el registro de salidas de almacén.

8. Durante la operación diaria es necesario comparar los consumos reales contra los potenciales, es decir, los que deberían ser. Ésta es la única forma de asegurar diariamente el control del costo y tendrás treinta momentos durante el mes para corregir cualquier desviación.

9. Al fin de mes después de calcular el costo real y el potencial, es el momento de analizar las variaciones para poder explicar y validar la eficiencia en el Control del Costo.

---

[3] *Ibíd.*

[4] *Ibíd.*

Para Munch "el Control es la fase del proceso administrativo a través del cual se evalúan los resultados obtenidos en relación con lo planeado, a fin de corregir desviaciones y mejorar continuamente".[5]

1.3. MONITOREO Y OPTIMIZACIÓN DE LOS GASTOS

El Presupuesto Anual de **Gastos** se integró con todas las necesidades mensuales de gastos o inversiones propias de la operación del restaurante, para hacer posible la comercialización de los productos y servicios. Por lo que es la guía autorizada a seguir en la erogación de cada concepto.

¿Qué cantidad se pagará por pintar la fachada?

¿Cuánto debes considerar para cubrir el consumo de gas necesario para la elaboración de los alimentos?

¿Cuánto será el monto de gasto de agua pronosticado para la limpieza y operación del restaurante?

¿Qué monto se pagará por concepto de energía eléctrica?

¿Cuánto se gastará en el mantenimiento del jardín?

¿Cuánto debes calcular por el desalojo de basura?

Considera otros gastos.

El comparar todos los días los consumos diarios contra los potenciales te evitará que cuando llegue el fin de mes que descubras junto con el Contador o con el Director de Operaciones, o peor aún, frente a los socios del restaurante, que excediste el gasto presupuestado en algunas cuentas; en caso contrario sería una muestra de que el control diario de estas erogaciones no existió y que tampoco tomaste decisiones oportunamente. Como gerente de restaurante es tu responsabilidad trabajar proactivamente y cuidar en forma escrupulosa lo que gastas para no exceder lo planeado.

1.3.1. Control diario de gastos operacionales

Los gastos se anotarán en una lista según las necesidades de análisis que la operación diaria exija. Recuerda que es imperativo que el restaurante logre la meta de ventas para ejercer el recurso económico presupuestado y lograr tanto **utilidad operacional** como el control del flujo de efectivo.

Munch define el flujo de efectivo (**cash-flow**) como "el reporte que reúne las fluctuaciones, los ingresos y los egresos de efectivo inmediatos durante un periodo determinado".[6]

Es común y normal querer gastar los montos destinados a cada rubro, pero si no alcanzas la meta de ingresos, sólo podrás aplicar el porcentaje establecido.

El siguiente cuadro (tabla 1.4) te muestra el monto de gasto mensual con base en un porcentaje de la venta.

---

[5]   Lourdes Münch, *Fundamentos de administración*, México, Trillas, 2001.

[6]   *Ibíd.*

Tabla 1.4. Ejerciendo el gasto

	Venta diaria	% del gasto	Monto del gasto
Presupuesto	$70 000	3.5	$2 450
Real	$63 750	3.5	$2 231
		Diferencia	**$219**

Según el ejemplo no podrás ejercer $219.00 (diferencia de $2 450 presupuestados a $2 231 que corresponden a 3.5% de la venta real), aunque "sea necesario", por lo que deberás ajustar tu pedido o posponer una cierta reparación o definir acciones de ahorro.

Esto repercutirá en gasto de detergentes, uniformes, en papelería y todos los gastos propios de la operación de tu negocio.

Un aspecto importante para calificarte como un gerente eficaz y eficiente está en relación con tu habilidad para controlar los gastos. Si la tendencia a la baja en las ventas persiste durante una semana, identificarás cierta cantidad que no podrás gastar, con consecuencias adversas para la operación.

1.3.2. Control mensual de gastos

El propósito de controlar mensualmente los **gastos de operación** es el monitorear día a día las cantidades de las adquisiciones efectuadas durante el mes, comparándolas contra los parámetros porcentuales que se han identificado minuciosamente al administrar tu restaurante, o contra las cantidades asignadas para cada uno de los gastos en el presupuesto respectivo. Al realizar esto tendrás información real, oportuna y precisa de lo que acontece al relacionar los gastos contra la venta diaria y acumulada del mes. En caso necesario, corrige la tendencia de erogar más de lo pronosticado.

Si el monitoreo diario lo conviertes en una disciplina de supervisión te evitarás sorpresas desagradables que puedan poner en peligro tu trabajo. Las facturas que originan este reporte se registran sin IVA, y brinda información para elaborar el Estado de Resultados. Este formato busca los siguientes objetivos:

1. Facilitar el acceso a la información referente a cada gasto realizado en el mes.

2. Controlar permanentemente cada uno de los gastos.

3. Disminuir la inversión de tiempo a fin de mes, compilando datos de gastos de cada cuenta.

4. Evitar "sorpresas" desagradables al final del mes, por gastar más de lo estimado.

La lista y la descripción de cada cuenta y subcuenta es decisión del contralor de la empresa. Cada cuenta debe explicar claramente qué gastos ampara. A manera de ejemplo se clarifica el contenido de cada una.

- Luz, agua, gas y teléfono: el importe generado por el gasto de agua, teléfono, gas, luz y diesel en caso de contar con planta de luz.
- Recolección de basura: importe de pagos y gratificaciones erogados por el desalojo de basura.
- Consumibles de operación: se incluyen artículos como: papelería, formas impresas de operación, entre otros.
- Utensilios menores: utensilios de cocina y comedor que por su importancia no son capitalizables.
- Artículos de limpieza: los diversos químicos y artículos utilizados en la limpieza y desinfección de la unidad, por ejemplo: detergentes, desinfectantes, trapeadores, escobas, esponjas, jabón líquido y suministros para baños de clientes y empleados.
- Uniformes: costo de los uniformes nuevos o su reposición.

Tabla 1.5. Control mensual de gastos

Fuerza de trabajo   **Control mensual de gastos**

	Sueldos	%	Comida empleados	%	Comida ejecutivos	%	2% nóminas	%	IMSS, SAR, Infonavit	%	Capacitación	%	Botiquín	%	Total	%
1			$310	0.9	$129	0.4					$100.00	0.3			$539.00	1.6
2			$434	1.3	$156	0.5					$120.00	0.4	$546.00	1.7	$1 256.00	3.8
15	$60 609	12.3	$6 750	0.8	$130	0.4	1 636.443	0.3	$20 001	4.1	$2 250.00	0.3			$91 376.41	2.78
30			$295	0.9	$120	0.4					$110.00	0.3	$321.00	1.0	$846.00	2.6
31	$65 631	13.3	$205	0.6	$98	0.3	1 772.037	0.4	$21 658	4.4	$4 680.00	0.5	$321.00	0.0	$94 365.27	9.3
Total	$126 240	12.4	$14 294	1.4	$4 013	0.4	3 408	0.3	$41 659	4.1	$9 360.00	0.9	$1 188.00	0.1	$200 162.68	19.6

$32 873	**Venta día**
$1 019 063	**Venta acumulada**

Control presupuestal

	Real	%	Presup.	%	Diferencia	%
Fuerza de trabajo	$200 162.68	19.6	$183 431	18.0	$16 731.34	1.6
Gastos de producción						
Gastos de venta						
Gastos de administración						
Gastos de mantenimiento						

- Mantenimiento: gastos de mantenimiento preventivo y correctivo del equipo de operación y de cómputo, suministros del edificio, equipo e instalaciones eléctricas o hidráulicas.
- Otros gastos: cualquier gasto operacional controlable que no se identifica fácilmente para asignarlo a una cuenta específica, por ejemplo: duplicados de llave, botiquín, etcétera.

En la parte inferior del control mensual de gastos (tabla 1.5), conforme pasan los días del mes se totaliza el monto y se calcula el porcentaje del gasto actual (gasto acumulado entre la venta acumulada) de cada cuenta.

Es necesario que cuando se origine el gasto, compares la erogación real contra lo presupuestado. Por lo menos una vez a la semana, debes revisar y analizar la información y tomar decisiones.

El ejemplo descrito a continuación, muestra por día y mes los gastos de fuerza de trabajo el cual engloba sueldos, comida de empleados, comida de ejecutivos, 2% de nóminas, IMSS/SAR/Infonavit, capacitación y botiquín. Los cálculos están definidos al 31 de marzo de 2008 con venta del día por $32 872 y acumulada de $1 019 063. En el cuadro que concentra el control presupuestal, muestra un exceso en el gasto por $16 731.34, que representa 1.6% del 18% presupuestado.

De la misma manera deberás analizar qué sucede con los gastos de producción, los gastos de ventas, los gastos de administración y los gastos de mantenimiento, que contienen las subcuentas descritas a continuación.

Tabla 1.6. Cuentas y subcuentas de gastos

Gastos de venta	Gastos de administración	Gastos de mantenimiento	Gastos de producción
Reposición equipo	Cuotas y suscripciones	Fumigación	Gas
Energía eléctrica	Seguros y fianzas	Reparaciones y conservación	Uniformes
Lavandería uniformes	Vigilancia	Inmueble	Agua
Decoración	Impuestos y derechos	Focos y lámparas	Productos desechables
Papelería oficina	Honorarios	Uniformes	
Transportes	Papelería de ventas	Suministro a clientes	
Suministros a clientes	No deducibles	Recolección basura	
Teléfono	Uniformes		
Estacionamiento	Gasolina		
Comisión tarjetas	Resguardo valores		

1.3.3. Optimización de los gastos

Con nombre de cuenta y subcuenta específicas, como se explicó anteriormente, cada restaurante designa para su estado de resultados los **gastos de operación**. A continuación encontrarás algunos cuestionamientos que podrás retomar para establecer criterios y acciones para controlar los principales gastos.

FUERZA DE TRABAJO

SUELDOS

¿Tienes una política clara para autorizar horas extras?

¿El pago de horas extras difiere de tu pronóstico inicial de mes ?

¿Mides y comparas la productividad por el gasto ocasionado en relación con las horas trabajadas?
¿Tu plantilla de personal cubre realmente las exigencias de calidad en la producción y servicio?

¿La programación de horarios de trabajo puede optimizarse recorriendo la hora de entrada o salida de tus empleados?

¿El mantenimiento y limpieza extra están considerados en los horarios de trabajo?

¿La programación de horarios considera que haya personal para la recepción de mercancía?

¿Puedes otorgar horas o días sin goce de sueldo evitando afectar al empleado y mucho menos al servicio y producción?

¿Qué puedes hacer en periodos de ventas bajas y con plantilla completa?

¿Otorgas permisos a cuenta de vacaciones?

¿Promueves que los empleados adelanten vacaciones?

COMIDA DE EMPLEADOS

¿Todo lo que come o bebe tu empleado está permitido y pronosticado?

¿Se registra lo consumido para valorar la comida de los empleados?

¿El monto acreditado al costo de alimentos es igual a lo que cargas en esta subcuenta?

¿No has "inflado" esta subcuenta para mejorar mañosamente el costo de alimentos?

COMIDA DE EJECUTIVOS

¿Todo lo que come o bebe el ejecutivo está permitido y pronosticado?

¿Se registra lo consumido para valorar la comida de los ejecutivos?

¿El monto acreditado al costo de alimentos es igual a lo que cargas en esta subcuenta?

IMSS

¿La capacitación de tus empleados evita pagar más por riesgos de trabajo?

GASTOS DE ADMINISTRACIÓN

UNIFORMES

¿Tus empleados firman hoja responsiva de recibo de uniformes?

¿Al finiquitar o liquidar a un empleado exiges la devolución del uniforme?

¿Repones los uniformes cada seis meses?

NO DEDUCIBLES

¿Autorizas compras sin exigir la factura correspondiente?

PAPELERÍA DE VENTAS

¿Si utilizas comandas, éstas son utilizadas para este fin?

¿Has tirado menús nuevos con precios obsoletos?

¿El personal de comedor evita que los menús se maltraten?

GASTOS DE VENTA

REPOSICIÓN DE EQUIPO

¿Haces inventarios diarios del plaqué?

¿Quién repone las piezas faltantes?

¿Qué haces cuando la reposición sobrepasa el presupuesto?

¿Con qué frecuencia haces inventarios de loza y cristalería?

¿Le exiges al empleado el pago de las piezas que rompe por descuido o negligencia?

¿Si tienes un **tronco** de propinas, un porcentaje se destina a la reposición de equipos?

¿Haces que se revise la basura para evitar que se pierdan equipos?

¿Qué haces cuando encuentras equipos en la basura?

¿Tus equipos se dañan por limpieza incorrecta?

¿Los equipos son maltratados por manejo inapropiado?

ENERGÍA ELÉCTRICA

¿Hay luces encendidas innecesariamente?

¿Las luces del comedor están identificadas para ser encendidas y apagadas a cierta hora?

¿Los empleados dejan abiertas las puertas de refrigeradores y congeladores?

¿Las puertas de refrigeradores y congeladores cierran herméticamente?

¿Los tostadores, hornos eléctricos, freidoras eléctricas se apagan cuando no se utilizan?

¿Los productos congelados se descongelan en refrigeración y esto ahorra energía? ¿Los evaporadores de cámaras de refrigeración y congelación están libres de suciedad y hielo?

¿Cada vez que se sale de una oficina, cámara de refrigeración o almacén se apaga la luz?

LAVANDERÍA

¿Haces inventario de blancos y comparas contra lo que debería existir?

¿Utilizan los empleados los manteles para secar loza, cristalería y plaqué?

¿Muestran los blancos roturas o desgaste prematuro?

¿Los empleados secan charolas y otras superficies con servilletas de tela?

PAPELERÍA DE OFICINA

¿Detectas uso excesivo de bolígrafos, cinta adhesiva, borradores, lápices y marcadores?

¿Tus empleados utilizan artículos de escritorio no autorizados?

¿Reciclas las hojas de papel para impresiones de uso interno?

¿Evalúas el gasto en *toner* y papel al imprimir borradores y reportes con errores?

TRANSPORTES

¿Autorizas el reembolso de gastos de transporte que exceden a lo presupuestado?

¿Exiges a proveedores incumplidos el pago de transporte por compras de emergencia?

Si cometes un error al planear las compras, ¿gastas en transporte para comprar materia prima?

TELÉFONO

¿Evitas llamadas constantes al corporativo u oficinas generales?

¿Verificas que tus empleados no utilicen el teléfono para llamadas personales?

¿Tienes dispositivos o claves para controlar las llamadas de larga distancia?

¿Verificas las causas y razones del gasto mensual de larga distancia?

GASTOS DE MANTENIMIENTO

REPARACIONES Y CONSERVACIÓN

¿Los empleados están capacitados para evitar daños a equipos e instalaciones al realizan la limpieza?

¿Se tienen y consultan las guías para resolver problemas de funcionamiento de los equipos?

¿Excediste el gasto en mantenimiento del punto de venta?

¿Pudiese existir sabotaje en tu restaurante, lo que ocasiona gastos inesperados?

¿Revisas minuciosamente las facturas de refacciones?

¿Son correctos los gastos amparados en las facturas?

GASTOS DE PRODUCCIÓN

GAS

¿ En horas de poco trabajo sólo se utiliza una freidora?

¿Se apagan los equipos cuando no se utilizan?

¿ Los hornos, planchas, asadores y freidoras se encienden 15 minutos antes de ser utilizados?

¿Se introducen y sacan rápidamente los productos del horno?

¿Las puertas de hornos cierran herméticamente?

SUMINISTROS DE LIMPIEZA

¿Los empleados sustraen detergentes o esponjas del restaurante?

¿Utilizan dosificadores o medidas para jabón, germicida, sarricida o desengrasante?

¿Los empleados están realmente capacitados para evitar el desperdicio de productos?

¿ Las escobas se cuelgan para evitar que se deformen?

¿El almacén de químicos está ordenado y consolidado?

¿El lavaplatos realiza el prelavado para evitar gastar de más en detergentes?

¿Se aprietan los tornillos de jaladores de agua o se adaptan rondanas de presión para evitar que se aflojen las tuercas?

AGUA

¿Hay gasto excesivo debido a fugas en llaves e instalaciones?

¿El lavaplatos realiza el prelavado para evitar cambiar constantemente el agua de la máquina?

¿Cuentas con equipos de agua a presión para lavar exteriores?

PRODUCTOS DESECHABLES

¿Los desechables están almacenados en área secas y alejados del calor?

¿Les das un uso rotativo a los desechables para evitar que haya productos decolorados, con polvo u otro inconveniente?

¿Al recibir los productos verificas que lo cobrado coincida con lo que recibes?

¿Si tus productos son consumidos en un ***food court***, los entregas en charola evitando gastar de más en bolsas?

¿Evitas que las cajas se maltraten?

¿Sólo una caja o paquete está abierto en el almacén?

2. La deliciosa y refrescante oferta

Hace años la oferta gastronómica era comúnmente resultado de la genial intuición o decisión del empresario, con base en su preferencia por determinada especialidad de alimentos. Hoy en día, definir el menú exige un mayor análisis de las preferencias, gustos, necesidades, moda, tendencias y disponibilidad de los productos alimenticios en el mercado.

Una vez resuelto el estudio y análisis del mercado y definido el *target*, se podrán proponer los platillos y bebidas que conformarán el menú del restaurante. Será el momento para experimentar con el sabor, la presentación, el tamaño de las porciones, adornos, guarniciones o garnituras y elegir los platos, copas y vasos donde se presentarán o montarán los alimentos y bebidas.

2.1. PLANEACIÓN Y DEFINICIÓN DEL MENÚ

Un medio para comunicar a los clientes la oferta que tienes para ellos es la "carta" o "menú". Pero antes de diseñar y definir tu menú es necesario responder la duda principal: ¿será del agrado y aceptación del cliente los productos que les presente?

Cuando realizaste la investigación de mercado pudiste conocer y cuantificar el mercado meta u objetivo, lo que te ayudó a tomar la decisión de qué y a quién vender, dónde ubicarte o si tu ubicación posible o actual es la adecuada. Más tarde identificaste los restaurantes que serían tu competencia directa en la zona, y describiste quiénes serían clientes potenciales, con su perfil y hábitos, todo esto te dio los elementos necesarios para forjar tu "concepto de servicio".

> Para Salomon el "Mercado Objetivo es el grupo o grupos que una firma selecciona para volverlos clientes, como resultado de la segmentación y determinación del mercado objetivo".[1]

Los sondeos de mercado te ayudaron a conocer el tipo de comida que consume con frecuencia ese grupo meta (figura 2.1), el gasto que destina para comer fuera de casa, el tiempo de que dispone para comer y el tiempo que necesita para comer. Los platillos y bebidas deben ser productos innovadores con características propias, que satisfagan las motivaciones de compra y representen símbolos, aspectos aspiracionales y costumbres.

---

[1] Michael Salomon y Elnora Stuart, *Marketing. Personas reales, decisiones reales*, 2a. ed., Colombia, Prentice Hall, 2001, p. 211.

Figura 2.1. Tipo comida *vs.* Grupo Meta

Debes tener presente que los productos que ofreces en el restaurante son un conjunto de atributos tangibles que en cierto momento son motivo de orgullo, como degustar un vino tinto de cepa *Pinot Noir* o *Cabernet Sauvignon*, de un añejo excepcional; inspirarse con un "caballito" con un tequila reposado 100% de agave, rematar una deliciosa comida con un coñac, saborear un tradicional chile en nogada en un buen restaurante, descubrir el delicado sabor de unas crepas de huitlacoche, descubrir la exquisitez cremosa de la langosta thermidor, el deleitarse con una pechuga de pollo bañada con exquisito mole poblano, o poder agasajarse con un generoso *Rib Eye* de calidad **Prime**, y otros más.

El servicio es también un conjunto de atributos intangibles que no puedes palpar, ni tocar, pero que están entrelazados con rasgos de amabilidad, el justo a tiempo, el ser **proactivo**, la calidad total, ambientes festivos o relajados con valor agregado; todos estos atributos, y otros más, se amalgaman para satisfacer necesidades primarias y secundarias del cliente.

2.1.1. Revisando experiencias

Ante el historial de ventas, tu restaurante revelará datos importantes de los menús que has ofertado en años o meses anteriores. La popularidad de los productos en la **mezcla de ventas** y un minucioso análisis del costo-potencial, te dejarán ver el comportamiento de cada uno de ellos. Haciendo una analogía con la **matriz de *Boston Consulting Group***, podrás clasificar los platillos en estrellas, vacas lecheras, interrogantes y perros, de los cuales resaltarás sus características, para después considerarlos en tu análisis de ingeniería del menú.

Estrellas

🍽️ Los productos cuidados con esmero a los que les dedicas *mayor inversión* como los cortes de carne, los camarones, los vinos de mesa y bebidas destiladas *Premium*, sean nacionales o de importación.

🍽️ Bebidas o platillos que los clientes adultos o jóvenes demandan con frecuencia. Cóctel margarita, martinis, tequila con sangrita, ***mopets***, alitas de pollo, **nachos**, pizza.

🍽️ Los productos de alto precio que se venden muy bien aunque son de costo elevado, pero generan a la empresa disponibilidad de efectivo, como el vender platillos a base de langosta.

Vacas lecheras

🍽️ Platillos y bebidas que vendes más y te generan mayor **contribución marginal**, como las sopas, los antojitos mexicanos, el café americano y, en general, los cócteles, que te ayudan a tener un sano flujo de efectivo.

🍽️ Productos de bajo precio que benefician el costo unitario.

🍽️ Generan flujo para reinvertir y puedes ordeñarlos diariamente.

🍽️ Platillos y bebidas bastante reconocidos por el cliente como las especialidades del restaurante, por ejemplo, el filete chemita, los tacos sudados, la **palomilla**, el perejil frito, el cabrito al horno y la paella valenciana y tantos como restaurantes exitosos hay.

🍽️ Platillos o bebidas que si mantienen su calidad e innovación pueden llegar a ser **productos estrella**.

Interrogantes

🍽️ Platillos que vende la competencia ventajosamente, pero que no sucede lo mismo en tu restaurante, a pesar de apoyarlos y cuidarlos. Sólo unos cuantos venden la mejor barbacoa, o las únicas carnitas tipo Michoacán, o pescados y mariscos con salsa a la diabla, o la sustanciosa pancita, o el tradicional pozole, entre otros productos más.

🍽️ Si dudas que el precio y la calidad del producto concuerdan con la percepción del cliente al compararlo con la competencia.

🍽️ Los que pudiesen mejorar su venta, si refuerzas la publicidad y la promoción.

🍽️ La venta de estos platillos va en contra del flujo de efectivo.

🍽️ Los productos que no has decidido retirarlos de la carta.

🍽️ Implican hacer adecuaciones o comprar nuevos equipos para cocina o volver a entrenar a cocineros y meseros.

Perros

🍽️ Son los platillos con escasa venta. La nostalgia impide retirarlos de la carta por haber sido originales, como la sopa Coco Fifi, creada por José Inés Loredo.

🍽️ Alimentos especiales para grupos específicos: comida vegetariana, paquetes infantiles, que son servicios complementarios al producto principal.

Al definir tu carta o menú considera los platillos, vinos y bebidas que ofrecen los restaurantes en tu localidad, para lo cual es conveniente que visites las páginas de internet. De esa gran cantidad de información podrás detectar importantes coincidencias en la oferta gastronómica existente en un mercado específico, como la **sopa azteca**, la ensalada César, el espagueti y la lasaña **boloñesa**, el filete de pescado al **mojo de ajo** o al **ajillo**, el filete de res a la pimienta o con salsa holandesa, la pechuga de pollo parmesana, las **crepas** *Suzzetes*, el café irlandés, y otros más que te servirán de referencia para decidir de qué platillos o bebidas incluir en tu carta.

El siguiente paso en el estudio y planeación de la carta, es hacer una lista de los platillos que se puedan elaborar con el equipo e instalaciones disponibles o si es conveniente comprarlos.

Además, el cliente hoy en día, busca una alimentación más sana, con bajo contenido de grasas animales o saturadas, con carbohidratos de cereales integrales que proporcionen fibras que permitan una mejor digestión, y evita los alimentos de bajo valor energético o aquellos que contengan azúcares refinados. Los platillos deben asegurar el correcto aporte de minerales, vitaminas y proteínas, por eso conviene incluir en el menú una sección de comida "saludable" o *light*, indicando en la carta los aportes nutrimental y calórico.

2.1.2. Consejos útiles al definir la carta

- Desarrolla programas para las "Especialidades de la casa", "Especialidad del chef", "Mes de Oaxaca", "Mes de los moles", "La comida asiática", "La Cantabria en México", "Pescados y mariscos del Golfo", y tantos más.
- Incluye platillos de alta demanda y bajo costo de adquisición.
- Ten a la mano un calendario de frutas y verduras de la región. Así podrás mantener el costo bajo y variar las guarniciones de acuerdo con la temporada.
- Evita incluir un número de opciones en cada sección de tu carta. Busca variedad, no cantidad.
- El número de platillos debe buscar una *mise en place* suficiente pero de gran versatilidad, que abata la confusión y desperdicio por sobrantes. Conviene aclarar que los platillos incluidos en el apartado "casos prácticos", al final de la obra, no toman en cuenta esta recomendación, pues se preparan en forma distinta, sin tener una *mise en place* versátil.
- Asegúrate que las fotos de los platillos representen las porciones reales, que sean iguales a los estándares.
- Si la especialidad del restaurante es distinta al país, incluye, por lo menos, tres platillos regionales.
- Si los cambios climáticos de verano a invierno son extremos en tu localidad, considera la conveniencia de tener dos cartas durante el año.
- Si ofertas menús diarios diseña especialidades cíclicas por lo menos para cuatro semanas.
- Combina sabores y texturas en los alimentos:

– Lo salado y dulce del jamón a la hawaiana o costillas en salsa **BBQ**.
– Lo cítrico con lo aromático de la manzana a la canela.
– Lo suave y crujiente de la milanesa con **papas Saratoga**.
– Lo sabores fuertes del carnero en salsa de menta o el contraste de sabores del *foie grass* en el filete de res *Wellington*.
– El sabor ligero del pescado con lo condimentado de la salsa en el Guachinango **a la veracruzana** y en el pollo al *Curry*.

2.2. ESTÁNDARES DE CALIDAD

Si el platillo o las bebidas se elaboran conforme los estándares de calidad, puedes estar seguro que le agradarán al cliente, pues todos los platillos estarán sabrosos, las verduras frescas, las carnes jugosas; la leche será de marca reconocida; el sabor del cóctel margarita será óptimo, etcétera. Estos estándares se establecieron después de investigar, experimentar, considerar opiniones en *focus group*, probar las bebidas o alimentos por medio de catas, degustaciones de platillos, y repitiendo esto hasta que el cliente y los responsables de la operación estuvieron seguros de que eran los productos idóneos.

En este punto, Stanton afirma que "a diferencia de las pruebas internas realizadas durante el desarrollo de un prototipo, en las pruebas de mercado participan los usuarios reales. Se dará el producto a una muestra de personas [...] Terminada la prueba, se les pide que evalúen el producto".[2]

Los estándares de calidad (tabla 2.1) precisan condiciones de temperatura, tiempos de caducidad, de cocimiento y de vida una vez cocidos o procesados.

Tabla 2.1. Estándares de calidad

Producto	Almacenamiento	Descongelación	Tiempo de caducidad		Tiempo cocimiento	Tiempo de vida
Aros de cebolla	Congelación	*n/a	Fecha de elaboración 180 días		350°F-2½ min	Frita 10 min
Bollo	Abarrotes	*n/a	12 días		Variable	Tostado 5 min en conservador
Carne hamburguesas	Congelación	*n/a	Fecha de elaboración 90 días		2½ a 3 min	Cocinada 20 min
Catsup	Cerrada abarrotes	*n/a	Fecha de elaboración 270 días	Abierta	*n/a	*n/a
	Refrigeración		15 días			
Cebolla	Refrigeración	*n/a	Fecha de recepción 14 días		*n/a	Rebanada 18 horas
Jitomate	Refrigeración	*n/a	Fecha de recepción 8 días		*n/a	Procesado 6 horas
Lechuga	Refrigeración	*n/a	Fecha de recepción 10 días		*n/a	Procesada 24 horas
Nuggets de pollo	Congelación	*n/a	Fecha de elaboración 180 días		350°F-2½ min	Frita 7 min
Papas a la francesa	Congelación	*n/a	Fecha de elaboración 365 días		350°F-2½ min	Frita 7 min
Quesos	Refrigeración	*n/a	Fecha de elaboración 15 días		*n/a	*n/a
Salsa ranch	Refrigeración	*n/a	Fecha de elaboración 120 días	Abierta	*n/a	*n/a
	Refrigeración		7 días			
Tocino	Refrigeración	*n/a	Fecha de elaboración 120 días	Cerrado abierto	*5 min	Cocinado 1 hora en cajón térmico
			3 días			

* no aplica

---

[2]   Walter, Starton Etzel, *Fundamentos de Marketing*, 11a. ed., México, McGraw-Hill, 2001, p. 226.

2.2.1. Estándares de compra

Los estándares de compra son los atributos básicos de calidad que debe presentar la materia prima para adquirirlos y procesarlos. Éstos se describen con detalle, ya sea por el color, tamaño, el grado de calidad como podría ser **Prime, Choice** y **Select** para los cortes de carne americanos, marca, presentación de compra o cualquier otra característica que lo diferencie. El chef, después de experimentar con la materia prima, define los estándares de compra (tabla 2.2), y continúa probando alimentos y bebidas hasta consolidar la calidad y la diferenciación de la materia prima que se adquirirá.

Tabla 2.2. Estándares de compra

Producto	Marca	Empaque	Precio de compra	Contenido	Presentación	Unidad	Precio unitario
Abarrotes							
Aceite de maíz	La Gloria	Caja	55.90	3:1.000	3	ℓ	$18.63
Aceitunas sin hueso	La Costeña	Caja	378.00	12(1:55)	12	Frasco	$31.50
Arroz	Morelos	Paquete	149.50	25:1.000	25	kg	$5.98
Consomé de pollo	Knorr Suiza	Frasco	133.00	3.600	3.600	Frasco	$36.94
Frijol bayo	Morelos	Paquete	36.50	5:1.000	5	kg	$7.30
Manteca vegetal	Inca	Paquete	35.00	3:1.000	3	kg	$11.67
Bebidas							
Crema de coco	Calahua	Caja	407.71	24:0.480	24	Lata	$16.99
Jarabe natural	Gadi	Bote	228.16	12:1.000	12	ℓ	$19.01
Bebidas alcohólicas							
Ron blanco	Bacardí	Bote	1 242.00	12:0.750	12	ℓ	$103.50
Tequila reposado	Don Julio	Bote	4 126.00	12:0.750	12	ℓ	$343.83
Carnes y pescados							
Ostiones en concha	La Viga	Costal	235.00	210	210	Pieza	$1.12
Panza de res limpia	Sanitaria	kg	25.00	1	1	kg	$25.00
Pechuga de pollo corazón	Pilgrim's	Paquete	60.00	4:0.350	1.400	kg	$42.86
Frutas							
Limón agrio	C. Abastos	Caja	70.00	1:96	12	kg	$5.83
Naranja valenciana	C. Abastos	Costal	149.00	1:144	36	kg	$4.14
Lácteos							
Crema ácida	Alpura	Bote	33.45	3:0.450	3	Bote	$11.15
Huevo rojo	Bachoco	Caja	65.50	90	90	Pieza	$0.73
Leche	Alpura 2000	Caja	98.70	12:1.000	12	ℓ	$8.23
Leche evaporada	Carnation	Paquete	53.39	8:0.410	8	Lata	$6.67

Youshimatz define las **especificaciones estándar** de compras como "las características concisas de compras de los productos en cuanto a color, calidad, tamaño, peso, porción, presentación, cantidad, etc., deseados para lograr uniformidad para la producción de los alimentos".[3]

---

[3]   Alfredo Youshimatz, *Control de costos de alimentos y bebidas I*, 2ª. ed. México, Trillas, 2006, p. 75

2.3. ELABORACIÓN DE RECETARIOS

Una vez definidos los platillos y las bebidas se elaborarán como sea necesario para asegurar que se haya alcanzado la exquisitez y sabor inigualable, es decir, la mejor calidad. El Jefe de cocina es el responsable de la consistencia en la presentación y que se sigan los procedimientos del recetario establecido, lo que permitirá lograr el **costo potencial** pronosticado.

2.3.1. Recetario básico

El **recetario básico** (tabla 2.3a) es la herramienta que utilizará el cocinero o el cantinero para preparar el platillo o la bebida que el mesero llevará a la mesa. En los restaurantes donde el servicio es controlado mediante el uso de comandas registradas manualmente o electrónicas con impresoras remotas, se recomienda que el rendimiento del recetario sea para una porción.

Tabla 2.3a. Recetarios básicos

Producto: Sopa de tortilla Fecha: Febrero de 2008

Rendimiento: 1 porción Tamaño de la porción: 0.200 ℓ

Ingredientes	Cantidad	Unidad	Método de preparación
Tortillas doradas	½	Taza	Con pinzas sirve las tortillas en un tazón grande.
Caldillo jitomate	1	Cuch 6'*	Sirve el caldillo de tomate hirviendo en el tazón.
Crema leche	1	cc**	Espolvorea el queso sobre la sopa y decora con un listón de crema, el
Aguacate	1	Octavo	aguacate y una tirita de chile pasilla.
Queso Oaxaca	1	cs***	
Chile pasilla	1	Tira	
Chicharrón	2	Trocitos	En el plato base de la sopa, coloca dos trocitos de chicharrón

* Cuchara de 6 onzas

** Cuchara cafetera

*** Cuchara sopera

Producto: Paloma Don Julio Fecha: Febrero de 2008

Rendimiento: 1 porción Tamaño de la porción: 1 onza

Ingredientes	Cantidad	Unidad	Método de preparación
Tequila Don Julio	1½	Onzas	Escarcha el vaso con sal. Exprime el resto del limón.
Refresco de toronja	1	Pieza	Sirve el hielo en vaso jaibolero.
Limón	1	Tercio	Vierte el tequila.
Sal	1	cc	Agrega refresco un dedo abajo del borde del vaso.
Hielo	3	Cubos	Remueve con cuchara larga.

Los ingredientes que se listan son los necesarios para la preparación del platillo o bebida, además pueden incluirse los aderezos, salsas, complementos, pan, tortilla, limón, galletas, que el cliente decida utilizar. Para la sopa de tortilla como para la paloma Don Julio, se puede observar que las unidades de medida corresponden a elementos de los que dispone el cocinero o cantinero al momento de incorporar los ingredientes y ensamblar el producto, y así asegurar consistencia que la calidad sea ¡siempre igual!

En la columna "unidad" debe evitarse anotar litros y kilos, ya que el cocinero requiere preparar el platillo "sin tener que estar midiendo estas porciones". Por lo que las medidas que se usarán son la taza (medida de plástico), el cucharón de 6 onzas (cuch 6), cuchara cafetera cc (medida de plástico) y cuchara sopera cs, (medida de plástico), la cuchara de cocina (coc), tercio, onza y *dash*.

En la columna "método de preparación" se describe por bloques la elaboración del platillo o bebida. La receta de sopa de tortilla, por ejemplo, se realiza en cuatro pasos. Además, en cada bloque se indican la cantidad y los ingredientes que se emplearán.

Para preparar ceviche el cocinero debe tener a la vista el recetario básico (tabla 2.3b) como el que se muestra a continuación.

Tabla 2.3b. Recetario básico

Producto: Ceviche   Fecha: Febrero de 2008

Rendimiento: 1 porción   Tamaño de la porción: 0.130 kilos

Ingredientes	Cantidad	Unidad	Método de preparación
Ceviche	¾	Taza	En copa tulipán sirve el ceviche preparado.
Cilantro picado	1	cc	Espolvorea el cilantro finamente picado.
Aguacate, cubitos	2	cs	Decora con el aguacate.
Aceite de oliva	1	cs	Termina distribuyendo el aceite.

2.3.2. Recetario complementario

Si el recetario es para preparar ceviche del servicio de buffet, lógicamente las porciones serán mayores a uno, en este caso pueden ser para 10 o más y este recetario se convierte en complementario (tabla 2.4a).

Tabla 2.4a. Recetario complementario

Producto: Ceviche   Fecha: Febrero de 2008

Rendimiento: 21 porciones   Tamaño de la porción: 0.130 kilos

Ingredientes	Cantidad	Unidad	Método de preparación
Ostiones	6	Docena	Corta en cuadritos el pescado. Acomoda el pescado y los ostiones en un
Filete de pez sierra	1.000	kg	refractario, exprime los limones. Deja reposar por 1½ hora.
Limón	20	Pieza	Escurre y tira el jugo. Coloca nuevamente en el refractario.
Cilantro	1	Manojo	Lava, desinfecta y pica finamente el cilantro.
Aguacate	2	Pieza	Pela el aguacate y córtalo en cuadritos.
Salsa mexicana	2	Taza	Mezcla la salsa mexicana y el aceite con el pescado y ostiones.
Aceite de oliva	½	Taza	Sazona decora con el aguacate y cilantro.
Sal	3	Pizca	
Pimienta	2	Pizca	

En la columna "unidad" encontrarás las medidas de kilo, manojo y docena, por ser la preparación total del producto y no el ensamble de un cóctel.

En el capítulo anterior también se mencionó la necesidad de elaborar recetarios complementarios, exclusivos para alimentos que deben prepararse con anticipación y que deben de estar disponibles, calientes o fríos.

Estas preparaciones forman parte de la *mise en place* de la cocina. Por ejemplo, están el caldo de res, el caldo de pollo, el fumet de pescado, los frijoles charros, los frijoles refritos, la salsa bechamel, el **cassé de tomate**, la salsa española (gravy), la salsa holandesa, el guacamole (tabla 2.4b), las guarniciones de verduras, la papa hash brown, los alimentos guisados, etc. En la *mise en place* del bar se deben preparar los jugos de naranja, de limón, mezcla colada (tabla 2.4b), garnituras o adornos para bebidas, sangrita, etcétera.

Tabla 2.4b. Recetarios complementarios

Producto: Guacamole   Categoría: Salsas
Rendimiento: 15 porciones de 0.100 kg: Fecha: Febrero de 2008

Ingredientes	Cantidad	Unidad	Método de preparación
Tomates Chile serrano	12 0.050	Pieza kg	Asa los tomates y los chiles.
Ajo Sal	4 4	Diente Pizca	Muele en molcajete el ajo y chiles. Sazona.
Aguacate	4	Pieza	Agrega los tomates y el aguacate y sigue moliendo.
Cilantro Cebolla	10 2	Ramita Pieza	Lava, desinfecta y pica finamente el cilantro. Pela y corta la cebolla. Adorna el guacamole con cilantro y cebolla.

Producto: Mezcla colada   Categoría: Cocteles
Rendimiento: 1.480 litros   Fecha: Febrero de 2008

Ingredientes	Cantidad	Unidad	Método de preparación
Jugo de piña Crema de coco	1 1	ℓ Lata	Licua por un minuto y guarda en refrigeración hasta usarse. Tiempo de vida, 72 horas.

El recetario complementario utiliza el mismo formato que el recetario básico y sólo difiere en la columna de "unidad", donde estarán escritas las medidas que el cocinero utiliza durante la *mise en place*. Es indispensable tener a la mano báscula y recipientes para medir.

2.3.3. Porciones estándar

Éstas se encuentran en una lista en la que se indica la porción del platillo que se aplica al peso del corte de carne, al largo del costillar de cerdo, la capacidad para jugos chicos y grandes, cuántos panes tostados acompañan el omelet, cuántas tiras de tocino se servirán con un par de huevos fritos, cuántas onzas de ron se servirán en una cuba libre, la cantidad de cerveza de barril que se servirá en tarro o en copa.

La lista debe indicar cuánto alimento o bebida recibirá el cliente después de ordenar su platillo o cóctel. Lógicamente esta medida dependerá del mercado objetivo, por ejemplo las jarras de cerveza o las yardas pequeñas o largas que se utilizan en algunos bares. Lo mismo sucede en los restaurantes donde sirven ensaladas que pueden ser para dos personas, o que la pasta puede ser una ligera entrada o un plato principal generosamente servido, u ofrecen porciones grandes de postres, que se sirven al centro de la mesa para que los invitados los compartan.

El cliente espera que el tamaño del platillo corresponda al precio que pagará, el cuál debe ser justo por lo que recibe. Debes mantener las porciones y guarniciones estándar (tabla 2.5) para asegurar el control de los alimentos sin mayor preocupación. Es recomendable que tanto en la cocina caliente y en la cocina fría exista una **ayuda visual**, que contenga los pasos del ensamble del platillo y también la fotografía del montaje del mismo, para que, en caso necesario, le resuelva cualquier duda al cocinero.

Tabla 2.5. Porciones y guarniciones estándar

Platillo	Porción	Complemento	Guarnición	Adorno
Pepitos	Filete 100 g	1 *baguette* 2 onzas de guacamole	210 g papa francesa	30 g rajas de chile jalapeño
Camarones mojo ajo	6 piezas U-24	60 ml salsa	10 g arroz blanco	2 tercios de limón
Tampiqueña	180 g	1 enchilada, 120 g rajas	120 g frijoles refritos	3 totopos 1 onza de queso rallado
Hawaiian steak	Jamón 220 g	1 rodaja de piña	150 g puré papa	1 onza de gravy
Huevos rancheros	2 piezas	1 tortilla 60 ml salsa	120 g frijoles refritos	3 totopos 1 onza de queso rallado
Ensalada del chef	210 g lechuga romana	60 g jamón 60 g lengua 60 g queso amarillo	60 ml salsa mil islas	½ jitomate 1 huevo cocido 4 aceitunas

En el área de pre-preparación es indispensable que se tenga a la mano el recetario de lo que se elaborará diariamente para que el cocinero lo pueda consultar, aunque para algunas empresas, es "obligatorio que el empleado tenga a la vista la hoja del recetario, como medida en el control del costo y de aseguramiento de calidad".

Como gerente, debes proporcionar a tus cocineros las tazas, cucharas medidoras y cucharones con capacidades adecuadas para lo que deban servir o salsear. Si se sirve siempre igual, no habrá reclamos del cliente porque la porción recibida concuerda con la fotografía del *menu board*, con la de la carta, o la del *flyer*, o la del tríptico, o la del mantelito individual, o la del cartel, o igual al platillo que el cliente comió en su última visita.

El cantinero debe tener a la mano, en un organizador de tarjetas, las recetas contenidas en la lista de bebidas. Es necesario tener otro recetario de bebidas o cocteles que se demandan pocas veces. Para mantener la porción es imperativo que el cantinero utilice siempre el *jigger* al preparar las bebidas, en caso de que no disponga de un despachador automático.

Todo el personal, tanto de producción como de servicio, debe conocer perfectamente las porciones; esto se puede lograr si se anotan pizarrones, haces exámenes escritos, si las mencionas y preguntas en las juntas preservicio. También "vende" la idea de lo importante es que se mantengan las porciones estándar y supervisa constantemente que se sirvan.

2.4. COSTEO DE RECETAS

Después de establecer las raciones estándar, es necesario convertir las raciones y porciones que el cocinero o el cantinero emplean en sus labores como la taza, cucharada, pizca, *dash*, onza, etc., en unidades y valores que permitan conocer con detalle el valor o costo de cada ingrediente de un platillo o bebida. Esta información es indispensable para calcular la receta estándar. Al mismo tiempo conocerás el costo unitario, lo que permitirá calcular el porcentaje de costo con base en el precio.

Conforme se experimentan la preparación de alimentos, las porciones de los ingredientes podrán cambiar teniendo presente la satisfacción del cliente, por eso se debe estar pesando o midiendo; para después traducir la medida usada en una unidad de medida del sistema métrico decimal, y estar en condiciones de poder costear.

2.4.1. Equivalencias y conversiones

Cuando consultamos libros de cocina o cualquier otra información a veces las cantidades corresponden al sistema Inglés de medidas, por tanto, será necesario convertirlas a kilos o litros para definir así la cantidad de cada ingrediente y calcular el costo total del producto.

A continuación encontrarás tablas que te facilitarán las conversiones de pesos y capacidades (tabla 2.6), así como las equivalencias de temperaturas de grados **Fahrenheit** a grados centígrados (tabla 2.7), las que te ayudarán a despejar algunas dudas. También encontrarás otras equivalencias (tabla 2.8), que te ayudarán a redactar los recetarios al utilizar medidas y temperaturas.

Tabla 2.6. Equivalencias de peso y capacidad

1	libra	=	16	oz
		=	0.454	kg
1	onza	=	0.0285	kg
1	galón	=	128	oz
		=	3.785	ℓ
1	onza fluida	=	0.02957	ℓ
1	kilogramo	=	2.20264	lb
		=	35.087	oz
1	litro	=	0.264	gal
		=	33.818	oz

por lo tanto [   ] × [   ] = [   ]

¿Cuántos gramos equivalen a 8 onzas?

$$8 \times 28.57 = 228.56 \text{ gramos}$$

¿Cuántas onzas fluidas contiene una botella de 700 ml?

$$0.700 : 0.02957 = 23.67 \text{ onzas}$$

¿Cuántas porciones, sin considerar la merma al freírlas, de papas fritas de 7 onzas puedes servir con una bolsa de papas crudas de 5 libras?

$$5 \times 16 : 7 = 11.43 \text{ porciones de 7 onzas}$$

¿Cuántos vasos de 14 onzas de jugo de naranja puedes servir con siete jarras con capacidad de 2.5 litros cada una?

$$7 \times 2.5 \times 33.818 : 14 = 42.27 \text{ vasos de 14 onzas}$$

¿Cuántos kilos de café molido fino necesitas para preparar 40 cafés exprés, si utilizas ½ onza de café por taza?

$$0.0143 : 1, \text{ como} \times : 40 = 0.572 \text{ kilos}$$

Tabla 2.7. Equivalencias de temperaturas

$$^\circ F = {^\circ C} \times 1.8 + 32 \;/\; {^\circ C} = ({^\circ F} - 32) / 1.8$$

Mantenimiento seguro de alimentos calientes

320	°F igual a	160	°C

Temperatura de refrigeración

65.0	°C igual a	149	°F

Si la temperatura para hornear un pastel se recomienda a 320° Fahrenheit, ¿cuál es la temperatura que le corresponde en grados centígrados?

$$(320 - 32) : 1.8 = 160 \text{ grados centígrados}$$

Si la temperatura segura para mantener los alimentos calientes es de 65° centígrados, ¿a qué temperatura en grados Fahrenheit debes ajustar el baño María?

$$65 \times 1.8 + 32 = 149 \text{ grados Fahrenheit}$$

Tabla 2.8. Otras equivalencias de peso, capacidad y temperatura

Conversión de medidas

Cucharadita	=	cuchara cafetera	cc
Cucharada	=	cuchara sopera	cs
1 cc	+ o –	0.007 kg/ℓ	
2 cc	+ o –	0.015 kg/ℓ	
1 cs	+ o –	0.015 kg/ℓ	
1 taza	+ o –	0.200 kg/ℓ	

Temperatura de horneado

110°C / 230°F	=	Frío
150°C / 300°F	=	Muy bajo
180°C / 350°F	=	Moderado
200°C / 390°F	=	Caliente
230°C / 450°F	=	Muy caliente

2.4.2. Rendimientos

Al momento de calcular el costo de los platillos es necesario considerar el factor de **rendimiento** (tabla 2.9) de la materia prima. Algunos vegetales y frutas, antes de ser preparados, requieren de limpieza y que se pelen o retire la cáscara, por ejemplo, la zanahoria, cebolla, lechuga, naranja, sandía. Durante este proceso algunos productos pueden mermar de 5% a 40%.

De otros vegetales y frutas se requiere obtener jugo, perlas, abanicos, juliana, rodajas, gajos y otros productos más, por lo que es necesario calcular su aprovechamiento y merma.

Tabla 2.9. Rendimientos y mermas

Producto	%	Producto	%	Producto	%	Producto	%
Abarrotes		**Carnes y pescado**					
Almendras	98	Arrachera	98	Melón	50	Champiñones	90
Arroz	160	Camarón 21/25	95	Naranja	90	Chayote	95
Catsup	90	*Cat fish*	100	Papaya	65	Chiles verdes	90
Gravy en polvo	130	Costilla de cerdo	80	Piña	40	Cilantro	50
Harina de maíz	90	Filete de res	97	Plátano	80	Col	65
Linguine	180	Hamburguesa	100	Sandía	60	Coliflor	60
Salsas en bote	95	*Rib-eye*	98			Germen, alfalfa	80
		Salmón	95	**Verduras**		Jitomate	65
Lácteos y huevo		Tocino	95	Aguacate	50	Lechuga	65
		Top Sirlon	95	Apio	50	Papa alfa	95
Helado	97			Brócoli	60	Perejil	50
Huevo	90	**Frutas**		Calabaza	80	Pimiento	80
Queso cotagge	95			Cebolla blanca	80	Zanahoria	75
Queso suave	95	Fresa	98	Cebollín	80		
Yogur	95	Limón	80				

Si compramos una caña de filete, ésta requiere limpiarse y procesarse para definir el peso y número de filetes; cuántas tiras de filete (tampiqueñas) y peso; cuántos trozos de filete para puntas, y también deben pesarse cuánto queda para carne molida. La diferencia entre el peso inicial y el procesado será la merma por el espejo y grasa. Esa merma como se ve en la prueba de rendimiento de la caña de filete (tabla 2.10a), afecta al filete migñón, a la tampiqueña, a las puntas de filete y a la carne molida, aumentando su valor en 6.3%.

Tabla 2.10a. Prueba de rendimiento

Caña de filete		Kilos	%	Costo kilo	Costo total
Calidad choice	Una pieza	2.700	100%	$307.00	$828.90

Después del trabajo del tablajero obtenemos de la pieza:

Filete migñón	6	0.230	1.380
Tampiqueña de filete	3	0.180	0.540
Puntas de filete			0.430
Carne molida			0.170

	Kilos	%
Por lo tanto rinde solamente	2.520	93%
La diferencia es merma (espejo y grasa)	0.180	6.67%
Dando el peso original de la pieza	**2.700**	**100.00%**

Una forma de impactar la merma al **costo** del corte de la carne es utilizar el porcentual del rendimiento al costear el platillo. Peso por el costo por kilo, entre el porcentual del rendimiento.

	Kilos	Costo por kilo	Rendimiento	Nuevo costo
Filete migñón	1.380	307.00	0.933	453.92
Tampiqueña de filete	0.540	307.00	0.933	177.62
Puntas de filete	0.430	307.00	0.933	141.44
Carne molida	0.170	307.00	0.933	55.92
				828.90

Tabla 2.10b. Ejercicio de prueba de rendimiento

Determina el rendimiento de la pechuga de pollo con hueso y piel.

		Kilos	%	Costo kilo	Costo total
Pechuga de pollo	Cinco piezas	2.200	100%	$39.00	$85.80

Después del trabajo del tablajero obtenemos de las pechugas:

Suprema	6	0.210	1.260
Tiras		0.560	0.560
Carne para desmenuzar		0.170	0.170

	Kilos	%
Por lo tanto las pechugas rinden:		
La merma (pellejo, hueso y grasa)		
Dando el peso original de la pieza		

Una forma de impactar la merma al costo de las pechugas es utilizar el porcentual del rendimiento al costear el platillo. Peso por el costo por kilo, entre el porcentual del rendimiento.

	Kilos	Costo por kilo	Rendimiento	Nuevo costo
Suprema				
Tiras				
Carne para desmenuzar				
				$85.80

Los rendimientos se calcularán para todo producto que requiera ser cocinado y la merma ocasionada será absorbida por el costo de lo que se venderá en esa condición, como las carnitas, la barbacoa, flanes, guisados, pizza, comida para llevar y otros platillos más. Al conocer el factor de rendimiento, lo aplicarás al momento de costear el ingrediente.

2.4.3. Receta estándar básica

El propósito de la **receta estándar básica** es que la gerencia conozca el valor de los ingredientes y el porcentaje de costo de cada platillo o bebida preparada. Esta información se usa además para estimar a fin de mes el costo potencial de los platillos y bebidas que ofrece el restaurante. Los objetivos que persigue son:

- Conocerás la contribución marginal de cada artículo de la carta.
- Aumentarás tu habilidad para mantener los costos bajo control y reconocer su origen.
- Tendrás un método para evaluar el comportamiento del costo real contra el pronosticado (costo potencial).
- Demostrarás a tus supervisores y al personal la importancia de vender más artículos, pero, sobre todo, los adecuados.
- Te permite analizar el valor de cada platillo o bebida, en términos de contribución marginal en relación con el costo y también te ayuda a conocer el porcentaje del costo.

En la receta estándar para la sopa de tortilla (tabla 2.11a) en la columna de ingredientes se indica que el factor de rendimiento, del queso Oaxaca es de 97% y del chicharrón 90%. En la columna de "unidad" encontramos sólo aquella que permite costear el ingrediente, por ejemplo, el kilo, litro y pieza. El "costo unitario" proviene de la base de datos de precios de compra o del valor calculado en la receta complementaria, como el caldillo de jitomate de $4.97 el litro.

Tabla 2.11a. Receta estándar básica

Producto: Sopa de tortilla Fecha: Febrero de 2008

Rendimiento: Una porción Elaboró: Gerencia de operaciones

Ingredientes	Cantidad	Unidad	Costo unitario	Costo total	Precio de venta	$26.09
Tortillas	0.500	Pieza	$0.13	$0.07	Porcentaje del costo	27.03
Aceite	0.004	ℓ	$18.63	$0.07		
Caldillo de jitomate	0.200	ℓ	$4.97	$0.99		
Crema leche	0.020	kg	$24.78	$0.50		
Aguacate	0.125	Pieza	$3.00	$0.38		
Queso Oaxaca 97%	0.030	kg	$39.25	$1.21		
Chile pasilla	0.010	kg	$72.00	$0.72		
Chicharrón 90%	0.020	kg	$140.00	$3.11		

$7.05

Para calcular el costo total bastará multiplicar los valores de cantidad por el costo unitario; en el caso del queso se dividirá entre .97 debido a la merma de 3%. Para el cálculo del costo total del chicharrón, después de multiplicar 0.020 por 140.00, se dividirá entre 0.9 para considerar el desperdicio del 10%.

Al sumar la columna de "costo total" obtendrás el costo de la sopa de tortilla, que es de $7.05 y el precio de venta sin IVA es de $26.09. Para obtener el porcentaje de costo, divide el costo del platillo $7.05 entre el precio de venta $26.09 igual a 27.03%.

Otro ejemplo, ahora con carne, lo es en la receta estándar básica para la tampiqueña (tabla 2.11b) con rendimiento de 93% para la caña de filete, calidad **choice** que afectó su costo. Los $29.03 de la tampiqueña se obtienen después de multiplicar 0.180 por 161.29, y dividir entre .93 para considerar el desperdicio de 7%.

Tabla 2.11b. Receta estándar básica

Producto: Tampiqueña Fecha: Febrero de 2008

Rendimiento: Una porción Elaboró: Gerencia de operaciones

Ingredientes	Cantidad	Unidad	Costo unitario	Costo total	Precio de venta	$104.35
Tampiqueña 93%	0.180	kg	$161.29	$29.03	Porcentaje del costo	32.1
Tortilla	2	pieza	$0.34	$0.68		
Aceite	0.02	ℓ	$13.98	$0.28		
Salsa verde	0.1	ℓ	$5.61	$0.56		
Cebolla 90%	0.02	kg	$8.00	$0.16		
Frijoles refritos	0.08	kg	$7.60	$0.61		
Totopos	0.04	kg	$0.25	$0.01		
Queso panela	0.02	kg	$64.90	$1.30		
Guacamole	0.1	kg	$8.66	$0.87		

$33.49

2.4.4. Receta estándar complementaria

En la **receta estándar complementaria** de la sopa de tortilla se observa el costo del caldillo de jitomate de $4.97 el litro, el que se obtuvo después de dividir el costo total del caldillo de jitomate de $9.93 entre 2 litros de rendimiento. También puedes identificar que para preparar este caldillo, fue necesario calcular el costo de $17.32 por litro de cassé de tomate.

En las recetas del cassé de tomate y caldillo de jitomate (tabla 2.12) el rendimiento se observa en litros, pudiendo ser para otros productos kilos o, como en la siguiente receta de corundas, que el rendimiento es de 20 piezas.

En el "caso práctico" que encontrarás al final del libro podrás analizar cómo la información de las recetas complementarias te facilitará el cálculo de las recetas básicas.

Tabla 2.12. Recetas estándar complementarias

Producto: Cassé de tomate   Fecha: Febrero de 2008
Rendimiento: 2.000 litros   Elaboró: Gerencia de operaciones

Ingredientes	Cantidad	Unidad	Costo unitario	Costo total	Rendimiento litro	2.000
Jitomate 93%	3	kg	$9.20	$29.68	**Costo unitario**	**$17.32**
Ajo	5	Diente	$0.13	$0.67		
Cebolla 85%	0.17	kg	$8.00	$1.60		
Aceite	0.090	ℓ	$13.98	$1.26		
Sal	0.02	kg	$4.30	$0.09		
Pimienta	0.01	kg	$135.21	$1.35		

$34.64

Producto: Caldillo de jitomate   Fecha: Febrero de 2008
Rendimiento: 2.000 litros   Elaboró: Gerencia de operaciones

Ingredientes	Cantidad	Unidad	Costo unitario	Costo total	Rendimiento litro	2.000
Cassé de tomate	0.400	ℓ	$17.32	$6.93	**Costo unitario**	**$4.97**
Caldo de pollo	1.600	ℓ	$1.88	$3.00		

$9.93

Producto: Corundas   Fecha: Febrero de 2008
Rendimiento: 20 piezas   Elaboró: Gerencia de operaciones

Ingredientes	Cantidad	Unidad	Costo unitario	Costo total	Rendimiento pieza	20
Tequezquite	0.010	kg	$8.00	$0.08	**Costo unitario**	**$0.99**
Leche	0.1	ℓ	$8.23	$0.82		
Manteca	0.4	kg	$11.70	$4.68		
Masa de maíz 93%	2	kg	$4.00	$8.60		
Sal	0.015	kg	$4.30	$0.06		
Hojas verdes de elote	20	Pieza	$0.28	$5.56		

$19.80

3. Proveedores y compras

En la actualidad, los proveedores de materia prima se han convertido en los aliados comerciales más importantes para quienes dirigen un restaurante.

Estos socios pagan con sus recursos la inversión en alimentos y bebidas y deben esperar habitualmente más de 30 días para recibir el pago, aparentemente sin causar interés alguno.

3.1. PROVEEDORES ESPECIALIZADOS

El objetivo primordial de los proveedores es facilitar y hacer los trabajos y negociaciones para que los restaurantes dispongan de la materia prima que requieren para su funcionamiento (figura 3.1).

Figura 3.1. Entrega de mercancía

Los proveedores de materia prima apoyan adecuando sus procesos a los requerimientos del restaurante, ya sea por cambios en la preparación, o por nuevas características y presentaciones de los productos, o por las nuevas tecnologías aplicadas al manejo, procesamiento y conservación de los alimentos. Todo esto incrementa la satisfacción y absoluto control de los costos y rendimiento en la producción. Te asesoran en todas las etapas de compra, la recepción de productos y el almacenaje de los mismos.

Además de asegurar un excelente servicio, buscan la administración de los inventarios, utilizando una serie de programas de logística para planear sus adquisiciones y la entrega ***Just in Time***.

Los servicios que proporcionan estos proveedores especializados son:

1. Compartir los beneficios de economías a escala, al lograr una **masa crítica** importante en el proceso de concentración de mercancías.

2. Resaltar las ventajas comerciales en la materia prima, aun siendo de la misma marca la que pudiese ser adquirida en otro centro de abasto, por los cuidados y el manejo óptimo que recibe.

3. Asegurar la entrega suficiente y oportuna de volúmenes importantes de materia prima.

4. Asegurar consistentemente la calidad del producto al cliente.

5. Proporcionar al encargado de compras, información suficiente e interesante de los productos que regularmente adquiere, así como productos innovadores y mejorados, sea por presentación, sabores, empaques con ventajas en la producción y servicio.

Un grupo de proveedores especializado es el de pescados y mariscos, quienes comunican a clientes sus políticas de venta, de precios y de productos que puede surtir. Normalmente son representantes de las empresas y cooperativas pesqueras más importantes de México, por ello ofrecen productos de excelente calidad a precios muy atractivos. El producto lo pueden surtir fresco, y en óptimas condiciones de refrigeración y congelación. Se puede adquirir camarón pelado, pelado con cola, desvenado, mariposa, crudo, cocido, congelado y congelado IQF (**Individually Quick Frozen**). El adquirir el camarón en estas condiciones le ahorra tiempo y trabajo al cocinero durante la *mise en place* y poder ofrecer al comensal más opciones de los productos del mar con diferentes precios.

3.2. PACIFIC STAR LOGÍSTICA, LÍDER EN DISTRIBUCIÓN

Pacific Star Logística es una compañía mexicana con visión estratégica de crecimiento, líder nacional de logística, que se dedica a importar, distribuir y comercializar productos congelados, refrigerados y secos, de alto valor agregado para restaurantes, hoteles y cadenas de comida rápida, para ello utiliza vehículos multi temperatura. Su calidad ha logrado una calificación de 97.64 en "Distribution Quality Audit.

El objetivo de esta empresa es obtener la sonrisa de los clientes al entregar pedidos a tiempo, completos y en buen estado. Busca para sus empleados, accionistas, clientes, proveedores y la comunidad, ser la mejor compañía en México de distribución de alimentos congelados, refrigerados y secos. Al trabajar con Pacific Star puedes:

*   Obtener calidad uniforme.
*   Disminuir trabajo administrativo.
*   Tener distribución nacional.
*   Realizar compras nacionales e internacionales.
*   Asegurar mejores precios.
*   Asegurar control de inventarios.
*   Disponer de almacenaje congelado, refrigerado y seco.

- Disponer de la base de datos del historial de consumos e inventarios del cliente.
- Hacer los pedidos y conocer el **estatus** del embarque vía telefónica o por internet.
- Distribución de productos cárnicos con **certificación TIF**.
- Solicitar que la facturación y cobranza sea por cuenta de terceros.
- Utilizar el *Call Center* de servicio a clientes.
- Recibir servicios de posventa.
- Recibir ayuda para bajar tus precios de venta.
- Negociar la consignación de producto.
- Almacenes *Cross Dock*, los que se sitúan estratégicamente y no tienen stocks, donde realizan la recepción, verificación y distribución física inmediata de los pedidos.

Además puedes obtener:

- Su experiencia, la tecnología de punta, alta calidad en los servicios, tener un distribuidor independiente del segmento.
- Desarrollo de proveedores y de productos en cualquier parte del mundo.
- Gestión de importaciones marítimas y terrestres.
- Planeación de producto, consolidación y logística.
- Comercialización: negociación y compra agrupada de algunos productos del cliente.
- Entrega más de un millón de cajas al mes a 1 500 establecimientos de prestigiadas cadenas de restaurantes, hoteles y centros de entretenimiento.

3.3. NEGOCIACIÓN

Es primordial desarrollar a tus proveedores; visita sus instalaciones y negocia el mejor producto, con la respuesta oportuna y con las mejores condiciones de compra.

El mejor producto es aquel cuya calidad ha sido determinada anteriormente al definir los estándares de compra, los que satisfacen las expectativas del cliente y de los creadores de los platillos.

La respuesta oportuna es la entrega de mercancía que concuerda con lo solicitado, o sea con suficiencia y en el momento justo en que se requiere, además de conservar las características originales de calidad de los productos.

Las mejores condiciones de compra deben asegurar el precio más bajo del mercado, con condiciones crediticias ventajosas tanto para el proveedor como para el cliente.

Es necesario recordar que negociar es un acuerdo de voluntades que busca ganar-ganar, es decir, que busca el beneficio mutuo y que el contrato comercial debe ser respetado por ambas partes.

¿Cuántos días, después de la fecha prometida, debe esperar el proveedor para recibir el pago de la factura?

¿Has entregado al proveedor un cheque posdatado o sin fondos?

¿Tu proveedor recibe un trato como cliente cuando presenta su factura para su cobro? ¿Tiene que esperar en la calle soportando las inclemencias del tiempo para que le reciban su factura?

¿Es posible definir un horario de atención a proveedores y que degusten una bebida refrescante mientras esperan cómodamente sentados?

Si el proveedor recibe un trato digno y cumple con lo que el restaurante busca como resultado de esta negociación, definitivamente gana, porque repetirá la venta por ser un socio comercial confiable. El restaurante también gana porque recibe calidad consistente, entrega oportuna y pagar el precio justo de las mercancías.

Investiga constantemente opciones de proveedores disponibles y elige al menos tres ofertas. Hacer concursar a los proveedores es una decisión sana, tanto para que el vendedor haga su mejor propuesta comercial, como para asegurar que el encargado de compras tome la mejor decisión. Por ningún motivo los proveedores deben conocer las ofertas de los otros.

Tabla 3.1. Concurso de proveedores

Fecha: 5 de febrero de 2008

Vigencia: Quince días

	Nombre	Dirección	Tel., fax y e-mail	Contacto	Otros datos
Proveedor 1	Lo fresco de la central	Pasillo 32, local 4	5555 0000	Jorge Lara	Antes de las 16:00 horas
Proveedor 2					
Proveedor 3					

		Proveedor 1		Proveedor 2		Proveedor 3	
Artículo	Unidad	Precio	Fecha	Precio	Fecha	Precio	Fecha
Apio	kg	$3.13	04-feb	$3.75	05-feb	$3.50	03-feb
Cebolla	kg	$5.00	04-feb	$6.00	05-feb	$5.50	03-feb
Chile serrano	kg	$6.00	04-feb	$8.00	05-feb	$7.00	03-feb
Col morada	kg	$5.00	04-feb	$5.83	05-feb	$5.42	03-feb
Espinaca	kg	$5.00	04-feb	$6.00	05-feb	$6.00	03-feb
Jitomate	kg	$6.07	04-feb	$7.50	05-feb	$6.79	03-feb
Lechuga	kg	$4.58	04-feb	$5.42	05-feb	$5.00	03-feb
Limón	kg	$3.16	04-feb	$3.68	05-feb	$3.42	03-feb
Pepino	kg	$4.80	04-feb	$6.00	05-feb	$5.20	03-feb
Rábano	kg	$3.68	04-feb	$3.14	05-feb	$3.50	03-feb
Zanahoria	kg	$3.21	04-feb	$3.93	05-feb	$3.57	03-feb

Asegúrate que tu encargado de compras no asigna el pedido a cierto proveedor, sólo porque es recompensado. El concurso debe asegurar un precio conveniente, con vigencia lógica, ya que los vegetales y frutas por ser productos perecederos, afecta su valor, por eso es usual pedir a los proveedores de estos productos que actualicen quincenalmente los precios. La vigencia para otros productos, principalmente los abarrotes, puede respetarse por casi todo un mes o más.

Al analizar las cotizaciones, elige al menos tres y concéntralas en una tabla que te permita comparar los precios y condiciones. Haz las anotaciones que resalten la prioridad al decidir el proveedor del producto. Si en tu restaurante otra persona desarrolla esta función, recuerda que tu obligación es monitorear que esto se lleve a cabo estrictamente.

Youshimatz opina al respecto que "la centralización de compras concentra la autoridad en una persona o departamento para que sea responsable del proceso de comprar alimentos o bebidas".[1]

---

[1]   Alfredo Youshimatz, *Control de costos de alimentos y bebidas*, México, Trillas, 2006, p. 72.

3.4. DECIDIENDO CUÁNTO COMPRAR

Antes de comprar, analiza la información disponible o la pronosticada para determinar cuánto comprar, y así asegurar que la materia prima adquirida será utilizada cuando aún presenta características de calidad, y su uso está dentro de su "tiempo de vida".

Debes considerar que los productos tienen distinto tiempo de caducidad (tabla 3.2).

Tabla 3.2. Tiempo de caducidad

Producto	Almacenamiento	Tiempo de caducidad	Producto	Almacenamiento	Tiempo de caducidad
Aros de cebolla	Congelación	Fecha de elaboración 180 días	Lechuga	Refrigeración	Fecha de recepción 10 días
Bollo	Abarrotes	12 días	Papas a la francesa	Congelación	Fecha de elaboración 365 días
Carne hamburguesas	Congelación	Fecha de elaboración 90 días	Quesos	Refrigeración	Fecha de elaboración 15 días
Catsup	Cerrada abarrotes	Fecha de elaboración 270	Salsa Ranch	Refrigeración	Fecha de elaboración 120 días
	Abierta refrigeración			Abierta refrigeración	7 días
Cebolla	Refrigeración	Fecha de elaboración 14 días	Tocino	Refrigeración	Fecha de elaboración 120 días
Jitomate	Refrigeración	Fecha de recepción 8 días		Abierto refrigeración	3 días

- Los productos vegetales o frutas en refrigeración tienen un tiempo de caducidad de pocos días.
- Algunas salsas cerradas en refrigeración tienen un tiempo de caducidad de meses, pero una vez abiertas es de una semana.
- En el caso de los abarrotes, por ser productos envasados o secos el tiempo de vida es de semanas a meses.
- Los productos congelados tienen usualmente caducidad mayor a tres meses.
- Almacena el pan en abarrotes, un tiempo de caducidad menor que asegure la frescura del pan. Si lo refrigeras, la humedad acelera la formación de hongos en el producto.
- La catsup, debe refrigerarse, cuando se abre para mantener su tiempo de vida.
- En caso de tener dudas, tu proveedor te indicará los tiempos recomendados por él para cada uno de los productos.

3.4.1. Mezcla de ventas

En una tabla o en un formato reúne los datos de venta de cada platillo o bebida en periodos semanales (tabla 3.3). La información que te proporcione te ayudará para analizar las tendencias de ventas y evaluar los esfuerzos de venta sugerida.

Tabla 3.3. Mezcla de ventas

Fecha fin: 3 febrero de 2008

Producto	Acumul	Lun	Mar	Mié	Jue	1 Vie	2 Sáb	3 Dom	Total	Acumul
Entradas										
Ceviche						12	12	8	**32**	**32**
Corundas						4	5	6	**15**	**15**
Chalupas						15	21	20	**56**	**56**
Papatzules						14	17	13	**44**	**44**

Fecha fin: 10 febrero de 2008

Producto	Acumul	4 Lun	5 Mar	6 Mié	7 Jue	8 Vie	9 Sáb	10 Dom	Total	Acumul
Entradas										
Ceviche	**32**	5	6	8	7	7	9	11	**53**	**85**
Corundas	**15**	2	3	2	4	2	3	8	**24**	**39**
Chalupas	**56**	8	10	9	10	12	18	22	**89**	**145**
Papatzules	**44**	4	6	5	6	8	13	16	**58**	**102**

Fecha fin: 17 febrero de 2008

Producto	Acumul	11 Lun	12 Mar	13 Mié	14 Jue	15 Vie	16 Sáb	17 Dom	Total	Acumul
Entradas										
Ceviche	**85**	5	5	7	17	10	9	11	**64**	**149**
Corundas	**39**	2	2	1	15	5	3	8	**36**	**75**
Chalupas	**145**	8	6	6	22	15	18	22	**97**	**242**
Papatzules	**102**	4	5	4	18	16	13	16	**76**	**178**

Fecha fin: 24 febrero de 2008

Producto	Acumul	18 Lun	19 Mar	20 Mié	21 Jue	22 Vie	23 Sáb	24 Dom	Total	Acumul
Entradas										
Ceviche	**149**	6	6	8	7	7	9	11	**54**	**203**
Corundas	**75**	3	3	2	4	2	3	8	**25**	**100**
Chalupas	**242**	9	10	9	10	12	18	22	**90**	**332**
Papatzules	**178**	5	6	5	6	8	13	16	**59**	**237**

Fecha fin: 29 febrero de 2008

Producto	Acumul	25 Lun	26 Mar	27 Mié	28 Jue	29 Vie	Sáb	Dom	Total	Acumul
Entradas										
Ceviche	**203**	5	6	8	7	14			**40**	**243**
Corundas	**100**	2	3	2	4	6			**17**	**117**
Chalupas	**332**	8	10	9	10	13			**50**	**382**
Papatzules	**237**	4	6	5	6	12			**33**	**270**

El departamento de mercadotecnia dispondrá de una base de datos de venta por producto para planear promociones, evaluar publicidad, analizar el comportamiento de diversos productos del menú y probar mercados. La base de datos aumenta el conocimiento del al movimiento de cada uno de los productos incluidos en el menú.

- Es una referencia rápida del desarrollo de las operaciones de semanas y meses anteriores.
- Dispones de un registro correcto del movimiento de los platillos y bebidas que se venden día a día en un formato semanal.
- Esta base de datos es necesaria para poder "calcular" las compras de materias primas, ya sea para ciertos días de la semana.

- Tendrás información para pronosticar o comparar ventas.
- Te proporcionará datos exactos para los reportes de fin de mes.

3.4.2. Consumos promedio

Ahora es el momento de descubrir el comportamiento de venta por día y por semana de cada uno de los artículos del menú o carta del establecimiento. A manera de ejemplo se muestran los promedios de consumo de las "entradas" antes referidas. Nota: al calcular los promedios de venta, el mes analizado consta de cuatro semanas, más un viernes.

Tabla 3.4. Consumos promedio

Consumo promedio/lunes

Producto	Sem 1	Sem 2	Sem 3	Sem 4	Sem 5	Total	Prom
Entradas							
Ceviche	0	10	10	10	10	**40**	**10**
Corundas	0	4	4	4	4	**16**	**4**
Chalupas de pollo	0	8	8	8	8	**32**	**8**
Papatzules	0	14	14	14	14	**56**	**14**

Consumo promedio/martes

Producto	Sem 1	Sem 2	Sem 3	Sem 4	Sem 5	Total	Prom
Entradas							
Ceviche	0	12	12	12	12	**48**	**12**
Corundas	0	5	5	5	5	**20**	**5**
Chalupas de pollo	0	10	10	10	10	**40**	**10**
Papatzules	0	16	16	16	16	**64**	**16**

Consumo promedio/miércoles

Producto	Sem 1	Sem 2	Sem 3	Sem 4	Sem 5	Total	Prom
Entradas							
Ceviche	0	11	11	11	11	**44**	**11**
Corundas	0	3	3	3	3	**12**	**3**
Chalupas de pollo	0	9	9	9	9	**36**	**9**
Papatzules	0	15	15	15	15	**60**	**15**

Consumo promedio/jueves

Producto	Sem 1	Sem 2	Sem 3	Sem 4	Sem 5	Total	Prom
Entradas							
Ceviche	0	10	22	10	10	**52**	**13**
Corundas	0	5	10	5	5	**25**	**6**
Chalupas de pollo	0	14	20	14	14	**62**	**16**
Papatzules	0	18	29	18	18	**83**	**21**

Consumo promedio/viernes

Producto	Sem 1	Sem 2	Sem 3	Sem 4	Sem 5	Total	Prom
Entradas							
Ceviche	20	17	20	17	21	**95**	**19**
Corundas	8	6	11	6	10	**41**	**8**
Chalupas de pollo	22	19	21	19	23	**104**	**21**
Papatzules	20	23	24	23	28	**118**	**24**

Consumo promedio/sábado

Producto	Sem 1	Sem 2	Sem 3	Sem 4	Sem 5	Total	Prom
Entradas							
Ceviche	19	19	19	19	0	**76**	**19**
Corundas	9	9	9	9	0	**36**	**9**
Chalupas de pollo	22	22	22	22	0	**88**	**22**
Papatzules	25	25	25	25	0	**100**	**25**

Consumo promedio/domingo

Producto	Sem 1	Sem 2	Sem 3	Sem 4	Sem 5	Total	Prom
Entradas							
Ceviche	22	22	22	22	0	88	**22**
Corundas	12	12	12	12	0	**48**	**12**
Chalupas de pollo	25	25	25	25	0	**100**	**25**
Papatzules	26	26	26	26	0	**104**	**26**

Consumo promedio/semanal

Producto	Sem 1	Sem 2	Sem 3	Sem 4	Sem 5	Total	Prom
Entradas							
Ceviche	61	101	116	101	64	**443**	**111**
Corundas	29	44	54	44	27	**198**	**50**
Chalupas de pollo	69	107	115	107	64	**462**	**116**
Papatzules	71	137	149	137	91	**585**	**146**

3.4.3. Cálculo de materia prima para compra

Si dispones de información estadística que te muestra el promedio de platillos vendidos por cada día y durante la semana, es momento de "conectar" estos datos con las recetas estándar básicas y complementarias para calcular el consumo pronosticado de cada uno de los artículos del inventario que se deben adquirir.

En los consumos promedio se puede observar que la venta es baja los lunes, martes y miércoles, en comparación con los otros días de la semana, por lo tanto, se tienen dos parámetros de compra, uno para los días de venta baja y otro venta alta.

Tabla 3.5. Recetas complementarias y consumo promedio de lunes a miércoles

Base ceviche — Rendimiento **3.000** — Porción **0.250** kg

Producto	Cantidad	Unidad	Venta	Consumo
Ostiones	6	Docena	33	16.50
Filete de pescado	1.00	kg	33	2.75
Limón	20	Pieza	33	55.00
Salsa mexicana	0.4	kg	33	1.10
Sal	0.02	kg	33	0.06
Pimienta	0.01	kg	33	0.03

Crema pepita — Rendimiento **0.700** — Porción **0.060** kg

Pepitas	0.500	kg	62	2.657
Epazote 70%	0.030	kg	62	0.228
Chile habanero	0.15	kg	62	0.797
Sal	0.015	kg	62	0.080

Mezcla chalupas — Rendimiento **0.400** — Porción **0.020** kg

Queso añejo 95%	0.2	kg	27	0.284
Cebolla 85%	0.17	kg	27	0.270
Rabanitos	6	Pieza	27	8.100
Cilantro 70%	0.030	kg	27	0.058

Cassé de tomate — Rendimiento **2.000** — Porción **0.020** ℓ

Jitomate 93%	3	kg	62	2.000
Ajo	5	Diente	62	3.100
Cebolla 85%	0.17	kg	62	0.124
Aceite	0.090	ℓ	62	0.056
Sal	0.02	kg	62	0.012
Pimienta	0.01	kg	62	0.006

Salsa roja — Rendimiento **2.000** — Porción **0.040** ℓ

Jitomate 93%	2	kg	27	1.161
Chile serrano	0.050	kg	27	0.027
Ajo	4	Diente	27	2.160
Cebolla 85%	0.3	kg	27	0.191
Aceite	0.060	ℓ	27	0.032

Corundas — Rendimiento **20** — Porción **2** Piezas

Producto	Cantidad	Unidad	Venta	Consumo
Tequesquite	0.010	kg	12	0.01
Leche	0.1	ℓ	12	0.12
Manteca	0.4	kg	12	0.48
Masa maíz 93%	2	kg	12	2.581
Sal	0.015	kg	12	0.02
Hojas elote	20	Pieza	12	24.00

Cubitos de papa — Rendimiento **0.900** — Porción **0.020** kg

Papa alfa 90%	1	kg	12	0.296
Aceite	0.100	ℓ	12	0.027

Pechuga desebrada — Rendimiento **2.100** — Porción **0.030** kg

Pechuga pollo	4	Pieza	27	1.543
Cebolla 85%	0.17	kg	27	0.077
Sal	0.02	kg	27	0.008

Salsa verde — Rendimiento **2.000** — Porción **0.040** ℓ

Tomates	2	kg	27	1.080
Chile serrano	0.050	kg	27	0.027
Ajo	4	Diente	27	2.160
Cilantro 70%	0.080	kg	27	0.043
Aceite	0.060	ℓ	27	0.032

Salsa mexicana — Rendimiento **1.200** — Porción **0.040** kg

Jitomate 93%	1	kg	33	1.183
Chile serrano	0.050	kg	33	0.055
Ajo	4	Dientes	33	4.400
Cebolla 85%	0.3	kg	33	0.388
Limones	1	Pieza	33	1.100
Orégano	0.05	kg	33	0.055
Aceite	0.04	ℓ	33	0.044

Los cálculos consideran el rendimiento de cada producto, lo que aumentará la cantidad de compra por la merma en el proceso de algunos de ellos; en el ejemplo del consumo para la crema de pepita, el epazote pierde 30% en el proceso de limpieza y corte.

Tabla 3.6. Consumo crema de pepita

Crema de pepita	Rendimiento	0.700	Porción	0.060
Producto	**Cantidad**	**Unidad**	**Venta**	**Consumo**
Pepitas	0.500	kg	62	2.657
Epazote 70%	0.030	kg	62	0.228
Chile habanero	0.15	kg	62	0.797
Sal	0.015	kg	62	0.080

También se considera el rendimiento y tamaño de la porción de cada una de las recetas estándar complementarias que para el mismo ejemplo de la crema de pepita, la receta rinde 0.700 kilos y el tamaño de porción para los papatzules es de 60 gramos.

Para una venta promedio de 62 papatzules se necesitan 2.657 kilos de pepitas, 228 gramos de epazote, 797 gramos de chile habanero y 80 gramos de sal. A manera de fórmula para calcular el consumo semanal de cada producto encontramos:

Venta del producto × tamaño de la porción × cantidad de producto ÷ rendimiento de la receta ÷ aprovechamiento del producto (si existiese).

Por lo tanto, para obtener el consumo de pepitas son necesarias las siguientes operaciones $[(62 \times 0.060) \times 0.5] \div 0.7$; lo que da como resultado 2.657 kilos.

$$[(62 \times 0.060) \times 0.5] \div 0.7; (3.72 \times 0.5) \div 0.7; 1.86 \div 0.7 = 2.657 \text{ kg}$$

Para obtener el consumo de epazote el planteamiento es $\{[(62 \times 0.060) \times 0.03] \div 0.7\} \div 0.7$; dando como resultado 0.228 kilos. La última división es la afectación del aprovechamiento.

$$\{[(62 \times 0.060) \times 0.03] \div 0.7\} \div 0.7; [(3.72 \times 0.03) \div 0.7] \div 0.7; (0.112 \div 0.7) \div 0.7 = 0.228 \text{ kg}$$

En este momento puedes consolidar los consumos de las recetas estándar complementarias para los días de venta baja y decidir su compra para este periodo de lunes a miércoles. Nota: si tu hoja de cálculo tiene un *link* con la información de las recetas y de la **mezcla de ventas**, la información fluye en forma automática y te mostrará de inmediato el concentrado de consumos complementarios.

Tabla 3.7. Concentrado de consumos

Producto	Unidad	Cantidad
Ajo	Diente	12
Cebolla	kg	1.193
Chile habanero	kg	0.797
Chile serrano	kg	0.109
Cilantro	kg	0.101
Epazote	kg	0.228
Filete de pescado sierra	kg	2.750
Hojas verdes de elote	Pieza	24
Jitomate	kg	4.344
Leche	ℓ	0.120
Limón	Pieza	56

Producto	Unidad	Cantidad
Manteca	kg	0.480
Masa de maíz	kg	1.290
Orégano	kg	0.055
Ostiones	Docena	16.5
Pechuga de pollo	Pieza	1.03
Pepitas	kg	2.657
Pimienta	kg	0.034
Queso añejo	kg	0.284
Rabanitos	Pieza	8.1
Tequesquite	kg	0.012
Tomates	kg	1.080

En el cálculo de consumos con recetas estándar básicas para los días de venta baja se emplea el mismo procedimiento que para las recetas complementarias.

Venta del producto × tamaño de la porción × cantidad de producto ÷ rendimiento de la receta ÷ aprovechamiento del producto (si existiese)

Para obtener el consumo de cilantro para el ceviche, el planteamiento es $\{[(33 \times 1) \times 0.010] \div 1\} \div 0.7$; dando como resultado 0.471 kilos. La última división es la afectación del aprovechamiento. Nota: como puedes notar, el tamaño de la porción es uno al igual que el rendimiento de la receta, por lo tanto, el desarrollo es el siguiente:

$$(33 \times 0.010) \div 0.7; 0.33 \div 0.7 \div 0.7; (0.112 \div 0.7) \div 0.7 = 0.471 \text{ kg}$$

Tabla 3.8. Cálculo de consumo con base en recetas básicas y venta promedio de lunes a miércoles

Ceviche   1 porción

Producto	Cantidad	Unidad	Venta	Consumo
Base ceviche	0.25	kg	33	8.250
Aceite de oliva	0.04	ℓ	33	1.320
Aguacate	0.17	Pieza	33	5.6
Cilantro 70%	0.01	kg	33	0.471
Galleta salada	1	Paquete	33	33

Chalupas de pollo   1 porción

Producto	Cantidad	Unidad	Venta	Consumo
Chalupa 80%	2	Pieza	27	67.5
Aceite	0.02	ℓ	27	0.540
Papa, cubitos fritos	0.02	kg	27	0.540
Pechuga	0.03	kg	27	0.810
Mezcla para chalupas	0.02	kg	27	0.540
Salsa verde o roja	0.04	ℓ	27	1.080

Corundas   1 porción

Producto	Cantidad	Unidad	Venta	Consumo
Corundas	2	Pieza	12	24
Salsa roja	0.06	ℓ	12	0.720

Papatzules   1 porción

Producto	Cantidad	Unidad	Venta	Consumo
Tortillas chicas	3	Pieza	62	186
Aceite	0.06	ℓ	62	3.720
Crema de pepita	0.06	kg	62	3.720
Huevo	1	Pieza	62	62
Cassé de tomate	0.02	ℓ	62	1.240

Tabla 3.9. Recetas básicas / venta baja; lunes a miércoles

Concentrado de consumos

Producto	Unidad	Cantidad
Aceite	ℓ	3.260
Aceite de oliva	ℓ	1.320
Aguacate	Pieza	6
Chalupa	Pieza	68
Cilantro	kg	0.471
Galleta salada	Paquete	33
Huevo	Pieza	62
Tortilla chicas	Pieza	·186

Al finalizar los consumos de las recetas básicas y de las complementarias podrás observar que sólo el consumo del cilantro se ve incrementado. Recetas básicas. 101 g + recetas complementarias 471 g = 572 g.

El mismo procedimiento se sigue para las recetas complementarias y básicas para los días de venta alta y para todos los productos que ofertas en tu carta. Lógicamente si tu sistema actual de costos no tiene la opción de emitir este reporte de consumos, tendrás que dedicarle un poco de tiempo para crear tu hoja de cálculo, donde conectes las recetas estándar con una **interfase** que contenga las cantidades de los platillos y bebidas vendidos en tu punto de venta.

Otra manera de monitorear es esperar a fin de mes y considerar los consumos arrojados por la diferencia de inventarios.

Inventario inicial + compras del mes – inventario final
= al consumo mensual de cada artículo.

3.4.4. Máximos y mínimos

Los **alimentos** altamente **perecederos** (figura 3.2) requieren mayores cuidados en su almacenaje para controlar el costo de operación. La compra diaria de esta materia prima debe ser mínima, lo que lograrás si observas una planeación con base en mezcla de ventas, pero además evitando mermas al:

- Mantener las existencias en el nivel mínimo.
- Contar atinadamente.
- Conservar el orden en los refrigeradores.
- Rotar los productos antes de recibir los nuevos.

Figura 3.2. Orden en refrigeración

En ese momento tendrás claro que productos comprarás diariamente, cuáles cada tercer día, cuáles una o dos veces por semana, quincenal o mensualmente; lo que te llevará a definir las cantidades máximas y mínimas de todos los productos alimenticios.

> Youshimatz define: "Mínimo. Existencias de mercancías que se tendrán en el almacén para hacer frente a las ventas de un periodo determinado. **Stock**. Existencia ideal que deberá tener el almacén (máximo más mínimo entre dos). Máximo. Existencias de mercancías que tendrá el almacén para hacer frente a una sobreventa en un periodo determinado (mínimo más 50%)".[2]

Los niveles de existencias están determinados por las cantidades máxima y mínima de productos suficientes para hacer frente a la demanda, resultado de la operación del restaurante. En otras palabras, son las existencias máximas y mínimas de productos que se tienen almacenadas para hacer frente a las necesidades de producción de alimentos y bebidas en un lapso determinado, normalmente una semana. Un valor intermedio se definirá como **nivel de pedido**, porque:

- La demanda en tiempo y cantidad es variable.
- No se tienen disponibilidad inmediata de todos los productos.
- El tiempo que tarda el proveedor para surtir tu pedido.

El clima, el cambio de artículos en la carta, las sugerencias en la carta, la temporada del año son las variables que inciden más en determinar las cantidades, tanto mínimas, máximas como la de reposición. Debes programar los niveles y revisarlos al menos cada dos meses. Considera para el pronóstico los días festivos y de eventos especiales.

La demanda de los productos siempre es desigual, la compra de productos también es cambiante, pero conforme se consolida operacionalmente un restaurante va construyendo una tendencia de venta más o menos consistente, lo que te permite proyectar las compras.

Como se vio anteriormente, la mezcla de ventas te facilitará el cálculo de materiales de la que podrás inferir los **niveles máximos** y **mínimos** de operación. Los consumos promedios evidencian

---

[2]   *Ibíd*, pp, 59 y 60.

que días son de alta o baja venta, lo que coincide con los días entre semana o al final de ésta. Cada restaurante muestra comportamientos distintos, pero, en general, se puede decir que las compras diarias podrán establecerse para primeros días o para fin de semana.

3.5. CALCULANDO CUÁNTO COMPRAR

El consumo semanal, (tabla 3.10) detalla los consumos por recetas básicas como el ceviche, las corundas, las chalupas de pollo y los papatzules. Asimismo, indica la materia prima utilizada para las recetas complementarias para la base del ceviche, las corundas, la papa en cubitos, la pechuga deshebrada, la mezcla para las chalupas. Las salsas verde o roja, la crema de pepita, y para el cassé de tomate.

Tabla 3.10. Consumo semanal / recetas complementarias

Producto	Unidad	Lun - Miér	Jue - Dom	Total	Producto	Unidad	Lun - Miér	Jue - Dom	Total
Ajo	Diente	12	28	39,649	Masa de maíz	kg	1.290	3.812	5.102
Cebolla	kg	1.193	3.159	4.352	Orégano	kg	0.055	0.122	0.177
Chile habanero	kg	0.797	1.226	2.023	Ostiones	Docena	16.5	36.5	53.000
Chile serrano	kg	0.109	0.288	0.397	Papa alfa	kg	0.296	36.5	1.969
Cilantro	kg	0.101	0.213	0.314	Pechuga de pollo	Pieza	1.03	3.17	4.202
Epazote	kg	0.228	0.350	0.578	Pepitas	kg	2.657	4.086	6.743
Pez sierra	kg	2.750	6.083	8.833	Pimienta	kg	0.034	0.071	0.105
Hojas de elote	Pieza	24	71	95.000	Queso añejo	kg	0.284	0.877	1.161
Jitomate	kg	4.344	9.275	13.619	Rabanitos	Pieza	8.1	25.0	33.090
Leche	ℓ	0.120	0.355	0.475	Pimienta	kg	0.006	0.010	0.016
Limón	Pieza	56	124	180.000	Tequesquite	kg	0.012	0.035	0.047
Manteca	kg	0.480	1.418	1.898	Tomates	kg	1.080	3.332	4.412

Consumo semanal / recetas básicas

Producto	Unidad	Lun - Miér	Juev - Dom	Total
Aceite	ℓ	3.260	7.387	10.647
Aceite de oliva	ℓ	1.320	2.920	4.240
Aguacate	Pieza	6	12	18.020
Chalupa	Pieza	68	208	276
Cilantro	kg	0.471	1.043	1.514
Galleta salada	Paquete	33	73	106.000
Huevo	Pieza	62	95	157.350
Tortillas chicas	Pieza	186	286	472.050

La tabla del consumo semanal muestra las necesidades de compra derivadas del cálculo de materiales de las recetas complementarias y básicas en momentos de baja y alta venta semanal. A partir del análisis de la tabla anterior se infiere lo siguiente.

Al considerar los consumos de tres días los productos perecederos de compra diaria deberían ser:

- Masa de maíz: $(1.29 \div 73) = \pm 0.500$ kg de lunes a miércoles y $(3.812 \div 4) = \pm 1.000$ kg de jueves a domingo.
- Filete de pescado: $(2.750 \div 3) = \pm 1.000$ kg de lunes a miércoles y $(6.083 \div 4) = \pm 1.500$ kg de jueves a domingo.
- Ostiones: $(16.5 \div 3) = 5.5$ docenas de lunes a miércoles y $(36.5 \div 4) = 9.125$ docenas de jueves a domingo.
- Tortillas chicas: $(186 \div 3) = 62$ piezas de lunes a miércoles y $(286 \div 4) = 71.5$ piezas de jueves a domingo.

Los productos perecederos se podrán comprar dos veces a la semana:

- Jitomate: 4.344 kilos y 9.275 kilos.
- Pechuga de pollo: 2 y 4 piezas.
- Cebolla: 1.193 y 3.159 kilos.
- Hojas verdes de elote: 24 y 71 piezas.
- Papa alfa: 0.296 y 1.969 kilos.

Existen otros productos que podrían comprarse semanalmente:

- Manteca: 1.898 kilos.
- Pepitas: 6.743 kilos.
- Aceite: 10.647 litros.
- Galleta salada: 106 paquetes.
- Huevos: 157 piezas.

Sin agotar los comentarios te recordamos que estos consumos sólo corresponden a cuatro entradas de cierto menú. El reto será para ti interpretar los resultados del consumo semanal de la carta de tu restaurante.

Para poder calcular el pedido, es necesario que domines el tamaño o peso de las porciones, los valores de conversión del sistema inglés a métrico decimal y la presentación de todos los productos que conforman tu inventario. Si tu restaurante es de comida rápida y conoces los consumos promedio de papas fritas, sándwiches y café americano, una forma de realizar los cálculos que deberías realizar se muestran con detalle en la tabla 3.11.

Tabla 3.11. Estimación del consumo mensual

Papas fritas

Fritas chicas	245	613 oz
Menú infantil	123	308 oz
Fritas grandes	156	624 oz
Comidas para empleados	182	728 oz	2272	oz

2272 oz | 142.0 lb | 211.9 lb

211.9 lb | 5.9 cajas

☑ La porción de papas fritas chicas y el menú infantil es de 2.5 onzas.
☑ La porción de papas fritas grandes y para empleados es de 4 onzas.
☑ Cada libra es de 16 onzas.
☑ El aprovechamiento de las papas es 67%.
☑ La caja de papas contiene 36 libras.

Pan especial

Club de pollo	543		
Pechuga empanizada	277		
Carne Philly	154	974	10.1 cajas

☑ El pan especial es exclusivo para clientes.
☑ La caja de pan especial contiene 96 piezas.

Pollo empanizado

Pechuga empanizada	277		
Comidas para empleados	42	319	1.772
			cajas

☑ La caja de pollo empanizado contiene 180 piezas.

Café americano

Regular	543	3258	oz	
Grande	126	1008	oz	4266 oz

4266 oz | 126 ℓ | 134.2 ℓ

67.1 ℓ | 2.2 cajas

☑ El café en grano rinde 2 litros por paquete.
☑ El café tiene un aprovechamiento del 94%.
☑ La caja de café contiene 30 piezas.

La siguiente lista que se presenta incluye productos específicos, cuyo contenido puede variar debido al proveedor o marca del producto que utilice el restaurante.

CONGELADOS

PAPAS:

Presentación:	Curly: caja de 30 lb (13.620 kg) 6 bolsas de 5 libras.
Presentación:	Francesa: caja de 36 lb (16.344 kg), 6 bolsas de 6 libras.
Caducidad:	Nueve meses después de su producción.

PAY:

Presentación:	Rejilla con 7 paquetes de 12 pays. Fresa, manzana y piña.
Caducidad:	Un año después de su producción.

POLLO EMPANIZADO:

Presentación:	Caja de 180 filetes, 10 bolsas con 18 filetes.
Caducidad:	Tres meses después de su producción.

POLLO ROSTIZADO:

Presentación:	Caja de 36 lb (16.344 kg) 6 bolsas 230.4 porc.
Caducidad:	Cuatro meses después de su producción.

TOCINO:

Presentación:	Paquetes de 1 kg.
Caducidad:	Refrigerado un mes; congelado, seis meses.

REFRIGERADOS

ADEREZOS:

Presentación:	Caja con 4 galones.
Caducidad:	90 días.

BASE LÁCTEA:

Presentación:	Cubeta con 10 litros.
Caducidad:	Descongelada cinco días.
Aprovechamiento:	Malteada 130%, helado 120%.

CAFÉ AMERICANO:

Presentación:	Caja de 2.550 kg (30 paquetes de 85 g).
Utilización:	Tres meses después de su producción en refrigeración.

ESPINACA:

Presentación:	Manojo.
Caducidad:	Cinco días.
Retención:	24 horas.

JITOMATE:

Presentación:	Kilogramos.
Caducidad:	Dependiendo de su madurez.

LECHUGA:

Presentación:	Piezas con 12 a 15 hojas útiles promedio.
Caducidad:	Una semana.

PEPINO:

Presentación:	Kilogramos.
Caducidad:	Consistencia firme dos semanas.

QUESO SUIZO:

Presentación:	Bolsa con 8 kilogramos. Cuatro barras con 90 rebanadas.
Caducidad:	30 días.

ZANAHORIA:

Presentación:	Kilogramos o caja con seis bolsas de 1 kg.
Caducidad:	Consistencia firme, dos semanas o 10 días aproximadamente.

ABARROTES

AZÚCAR EN SOBRE

Presentación:	Caja con 2 000 sobres de 5 gramos.

CANDEREL

Presentación:	Paquete con 500 sobres de 1 gramo.

GRASA VEGETAL:

Presentación:	Caja con 25 kg.
Caducidad:	Seis meses.

JARABE PARA MALTEADA

Presentación:	Caja con 4 galones. Capuchino, fresa y vainilla.
Caducidad:	Un año.
Aprovechamiento	De 130 a 140%.

JARABE PARA REFRESCO:

Presentación:	Cilindro con 18 litros / caja con 20 litros.
Caducidad:	Fecha impresa en el tanque o caja, dos meses aproximadamente.
Aprovechamiento:	115.2 litros de refresco por cilindro (sin hielo).

QUESO CHEDDAR:

Presentación:	Caja con seis latas de 3.034 kg o 3.005 kg.
Caducidad:	12 meses después de su producción.
Aprovechamiento:	93 %.

SALSAS:

Presentación:	Caja con 4 galones (128 onzas por galón).
Caducidad:	Tres meses después de producción.

SALSAS:

Presentación:	Caja con sobres. 1 100 de chile jalapeño, 500 de catsup.
Caducidad:	Tres meses después de producción.

SUSTITUTO DE CREMA

Presentación:	Caja con 1 000 sobres.
Caducidad:	Seis meses después de su producción.

3.5.1. Orden de compra (pedido)

Con la compra inicia operativamente el control del costo. Si compras de más, la materia prima se puede echar a perder. Si compras de menos quizá debas adquirir algunos artículos de emergencia más caros y sin las ventajas del crédito que tu proveedor normal te ofrece.

Antes de fincar el pedido debes convertir las necesidades o consumos a unidades de compra, como te muestra la tabla 3.12.

Tabla 3.12. Cálculo de compras

Fecha: Viernes 8 de febrero de 2008

Producto	Marca	Necesidades			Compra	
		Unidad	Cantidad	Conversión	Cantidad	Unidad
Aceite 1:4	La Gloria	ℓ	3.451	4	1	Caja
Aceite de oliva	La Virgen	ℓ	1.320	2	2	ℓ
Manteca	Inca	kg	0.480	0.5	1	kg
Orégano	McCormick	kg	0.055	0.055	1	Frasco
Pepitas	McCormick	kg	2.657	3	3	kg
Pimienta	McCormick	kg	0.096	0.096	1	Frasco
Tequesquite	Granel	kg	0.012	0.012	1	kg
Chalupa 1:20	Central de Abastos	Pieza	68	3.375	4	Paquete
Galleta salada 200	Gamesa	Paquete	33	0.165	1	Paquete
Ajo 10.000:15	Central de Abastos	Diente	11.820	0.0788	1	Red
Cebolla 18.000	Central de Abastos	kg	1.193	0.066	1	Costal
Chile habanero	Central de Abastos	kg	0.797	0.1594	1	Caja
Chile serrano	Central de Abastos	kg	0.109	0.109	1	kg
Papa alfa 1.000:5	Central de Abastos	kg	0.667	0.1333	1	Caja
Rabanitos 1:15	Central de Abastos	Pieza	8.100	0.54	1	Manojo
Tomates 1.000:5	Central de Abastos	kg	1.080	0.216	1	Caja

Los productos de abarrotes y algunos vegetales podrás solicitarlos una vez a la semana.

En el ejemplo siguiente (sólo para cuatro entradas del menú), la solicitud de compra (tabla 3.13) está fechada el viernes antes de las 17:00 horas para que sea entregado el domingo por la mañana y de esta manera tener mercancía suficiente para el periodo de venta baja que inicia el lunes. Normalmente, un proveedor de la Central de Abastos puede entregar el pedido de la siguiente solicitud, siempre y cuando resulte elegido después del concurso.

Tabla 3.13. Solicitud de compra

	Nombre	Dirección	Tel, fax y e-mail	Contacto	Otros datos	
Proveedor 1	Central de abastos	Pasillo 32, local 4	5555 0000	Jorge Lara	Antes de las 16:00 horas	Elaborada
Proveedor 2						Viernes 8 de febrero de 2008
Proveedor 3						Solicitada
Facturar a **Restaurante Estur**						Viernes 8 de febrero de 2008

Código	Producto	Cantidad	Unidad	Proveedor 1		Proveedor 2	Proveedor 3
	Aceite	1	Caja	55.9	55.90		
	Aceite de oliva	2	ℓ	41.9	83.80		
	Manteca	1	kg	11.7	11.70		
	Orégano	1	Frasco	91.49	91.49		
	Pepitas	3	kg	45	135.00		
	Pimienta	1	Frasco	135.21	135.21		
	Sal	1	Paquete	4.3	4.30		
	Tequesquite	1	kg	8	8.00		
	Chalupa	4	Paquete	4.5	18.00		
	Galleta salada	1	Paquete	56.9	56.90		
	Ajo	1	Red	20	20.00		
	Cebolla	1	Costal	144	144.00		
	Chile habanero	1	Caja	153.5	153.50		
	Chile serrano	1	kg	29	29.00		
	Papa alfa	1	Caja	40	40.00		
	Rabanitos	1	Manojo	20	20.00		
	Tomates	1	Caja	20	20.00		
Observaciones y dictamen		Subtotal		M.N.	1 026.80	M.N.	M.N.
		IVA			154.02		
Gerente		Total a pagar		M.N.	1 180.82	M.N.	M.N.
		Fletes			0.00		
Vo. Bo. Director de operaciones		Total costo		M.N.	1 180.82	M.N.	M.N.
		Condiciones		15 días		Lugar de entrega	Restaurante Estur
		Entrega		Domingo 10 de febrero de 2008, antes de las 12:00 horas			

Se registran los precios de los proveedores y en el espacio de observaciones y dictamen se anota el proveedor elegido.

Después de comparar los precios podrás elegir al proveedor definitivo y elaborar la **orden de compra** o pedido. El formato de la orden de compra es semejante al de la solicitud de compra, pero no aparecerán los datos, ni las cotizaciones de los proveedores que perdieron en el concurso.

3.6. RESPONSABILIDAD DEL GERENTE EN RELACIÓN CON LAS COMPRAS

Con todo lo anterior es necesario resaltar las actividades y responsabilidades del Gerente de restaurante en relación con la compra de materia prima.

- Planea, calcula y programa las compras.
- Solicita las cotizaciones de al menos tres proveedores, las compara para elegir a uno. En cadenas de restaurantes, esta actividad la desarrolla el Jefe de compras y la decisión de definir proveedores es del Director de operaciones.
- Elabora la orden de compra y de ser necesario solicita autorización del Director de operaciones o del Gerente de Distrito.
- Solicita a los proveedores que al entregar las mercancías presenten la remisión o factura y copia de la orden de compra correspondiente.
- Actualiza los datos del catálogo de proveedores: nombre, razón social, RFC, teléfono, fax, correo electrónico, dirección, contactos, productos que surte, plazos de entrega, condiciones de pago, número de cuenta bancaria, y otros más. En cadenas de restaurantes esta actividad la desarrolla el Jefe de Compras.
- Controla y da seguimiento al **estatus** de las compras.
- Entrega copia de la compra al Jefe de cocina y al Almacenista.
- Establece los máximos y mínimos con el Almacenista y el Jefe de cocina.
- En caso de que haya algún problema con los proveedores informa, de ser necesario, al Director de operaciones y al Jefe de compras.
- Actualiza las opciones tanto de nuevos productos en el mercado y como de proveedores. Una buena opción es asistir a las exposiciones de **ABASTUR**, Expo Gourmet y **Expo Restaurantes**.

A continuación puedes identificar las actividades relacionadas con la compra que pueden desempeñar el Almacenista, el Jefe de cocina, el Jefe de bares, el gerente de restaurante, si este opera en un hotel, en restaurante independiente o en un restaurante de cadena. (Véase tabla 3.14).

Tabla. 3.14. Comparativo de funciones al comprar

Responsable / Función	Centros de consumo en hotel			Restaurante independiente		Restaurante en cadena	
Elabora solicitud	Almacenista	Jefe de cocina	Jefe de bares	Jefe de cocina	Almacenista	Jefe de cocina	Almacenista
Coteja autorización de solicitud	Jefe de compras	Analista de costos		Gerente de restaurante		Gerente de restaurante	
Compara cotizaciones proveedores	Jefe de compras			Gerente de restaurante		Jefe de compras	
Costea solicitud restaurante	Jefe de compras			Gerente de restaurante		Jefe de compras	
Selecciona proveedor	Jefe de compras			Gerente de restaurante		Jefe de compras	
Elabora orden de compra	Jefe de compras			Gerente de restaurante		Jefe de compras	
Planea y programa compras	Jefe de compras			Gerente de restaurante		Gerente de restaurante	

4. Recepción de mercancía y almacenamiento

4.1. RECEPCIÓN DE MERCANCÍA

En este momento debes tener resuelto:

- La organización de las rutinas para recibir la mercancía.
- El disponer del espacio físico adecuado para descargar y realizar la verificación de la mercancía que recibes (figura 4.1).

Figura 4.1. Verificando la mercancía

- El haber capacitado al personal para que el tiempo de recepción de la mercancía sea el mínimo posible.
- Contar con "diablos", rieles con rodillos y otros medios prácticos que faciliten y aceleren la descarga de transporte.

4.1.1. Instalaciones y sanidad

Las prácticas de higiene para negocios se establecieron en la Norma Oficial Mexicana 093-SSA-1-1994, poco después de que la Secretaría de Turismo creó y apoyó el Distintivo "H", que en su inicio se promovió para centros de consumo en instalaciones hoteleras, su objetivo principal fue revertir el efecto negativo causado por lo que se llamó "la **venganza de Moctezuma**", por la deficiente higiene y sanidad en los establecimientos.

A partir del 23 de mayo de 2001, el Distintivo "H" se constituye en la Norma Oficial Mexicana para el Manejo Higiénico en el Servicio de Alimentos Preparados, la cual es la mejor referencia recomendada para las operaciones restauranteras.

Por lo tanto, las instalaciones de la recepción de mercancía deben apegarse a lo establecido en la NMX-F- 605 NORMEX-2000, en relación con las exigencias de sanidad e higiene, como pisos limpios, coladeras sin estancamientos, iluminación suficiente, protección de fuentes de iluminación, básculas limpias y libres de oxidación que se desinfecten despúes de cada uso, que no haya alimentos en el piso, el verificar la limpieza interior del transporte, etc. La **contaminación bacterial** y por **virus** en los alimentos, afectan el costo de operación, porque la vida de anaquel del los alimentos se acorta y porque cuando se echa a perder el producto debe desecharse.

4.1.2. Registro y control en la recepción

Las facturas deben incluir una lista de los artículos en el orden que fueron solicitados en el pedido. Solicita al proveedor que cuando se entregue el producto presente la factura original y la copia del pedido que la originó. Esto facilita y evita errores en la captura. Cerciórate que lo registrado en la factura es lo que recibes. Pesa y cuenta el producto y asegúrate que el Jefe de cocina efectúe un segundo conteo.

Verifica que los códigos Back Rib (figura 4.2) y los precios unitarios del pedido correspondan con los de la factura. Los códigos aseguran recibir el producto solicitado y pagar el precio pactado.

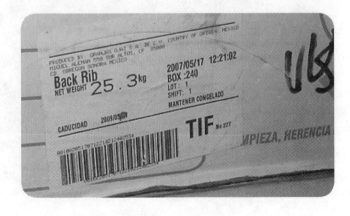

Figura 4.2. Código Back Rib

Establece los horarios y días de recepción de mercancía, de acuerdo con el tipo de producto o proveedor. En caso contrario tendrás que interrumpir actividades porque el pedido llegó en el momento menos esperado.

La devolución de productos es causada por:

- No hacerse el cambio físico en el momento.
- Por vencimiento de la vigencia de caducidad.
- Por defectos visibles y no cumplir con las especificaciones estándar.
- Por temperatura incorrecta (figura 4.3).

Figura 4.3. Temperatura de la carne

- Por duplicidad o porque la cantidad no es la solicitada.
- Por cambio de presentación.
- Por mercancía que no está anotada en el pedido, pero si facturada.

Acuerda con tu proveedor si procede o no, hacer alguna anotación en la factura y haz las correcciones siempre en su presencia (figura 4.4). Esto te ahorrará problemas al momento de la cobranza, evitarás desembolsos innecesarios de la empresa por pagar algo que no recibió. La devolución originará una **nota de crédito**, la que debe firmar el proveedor en el momento de la entrega del producto, dando fe del error detectado.

Figura 4.4. Corrige las facturas frente al proveedor

Al término de la recepción del producto se entregará el **acuse de recibo**, en el cuál se anotará el número de la factura del proveedor, para que tramite su pago en el lugar y día acordados. Si se detecta mercancía defectuosa después de la entrega, será responsabilidad del Jefe de cocina, no importando que el reclamo al proveedor se haga inmediatamente.

A fin del día, el almacenista debe completar el reporte de recepción de mercancías, que es fuente de información para registrar las compras diarias (de acuerdo con la clasificación definida por Contraloría) y para "llenar" el Concentrado Mensual de Compras. (Tabla 4.1)

4.1.3. Recepción de mercancías

Este reporte concentra por día las compras, las que se agrupan de acuerdo con las necesidades de cada negocio, posiblemente bastará saber cuánto se compró de alimentos y bebidas.

Tabla 4.1. Recepción de mercancías-alimentos

Fecha: 1º de febrero de 2008   Recibió: Jorge Lara

Día: Viernes   Verificó: José Luis Rosales

Proveedor	Factura	Artículo	Unidad	Cantidad	P. unitario	Abarrotes	Cárnicos	Lácteos	Pan	Vegetales	Total
Sanitaria	612	Filete Choice	kg	8	$150.00		$1 200.00				$1 200.00
		Costilla de puerco	kg	6	$47.00		$282.00				$282.00
		Chicharrón	kg	4	$140.00		$560.00				$560.00
Pilgrim's	8730	Pechuga de pollo	kg	18	$67.00		$1 206.00				$1 206.00
		Pierna y muslo	kg	20	$54.00		$1 080.00				$1 080.00
La Viga	3097	Ostión concha	Costal	1	$235.00		$235.00				$235.00
Alpura	4109	Leche	ℓ	24	$8.23			$197.52			$197.52
		Queso añejo	kg	4	$45.00			$180.00			$180.00
Central de Abasto	5309	Cebolla	kg	18	$8.00					$144	$144.00
		Chile poblano	kg	9	$15.00					$135	$135.00
		Jitomate saladet	kg	30	$9.20					$276	$276.00
											$0.00
					Totales	$0.00	$4 563.00	$377.52	$0.00	$555.00	$5 495.52

Tabla 4.2. Recepción de mercancías-bebidas

Fecha: 1º de febrero de 2008   Recibió: Jorge Lara

Día: Viernes   Verificó: José Luis Rosales

Proveedor	Factura	Artículo	Unidad	Cantidad	P. unitario	Bebidas	Bebidas alcohol	Total
La europea	8612	Cerveza Sol	Botella	40	$6.90		$276.00	$276.00
		Cerveza Lagger	Botella	20	$6.90		$138.00	$138.00
		Brandy fundador	Botella	3	$156.00		$468.00	$468.00
		Ron Bacardy	Botella	12	$72.80		$873.60	$873.60
		Tequila Don Julio	Botella	12	$243.00		$2 916.00	$2 916.00
Central de Abastos	287	Jumex naranja	ℓ	12	$9.73	$116.76		$116.76
		Jumex piña	ℓ	16	$9.73	$155.68		$155.68
		Jarabe natural	Botella	12	$17.67	$212.04		$212.04
		Crema Calahua	Lata	24	$17.00	$408.00		$408.00
Pepsi		Squirt	Botella	48	$3.27	$156.96		$156.96
					Totales	$1 049.44	$4 671.60	$5 721.04

En otros negocios convendrá para su análisis e interpretación agrupar por abarrotes, cárnicos, lácteos, pan y vegetales. Las bebidas se registran por separado y se pueden agrupar por refrescos, jugos, vinos, cervezas y aguardientes, o como se requiera analizar.

4.1.4. Concentrado mensual de compras

Los siguientes cuadros muestran día por día los totales de las compras diarias (tabla 4.3). A manera de ejemplo se agruparán las compras de alimentos en abarrotes, cárnicos, lácteos, pan y vegetales. Por separado las adquisiciones de bebidas y bebidas alcohólicas.

Tabla 4.3. Concentrado mensual de compras/alimentos

Febrero de 2008

Fecha	Día	Abarrotes	Cárnicos	Lácteos	Pan	Vegetales	Total alimentos
1	Viernes	0.00	4 563.00	377.52	0.00	555.00	5 495.52
2	Sábado						0.00
27	Miércoles						0.00
28	Jueves						0.00
29	Viernes						0.00
Total alimentos		0.00	4 563.00	377.52	0.00	555.00	5 495.52

Como puedes observar con estos reportes tendrás información diaria y pormenorizada de lo que has comprado durante el periodo mensual, de acuerdo a las necesidades de tu contabilidad.

Tabla 4.4. Concentrado mensual de compras/bebidas

Fecha	Día	Bebidas	Bebidas alcohol	Total bebidas	Total mensual
1	Viernes	1 049.44	4 671.60	5 721.04	11 216.56
2	Sábado			0.00	0.00
27	Miércoles			0.00	0.00
28	Jueves			0.00	0.00
29	Viernes			0.00	0.00
Total bebidas		1 049.44	4 671.60	5 721.04	11 216.56

4.1.5. Inspección para asegurar la calidad

Conviene recordar que la calidad está integrada por varios eslabones y uno de ellos es asegurar que toda la materia prima comprada cumple con los altos estándares que has establecido, por ende, será posible entregar un platillo o bebida de calidad, exigiendo que el almacenista o tu jefe de cocina sean estrictos al revisar la materia prima que se compra.

- A la entrega del pedido el transporte con "Termo King" revisa que la carátula (figura 4.5) indique una temperatura que oscile entre 2.5 °C y 3.5 °C (36 °F a 38 °F).

Figura 4.5. Cotejando temperatura del Termo King

- Los congelados debes recibirlos al menos a una temperatura menor a -15 °C (5 °F).
- Los pescados y mariscos deben tener una temperatura no mayor a 0 °C (32 °F) y deben estar cubiertos con hielo triturado.
- Si recibes los productos a las temperaturas citadas, estarás controlando el costo porque se alcanzará la vida en anaquel.
- Descarga con seguridad, sin maltratar el producto y hazlo en forma organizada.

- Por cuestión de calidad y seguridad, descarga primero los productos perecederos (figura 4.6).

Figura 4.6. Prioridad a perecederos

- Revisa la caducidad de todos y cada uno de los productos que se reciben. Exige al Jefe de cocina no reciba algún producto si está próximo a caducar.
- Revisa que las bebidas embotelladas estén llenas y que las cajas estén completas y no presenten materia extraña en su interior y las tapas no estén oxidadas.
- No recibas galletas, panes y tortillas si los empaques están rotos, ya que pueden contaminarse o formarse moho.
- Los alimentos congelados se deben recibir sin signos de descongelación, como lo son marcas de agua en cajas de cartón, que las piezas congeladas estén pegadas, que los productos congelados tengan los lados planos.
- Las latas no deben estar abombadas, ni abolladas y sin corrosión.
- Revisar que los productos no estén maltratados y que se cumpla con sus características organo-lépticas (tabla 4.5).

Tabla 4.5. Características organolépticas de los productos

Producto	Acepta	Rechaza
Carne de res	Rojo brillante	Color verdoso o café oscuro
Cerdo	Rosa pálido Grasa blanca Textura firme y elástica Olor característico	Descolorida en el tejido elástico Olor rancio
Aves	Color característico Textura firme Olor característico	Color verdoso o amoratada Textura blanda y pegajosa bajo las alas Olor anormal
Pescado	Agallas húmedas de color rojo brillante Ojos saltones limpios transparentes, y brillantes Carne firme Olor característico	Gris o verde en agallas Agallas secas, ojos hundidos opacos con bordes Textura flácida Olor agrio, a pescado, amoniaco
Mariscos	Color característico Olor característico Textura firme	Olor agrio Textura viscosa Apariencia opaca
Leche	Basándose en leche pasteurizada	Empaque abombado Vencimiento de caducidad Leche no pasteurizada
Queso	Olor característico Textura característico con bordes limpios y enteros	Con moho, o picaduras extrañas
Mantequilla	Sabor dulce y fresco	Con moho o partículas extrañas
Huevos	Limpios y con cascarón entero	Cascarón manchado o quebrado Fecha de caducidad vencida

Las especificaciones estándar de los productos deben estar a la mano. Enseña a tu equipo de trabajo que sepa identificar las características aceptables de cada producto.

Si todos los puntos anteriores se cumplen, el producto que estás recibiendo estará correctamente registrado, sus características de calidad serán una garantía y evitarás las mermas por productos echado a perder en el almacén.

4.2. CONDICIONES SEGURAS DURANTE EL ALMACENAJE

- Para conservar con tino las mercancías, el almacenista debe colocar una tarjeta o **etiqueta de máximos y mínimos** (figura 4.7) en la orilla frontal de los anaqueles, para tener presente las existencias de cada producto que se coloca en esa posición y poder asegurar así las condiciones de seguridad y calidad, al cuidar el tiempo de vida durante el almacenaje.

Figura 4.7. Tarjeta de máximos y mínimos

- La **etiqueta del producto** (figura 4.8) te ayuda a leer y decidir que artículo utilizar primero, ya que contiene nombre del producto, la fecha y hora de entrada y quién lo almacenó.

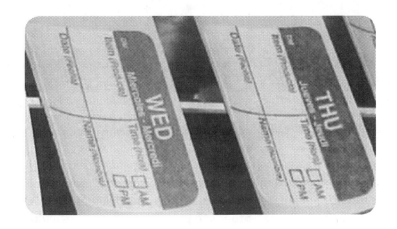

Figura 4.8. Etiqueta del producto

- El uso de tarjetas de máximos y mínimos y las etiquetas de producto ayudan a disponer de materia prima sana para preparar platillos de calidad y costo consistente al pronosticado.
- Si dispones de un almacén lo suficiente grande, la existencia máxima estará en relación con el espacio que ocupa la mercancía, y los espacios vacíos en el anaquel te indicarán la falta de producto.
- Debes monitorear la temperatura, la ventilación, la iluminación, la rotación, y la inspección física oportuna.
- Determina los niveles de máximos y mínimos de existencia para distintas épocas de operación del restaurante.

- Cuida que tus existencias lleguen a los niveles mínimos, y ponga en riesgo contar con producto para hacer frente a la operación diaria.
- Los productos que más se utilizan deben acomodarse junto a la puerta para reducir tiempos y movimientos del almacenista o cocineros al almacén o cámaras.
- Guarda a la vista y con cerradura los productos con alto costo (figura 4.9) y riesgo de robo. Algunos productos serían los cortes de carne, el **azafrán**, las trufas, las **angulas**, los camarones, las langostas, los aguardientes y **licores** *premium*.

Figura 4.9. Productos de alto costo

- El control diario te exige tener registrados los inventarios iniciales y finales de las porciones que desees monitorear. Sanciona a quien maneje irresponsablemente la materia prima.
- El desorden debe resolverse tan pronto como sea posible. Los artículos en su lugar ayudarán a que se cuente fácilmente y así poder determinar compras correctas. Utiliza layouts (gráficos de distribución) para todos los almacenes.

4.2.1. Refrigeración

Cuando sea posible, es conveniente que el restaurante cuente con cámara de refrigeración fabricada con paneles de poliuretano de alta densidad o de lámina, con puertas de acero inoxidable abatibles de cierre hermético y con varilla de seguridad para abrirse por dentro. Con lámparas resistentes al vapor, como tubos incandescentes, con cubierta de seguridad para evitar el riesgo de contaminación física en caso de que se rompiese la lámpara. La capacidad de las unidades condensadoras y evaporadores dependerá del tamaño de la cámara.

Debes exigir que se utilicen correctamente las cortinas de plástico cristal, tipo hawaianas (figura 4.10). Sean cámaras o refrigeradores debes vigilar lo siguiente para evitar que los productos caduquen antes de tiempo, con la lógica afectación al costo por mermas.

Figura 4.10. Cortinas y termómetro

- La temperatura interna de los alimentos no debe ser mayor a 4 °C. Calibra diariamente los termómetros y revisa su funcionamiento.
- Los anaqueles deben permitir el paso de aire frío y estar a 15 cm del nivel del piso. No coloques los productos pegados a la pared y permite la circulación de aire entre ellos. No los coloques juntos.
- Para evitar la contaminación por escurrimientos, coloca los alimentos crudos en la parte inferior del anaquel.
- Por lo menos cada hora debes registrar las temperaturas de la cámara o refrigerador.
- Consolida los productos. Las salsas o aderezos que se estén utilizando deben estar en un solo recipiente, perfectamente identificado con la frase "en uso", y los demás botes o recipientes deben estar cerrados.
- Debes exigir estén identificados con etiqueta que muestre la fecha y hora de entrada y quién acomodó el producto.
- Almacena los alimentos en recipientes cubiertos con tapa, de preferencia dentro de recipientes de policarbonato traslucido (figura 4.11) o de acero inoxidable.

Figura 4.11. Recipientes con tapa

- Para mantener la temperatura y optimizar el gasto de corriente eléctrica, es imperativo se lleve a cabo el mantenimiento preventivo de la unidad de refrigeración (figura 4.12), eliminando toda acumulación de hielo en los condensadores y limpieza escrupulosa de las celdillas de los difusores o evaporadores.

Figura 4.12. Limpieza de la unidad de refrigeración

- Rota el producto asegurando el procedimiento de primeras entradas, primeras salidas.
- En cada repisa se debe rotar el producto para asegurar tener al frente la mercancía que debe utilizarse primero y al fondo la que su usará después.
- Hay métodos diferentes para tomar el producto de las repisas, pero una forma de hacerlo es de izquierda a derecha y de adelante hacia atrás.

4.2.2. Congelación

La intensidad del frío en la congelación hace posible detener el crecimiento de bacterias que afectan a los alimentos. Cuando sin cuidado se abren las puertas, el aire caliente que entra en la cámara afecta a los alimentos que no están empacados correctamente, quemándolos, que no es otra cosa que deshidratarlos. Los productos "quemados con frío" pierden sus propiedades de calidad y afecta al costo por la merma que provoca. Este aire caliente produce hielo que se va acumulando en el exterior de las tuberías y en el evaporador de la unidad de congelación, provocando que el aire no circule a través del panel de enfriamiento.

- La temperatura debe bajar hasta -18 °C que es el nivel seguro para conservar los alimentos congelados.
- Los anaqueles deben permitir el paso de aire frío y estar a 15 cm del nivel del piso. No coloques los productos pegados a la pared y permite la circulación de aire entre ellos. No los coloques juntos.
- Es necesario como en la refrigeración, la exigencia de identificación, de utilizar empaques con tapa, de registrar las temperaturas cada hora y verificar se realice el mantenimiento preventivo.

- Antes de recibir el pedido, efectúa la rotación de producto asegurando el procedimiento PEPS (figura 4.13).

Figura 4.13. Rotación de producto

- Diariamente acomoda y ordena el congelador horizontal.
- Consolida los productos. En congelación solamente debe existir una caja o paquete abierto, identificado con la frase "en uso", y los demás cerrado.

4.2.3. Almacén de secos

Llamado también almacén de abarrotes o para productos no perecederos. El local debe ser un área cerrada, seca, ventilada y limpia, que evite se acumule humedad.

- Los anaqueles deben permitir el paso de aire y estar a 15 cm del nivel del piso. No coloques los productos pegados a la pared y permite la circulación de aire entre ellos. No los coloques juntos.
- Debes exigir estén identificados con etiqueta que muestre la fecha y hora de entrada y quién acomodó el producto (figura 4.14).

Figura 4.14. Identificación de productos

- Almacena los alimentos en recipientes con tapa cubiertos, de preferencia dentro de recipientes de policarbonato traslúcido o en sus envases originales.
- Efectúa la rotación del producto asegurando el procedimiento PEPS.
- Por ningún motivo y para evitar la contaminación química de los alimentos, los detergentes o cualquier otro producto químico, deben almacenarse en lugar separado.
- Almacena los químicos en recipientes con tapa cubiertos, de preferencia en sus envases originales.
- Debes exigir los químicos estén identificados con etiqueta que muestre la fecha y hora de entrada y quién acomodó el producto.

4.2.4. Ejemplos de caducidad

Dependiendo del tipo de producto si es perecedero o no, los tiempos de vida varían en forma considerable, debido principalmente a la humedad contenida en el alimento; por ejemplo: la machaca carne seca y deshebrada puede durar hasta seis meses sin mayor problema y esa misma carne, sin desecar, en refrigeración duraría máximo una semana. Los productos tienen distinto tiempo de caducidad. (Tabla 4.6.)

Tabla 4.6. Ejemplos de caducidad

Producto	Almacenamiento	Tiempo de caducidad	Producto	Almacenamiento	Tiempo de caducidad
Aderezos	Refrigeración	90 días	Lechuga	Refrigeración	Fecha de recepción 10 días
Bollo	Abarrotes	12 días	Papa a la francesa	Congelación	Fecha de elaboración 9 meses
Café americano	Refrigeración	3 meses después de producción	Pepino	Refrigeración	Consistencia firme 2 semanas
Carne hamburguesa	Congelación	Fecha de elaboración 90 días	Pollo empanizado	Congelación	4 meses después de producción
Catsup	Cerrada abarrotes	Fecha elaboración 270 días	Queso suizo	Refrigeración	30 días
	Abierta refrigeración		Salsas	Refrigeración	Fecha de elaboración 90 días
Cebolla	Refrigeración	Fecha de recepción 14 días		Abierta refrigeración	7 días
Espinaca	Refrigeración	5 días	Salsas sobres	Refrigeración	3 meses después de producción
Jarabe malteada	Abarrotes	1 año	Tocino	Refrigeración	Fecha de elaboración 1 mes
Jarabe refresco	Abarrotes	Ver caducidad 2 meses apróx.		Abierto refrigeración	3 días
Jitomate	Refrigeración	Recha de recepción 8 días	Zanahoria	Refrigeración	Consistencia firme 7 días

De la tabla sobresalen los siguientes puntos:

- El pan nunca debe refrigerarse, ya que absorbería humedad y esto facilitaría el desarrollo de hongos.
- La refrigeración alarga la conservación del café.
- Las salsas o aderezos abiertos, como la cátsup, conviene refrigerarlos.
- Los jarabes para refrescos tienen una vigencia de dos meses.
- Para asegurar un buen producto, la consistencia del pepino, la zanahoria, la calabaza y otros vegetales debe ser firme.

Nota: tu proveedor te dará de información más precisa de lo que le compras actualmente.

4.2.5. Requisición al almacén

Es conveniente registrar toda la mercancía que se entrega al bar, a la cocina o al comedor:

- Para hacer los registros de salida en las tarjetas de almacén o de **kárdex** manuales o electrónicos.
- Para conocer los consumos de cada producto.
- Para monitorear las existencias.
- Para calcular y hacer los pedidos oportuna y atinadamente.

El encargado del área es quien solicita el producto y tú, como gerente, autorizas la compra. Si se requiere proveer materia prima a distintas cocinas o bares, establece un horario para cada área y que la requisición se entregue con anticipación para preparar la entrega.

En otros restaurantes donde sólo existe una cocina o un bar, este control puede recaer en el Jefe de cocina o en el Cantinero, ya que al recibir la mercancía del proveedor, los alimentos y las bebidas entran en su custodia respectivamente, haciendo innecesario el uso de la requisición, pues los cocineros toman de las cámaras y el almacén de secos, la materia prima que necesitan para la producción. Por lo tanto, el uso responsable y racional se comparte con cocineros y cantineros, asimismo debe preverse la necesidad de recompra.

Ya sea que trabajes para un restaurante independiente, una franquicia o cadena de restaurantes, seguirás la política establecida para el control de la mercancía. (Tabla 4.7.)

Tabla 4.7. Requisición de almacén

Fecha: 8 de febrero de 2008   Requisición núm. 354

Descripción	Código	Unidad	Cantidad solicitada	Cantidad surtida
Cerveza Sol	BC00201	Caja	2	2
Cerveza Lagger	BC00202	Caja	1	1
Brandy Fundador	BA00101	Botella	5	4
Ron Bacardí	BA00204	Botella	4	4
Tequila Don Julio	BA00303	Botella	3	3
Jumex naranja	BNA0101	ℓ	8	5
Jumex piña	BNA0103	ℓ	4	4
Ordenado por: jefe de área Ricardo Sánchez	Autorizado por el gerente: Héctor Quezada			

4.2.6. Tarjeta de almacén

Esta forma de control de existencias (tabla 4.8) era muy utilizada en los almacenes colocando la tarjeta al frente de la mercancía para registrar las entradas y salidas físicas. Si la utilizas en tu almacén, intenta migrar el registro a un control electrónico u hoja de cálculo; pero antes identifica el anaquel para ubicar la mercancía. Las compras y requisiciones "descárgalas" directamente en la computadora, capturando en la columna de referencia el número de la factura en caso de una entrada o el número de la requisición en caso de ser una salida del almacén.

Tabla 4.8. Tarjeta de almacén

Producto: Jugo de naranja Jumex   Mes: Febrero de 2008
Unidad: Litro   Almacenista: Jorge Lara

Fecha	Referencia	Entrada	Salida	Existencia	Recibió	Capturó
01-abr-08	Inventario			21		j.l.
04-abr-08	Fac. 200	15		36	j.l.	
05-abr-08	Req. 458		8	28		j.l.
11-abr-08	Fac. 345	12		40	j.l.	
14-abr-08	Req. 479		20	20		j.l.
18-abr-08	Fac. 378	8		28	j.l.	
19-abr-08	Req. 489		14	14		j.l.
25-abr-08	Fac. 404	25		39	j.l.	
27-abr-08	Req. 494		17	22		j.l.
31-abr-08	Inventario			22		j.l.

4.2.7. Etiquetas para carne

En los hoteles se utilizan etiquetas para el control de carnes y productos de alto costo, que requieren ser monitoreados desde que se reciben hasta que salen de las cámaras de refrigeración a la cocina para ser preparados. El uso de etiquetas se aplicará a lo que se quiera controlar.

Youshimatz, al refrigerarse al sistema de control de carnes afirma que "debido a que las carnes, aves, pescados y mariscos, son los productos que tienen un importante movimiento y son los de mayor valor en los alimentos, es necesario llevar un control especial y estricto: el control por etiquetas de carne".[1]

La etiqueta (tabla 4.9) se anexa al corte de carne al registrar su entrada y se retira cuando sale del almacén para ser preparado. Estas etiquetas se controlan y se dan de baja cuando se asegura que fue el producto vendido.

---

[1] Alfredo Youshimatz, *Control de costos de alimentos y bebidas 1*, México, Trillas, 2006.

Puedes utilizar las etiquetas, siempre y cuando no aumente la "burocracia" del control. Si el restaurante tiene la especialidad de barbacoa, lo conveniente sería controlar la carne de cordero (borrego); si el negocio se especializa en cortes de res, las etiquetas controlarían la carne en canal o el lote de cortes americanos; en caso de que la especialidad del negocio sean los pescados y mariscos las etiquetas controlarían, por ejemplo, el guachinango del Golfo, la langosta u otro producto que se le quiera "seguir la pista" por su alto costo.

Tabla 4.9. Etiqueta de carne

Etiqueta para carnes	Folio núm.
	R 275
Fecha de entrada:	4 de febrero de 2008
Proveedor:	Philadelpia
Producto:	Sirloin
Calidad:	Choice
Peso:	6.300 kg
	Piezas: 21
Costo unitario:	$110.00
Costo total:	$693.00

Etiqueta para carnes	Folio núm.
	PM 458
Fecha de entrada:	1º de febrero de 2008
Proveedor:	Ocean Garden
Producto:	Langosta (Lobster Tails)
Calidad:	21-25
Peso:	18.160 kg
	Piezas: 5
Costo unitario:	$150.00
Costo total:	$2 724.00

En el ejemplo de la langosta se tienen cinco piezas que pesan 18.160 kilos a un costo por kilo de $150.00, dando un valor total de $2 724.00.

En el caso del *Sirloin* son 21 piezas con un peso total de 6.300 kilos con un costo por kilo de $110.00, dando un valor total de $693.00.

4.3. CONSEJOS PARA CONTROLAR EL ALMACENAJE

La rotación del personal, la monotonía laboral y la falta de desarrollo, provoca que la empresa se enfrente a situaciones diversas provocando que los controles establecidos se relajen y pierdan eficiencia. Por lo tanto, es necesario que:

- Te mantengas cerca de la operación y de tus empleados y analices sus acciones y omisiones.
- Trabajes "hombro con hombro" dando coaching y ejemplo.
- Mantengas la filosofía de la capacitación y desarrollo de carrera.
- Mantengas una rotación de inventarios de tres o cuatro veces por mes, si la mayoría de las compras es semanal. Consigue un sano flujo de efectivo para afrontar los compromisos comerciales.

Acerca de la fórmula de rotación de inventarios (ventas netas entre inventarios), Munch opina que "esta razón significa que por cada $1 invertido en inventarios, se vendieron $4, y la inversión total en inventarios se ha transformado cuatro veces en efectivo de saldos a clientes".[2]

---

[2] Lourdes Münch, *Fundamentos de administración*, México, Trillas, 2001.

- Recuerdes que el orden facilita la rotación diaria del producto.
- Empaques debidamente los cortes de carne u otros productos en congelación, para que no se conviertan en merma.
- Revises los productos que almacenas y definas acciones para utilizarlos antes de que sean una merma si la fecha de caducidad está próxima.
- En compras ventajosas para tu restaurante, es conveniente que congeles el producto que no usarás inmediatamente, para evitar que el beneficio se convierta en merma.
- Coloques la carne en refrigeración en el lugar más alejado de la puerta, mientras que los vegetales deben estar lo más lejos posible del difusor de aire.
- No permitas que tus cocineros mantengan abierta la puerta de la cámara y menos aún que hagan de lado las cortinas de plástico. Puertas cerradas y cortinas en su lugar conservan mejor los productos y ahorran energía.
- Descongeles en refrigeración para evitar que se desangren las carnes.
- Recuerda que los productos procesados tienen menor tiempo de vida.
- Refrigera la lechuga rebanada en bolsas de plástico, en cantidad no mayor a 2 kilos, sacando el aire del interior, para evitar que el vegetal se oxide, y usa la lechuga procesada, a más tardar al día siguiente.
- Refrigera el jitomate rebanado y utilízalo el mismo día.
- La temperatura del almacén de secos no debe exceder los 21 °C (70 °F).
- Ten especial cuidado con lo que sale en el bote de la basura, principalmente a la hora del cierre o en momentos de poco movimiento.

5. Controlando la producción y el servicio

5.1. PLANEANDO LA PRODUCCIÓN DIARIA

Al hablar de la **producción diaria** en una cocina, me refiero a la tradicional *mise en place*, que no es más que lograr "un lugar para cada cosa y cada cosa en su lugar". Habrá cocineros que la llamen "la prep", otros la *mise en place* de la fría o del **pantry**. En pocas palabras es realizar la preparación de los recetarios complementarios, o sean los ingredientes que se requerirán para la cocción o ensamble de un platillo o bebida que se servirá al cliente, es decir confeccionar un recetario básico.

La producción diaria permite al cocinero trabajar con la seguridad de que lo que prepare será suficiente para los volúmenes de trabajo del día. Usualmente se podrían calcular:

- Fondos de cocina: salsa española, caldos de res, de pollo o de pescado.
- Salsas picantes como verde, pasilla, mexicana, roja, etc.
- Salsas de cocina como **bechamel**, **aurora**, vinagreta, el cassé de tomate y sus derivadas, y otras más.
- Arroz, pastas, frijoles, vegetales para guarnición, etcétera.

5.1.1. Cálculo de materiales para producción

Al igual que para determinar las compras, la mezcla de ventas y los consumos promedio por día nos muestran las ventas de alimentos y bebidas en promedio por cada día de la semana. Mientras más información tengas en relación con la demanda de productos, más certero y óptimo será el pronóstico y el aprovechamiento de la materia prima. Debes actualizar periódicamente la base de datos, ya que la popularidad de los platillos varía, como se estableció en el capítulo anterior, ya sea por estación del año, por la moda de ciertos platillos o por la constante innovación en la oferta de productos que satisfagan los gustos cambiantes de los clientes.

En la tabla "Cálculo de materiales para producción" se muestra un primer bloque con ventas promedio de cuatro entradas del menú del restaurante.

En el segundo bloque de esos platillos se desglosan los ingredientes que se deben preparar con anticipación, como lo son:

- Base para ceviche y la salsa mexicana para el ceviche.
- Tamalitos y salsa roja para las corundas.

- Cubitos de papa, mezcla chalupa, pechuga desmenuzada y salsa verde para las chalupas.
- Crema de pepita y cassé de tomate para los papatzules.

La venta promedio de cada ingrediente se multiplica por la cantidad de la porción de la receta y lo que resulta son las cantidades por preparar durante la *mise en place*.

Tabla 5.1. Cálculo de materiales para la producción

	Entradas	Venta promedio del día						
		Lun	Mar	Miér	Jue	Vier	Sáb	Dom
a	Ceviche	18	16	21	24	30	32	34
b	Corundas	8	6	8	12	14	13	15
c	Chalupas de pollo	12	10	14	17	22	25	24
d	Papatzules	15	16	18	21	24	25	26

	Ingredientes	Venta promedio del día							Porción receta	Unidad	Por preparar						
		Lun	Mar	Miér	Jue	Vier	Sáb	Dom			Lun	Mar	Miér	Jue	Vier	Sáb	Dom
a	Base para ceviche	18	16	21	24	30	32	34	0.250	kg	4.5	4.0	5.3	6.0	7.5	8.0	8.5
b	Corundas	8	6	8	12	14	13	15	2	Pieza	16	12	16	24	28	26	30
d	Crema de pepita	15	16	18	21	24	25	26	0.060	kg	0.9	1.0	1.1	1.2	1.4	1.5	1.6
c	Cubitos de papa fritos	12	10	14	17	22	25	24	0.020	kg	0.2	0.2	0.3	0.3	0.4	0.5	0.5
c	Mezcla de chalupas	12	10	14	17	22	25	24	0.020	kg	0.2	0.2	0.3	0.3	0.4	0.5	0.5
c	Pechuga deshebrada	12	10	14	17	22	25	24	0.030	kg	0.4	0.3	0.4	0.5	0.7	0.8	0.7
d	Cassé de tomate	15	16	18	21	24	25	26	0.020	ℓ	0.3	0.3	0.4	0.4	0.5	0.5	0.5
c	Salsa verde	12	10	14	17	22	25	24	0.040	ℓ	0.5	0.4	0.6	0.7	0.9	1.0	1.0
b	Salsa roja	8	6	8	12	14	13	15	0.040	ℓ	0.3	0.2	0.3	0.5	0.6	0.5	0.6
a	Salsa mexicana	18	16	21	24	30	32	34	0.040	kg	0.7	0.6	0.8	1.0	1.2	1.3	1.4

5.1.2. Tablas de producción

La **tabla de producción** (figura 5.1) muestra las cantidades de recetas complementarias que se deben preparar durante la *mise en place*, por lo que debes actualizar la tabla al menos una vez al mes. Entrega y mantenla a la vista de los cocineros para que realicen la producción diaria sin duda alguna.

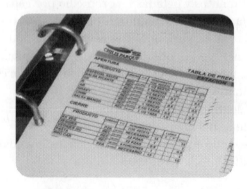

Figura 5.1. Tabla de producción

Las cantidades se expresan en kilos, litros y piezas, pero también las puedes establecer como producción de "recetas", ya que los recetarios complementarios muestran un rendimiento preestablecido. Conforme produces cada día, debes adecuar los rendimientos en submúltiplos y denominar los recetarios en ½ o ¼ de receta, o también en múltiplos de una receta. Prepara solo lo estimado, lograrás eficiencia y controlarás el costo, evitando desperdicios por tener que desechar alimentos preparados.

Del cálculo de materiales copia las cantidades por preparar y transcríbelas en la tabla de producción; para el siguiente ejemplo del día viernes en la columna de "cantidad" se requieren 7.500 kilos de base para ceviche, así como 28 piezas de corundas.

Tabla 5.2. Tabla de producción

Viernes	**Cantidad**	**Existencia**	**Rend receta**	**Recetas × productor**
Base para ceviche	7.500 kg	0.450	3.000	24
Corundas	28 piezas	12	20	0.8
Crema de pepita	1.416 kg	0.230	0.700	1.7
Mezcla para chalupas	0.440 kg	0.300	0.900	0.2
Pechuga deshebrada	0.440 kg	0.100	0.400	0.9
Cassé de tomate	0.660 kg	0.000	2.100	0.3
Salsa verde	0.472 ℓ	0.000	2.000	0.2
Salsa roja	0.880 ℓ	0.000	2.000	0.4
	0.560 ℓ	0.120	2.000	0.2
Salsa mexicana	1.200 kg	0.000	1.200	1.0

El Jefe de cocina hará el inventario y registrará la existencia de cada producto, la cual se restará de la de cantidad calculada para así definir las recetas o unidades por producir.

Base ceviche

7.500 (por preparar) menos 0.450 gramos (existencia), entre 3.000 (rendimiento receta)
igual a 2.4 (recetas por producir).

Corundas

28 (por preparar) menos 12 (existencia), entre 20 (rendimiento receta)
igual a 0.8 (recetas por producir).

Si en tu restaurante la cantidad de "recetas" frecuentemente es menor a media receta, sería conveniente rehacer el recetario complementario y definir nuevamente un rendimiento menor, como lo son en el ejemplo anterior los casos de los cubitos de papa, el *cassé* de tomate, la salsa roja, y la pechuga deshebrada. Ten presente que la anterior tabla de producción es tan solo para cuatro entradas… ¿Qué tan grande será la tabla de producción para toda la carta del restaurante?

El cocinero de preparación de la *mise en place* o el asignado a realizar el montaje de su línea, deben priorizar sus actividades para que por lo menos media hora antes de que el restaurante abra sus puertas al público, tenga preparado lo pronosticado y el Jefe de cocina pueda aplicar la lista de verificación y hacer las indicaciones de corrección pertinentes.

La demanda fluctuante de productos hace necesario analizar los Consumos Promedio de la mezcla de ventas en forma constante para actualizar máximos y mínimos que utilizarás en la tabla de producción. En el análisis anexo (tabla 5.3) puedes observar que los consumos semanales (8 / 7 / 6 / 7) están por debajo de máximo en existencia (12), lo que te permitirá modificar los máximos 8 + 7 + 6 +7 = 28 ÷ 4 = 7 consumo semanal.

Tabla 5.3. Análisis de máximos por producto

Fecha	Inv. inicial	Compra	Inv. final	Consumo semanal	
03-feb-08	12	6	6	12	
10-feb-08	6	6	4	8	
17-feb-08	4	8	5	7	
24-feb-08	5	7	6	6	
29-feb-08	6	6	5	7	7

En la siguiente tabla de producción de ensaladas (tabla 5.4) se muestran los rangos de producción de una a 10 ensaladas, posteriormente, múltiplos de cinco en cinco y al final por decenas. La tabla también separa los productos para la "mezcla base" y los "que complementan" la ensalada, además incluye indicaciones precisas en relación con el corte, lavado y desinfección de los vegetales.

Tabla 5.4. Tabla de producción de ensaladas

	Base				Complemento								
	lb	oz	lb	oz	lb	oz	Pieza	lb	oz	Piezas	lb	oz	
	Lechuga		Espinaca		Zanahoria		Pepino	Germen		Jitomate		Queso	
Cant	Hoja chica en ¼ Desinfectar		Desinfectar		Rallada Lavar tallando		Rebanada a la ½ Lavar tallando	Desinfectar		Dieciseisavos Lavar tallando		Cuadros de 1 X 1	
1		2½		½		1	3		2	6/16	1		1
2		5		1		2	6		4	12/16	1		2
3		7½		1½		3	9		6	18/16	2		3
4		10		2		4	12		8	24/14	2		4
5		12½		2½		5	15		10	30/16	2		5
6		15		3		6	18		12	36/16	3		6
7	1	1½		3½		7	21		14	42/16	3		7
8	1	4		4		8	24	1	0	48/16	3		8
9	1	6½		4½		9	27	1	2	54/16	4		9
10	1	9		5		10	30	1	4	60/16	4		10
15	2	5½		7½		15	45	1	14	90/16	6		15
20	3	2		10	1	4	60	2	8	120/16	8	1	4
25	3	14½		12½	1	9	75	3	2	150/16	10	1	9
30	4	11		15	1	14	90	3	12	180/16	12	1	14

Lavado y desinfección de la lechuga italiana y espinaca

1. Corta el tallo y deshoja. Repite hasta deshojar completamente.
2. Separa las hojas de lechuga grandes para ensamble y las chicas para ensaladas.
3. Separa las hojas maltratadas. Lava hoja por hoja.
4. Lava la tarja y desinfecta en agua con yodo (diez gotas por litro) por 10 minutos.
5. Deja escurrir, el producto estará libre de gérmenes.

5.1.3. Descongelación de carnes

Debes descongelar paulatinamente los productos cárnicos para evitar que se desangren y que la pérdida de peso sea excesiva, que afectaría la calidad y el costo. El procedimiento recomendado es pasar el producto del congelador a refrigeración con la anticipación necesaria respecto al tamaño de la pieza. Se recomienda que la rotación física se realice durante la mañana, después de haber abastecido las cocinas o la línea.

Consulta diariamente los Consumos Promedio de la mezcla de venta y totaliza la venta de los siguientes dos días, réstale las existencias del producto en refrigeración y el resultado será la cantidad de cortes de carne o los kilos o las piezas a descongelar.

Como se puede ver en la (tabla 5.5) una gran variedad de productos se puede descongelar, como filete de res. La cantidad de 13 piezas a descongelar resulta de restar a la venta de 24 piezas (para los siguientes dos días), 11 piezas que se tenían descongelando en refrigeración.

Tabla 5.5. Descongelación de carnes

Producto	Venta de dos días	Existencias	Descongelar
Filete de res	24	11	13
T Bone	17	3	14
Rib eye	8	4	4
Pechuga de pollo	35	16	19
Filete de pescado	16	5	11
Camarones (orden)	17	8	9
Revisó 　　Jorge	Elaboró 　　Raúl		Ajusta a empaque completo

Repite el procedimiento todos los días a la misma hora para asegurar tener producto descongelado en cantidades suficientes.

5.1.4. Uso obligado de recetarios

Además de apoyar decididamente el programa de capacitación, exige a tus cocineros que cuando realicen la *mise en place* tengan a la mano el recetario (figura 5.2). No permitas que el emplea-do confíe en su memoria los procedimientos e ingredientes que se han definido con mucho trabajo y éxito.

Figura 5.2. Uso de recetarios

Los recetarios complementarios deben estar disponibles en las mesas de trabajo de los cocineros, debidamente plastificados y con perforaciones para acomodarse en una carpeta de argollas, de la cuál el empleado debe tomar la receta cuando inicie cualquier preparación.

Actualiza los recetarios cuando cambies la presentación de un platillo o bebida, sustituyas in-gredientes, emplees un nuevo procedimiento o utilices un nuevo equipo. El tener a la mano y al día los recetarios te asegurará la consistencia en la calidad y rendimiento. ¡No te canses de recordar a todos los cocineros que cada vez que preparen algo utilicen el recetario! ¡Da un ejemplo positivo haciendo lo anterior en todo momento!

TRABAJA CON RECETARIOS Y PROCEDIMIENTOS

- Organiza el área empezando con la limpieza y desinfección de las superficies y utensilios de trabajo.
- Ten a la mano todos los ingredientes y utensilios necesarios para preparar la receta.
- Emplea básculas y medidas para asegurar que la cantidad sea consistente.
- Cocina los alimentos a la temperatura y el tiempo indicado.
- Si montas alimentos en la línea (figura 5.3), recuerda mantener los alimentos calientes arriba de 60°C y los fríos debajo de 5.5°C. ¡Identifica los productos!

Figura 5.3. Montaje de la línea

- En caso de que no uses los productos en el siguiente turno, refrigéralos. Produce con oportunidad y en cantidad suficiente "produce menos, pero más constante".
- Revisa la conveniencia de separar en porciones y embolsar los ingredientes de algunos platillos, que mejore los tiempos de preparación y el costo de operación. Un ejemplo sería tener 200 gramos de la mezcla de vegetales crudos que cocinarás en el horno de microondas por tres minutos y terminarás salteando para servir como guarnición.
- Etiqueta y almacena cada producto una vez preparado.
- Almacena los ingredientes no utilizados, así como los alimentos preparados que ya están divididos en porciones.

5.1.5. "Estirando" los tiempos de vida

Las preparaciones previas al **servicio** deben realizarse con orden y sacar de refrigeración la materia prima conforme la necesites. Asegúrate que los productos perecederos se expongan a la temperatura ambiente el tiempo necesario para su procesamiento y se refrigeren o cocinen de inmediato.

La tabla de producción no te indica el horario en que se necesitará. Si la operación normal de la cocina lo permite, planea la producción antes de la comida y de la cena. En caso de que haya poco personal o que exista un alto volumen de trabajo, lo que prepares durante la *mise en place* en la mañana, divídelo en recipientes que contengan el volumen o porciones de acuerdo con las ventas que se requiera para cada turno. "Monta" los ingredientes (figura 5.4) preparados con la anticipación adecuada, no antes que provoque que el producto se reseque, se oxide, se caliente o enfríe, con la consecuente merma de los estándares de calidad del producto procesado o preparado.

Figura 5.4. Estira los tiempos de vida

Prepara menos pero más frecuente. Esto aplica para:

- Reconstituir sopas.
- Pan tostado.
- Totopos.
- Lechuga rebanada.
- Jitomate rebanado o picado.
- Salsa mexicana.
- Garnituras para bebidas.
- Jugo fresco de cualquier fruta.
- Pelar y cortar frutas.
- Ingredientes para el ensamble de ensaladas.
- Salsa bearnesa u holandesa.
- Entre otras muchas más preparaciones.

En algunos restaurantes el café americano para el desayuno es preparado por el empleado de **steward**, o por el cafetero o por un cocinero, antes de que inicie el desayuno. Es correcto tener el café preparado para que cuando llegue el cliente se le pueda servir, lo que es incorrecto es preparar todo lo que requerirás hasta mediodía. Si dispones de agua caliente para alimentar la cafetera, la fuente de calor opera correctamente y tienes porcionado el grano de café en paquetes de medio kilo, que te permitirá preparar 10 litros en cuestión de cinco minutos. Esto asegurará que sirvas café fresco, con su exquisito sabor y característico aroma.

Una buena opción es tener percoladores de dos litros en cada uno de los muebles de servicio del comedor, para que la cantidad a preparar sea menor, pero constante y que el mesero pueda decidir cuándo es necesario percolar más. El café preparado tiene un tiempo de vida de 30 minutos. Además estarás controlando el costo, porque no tendrás que desechar café que no se vendió por estar "quemado", es decir, de mala calidad.

5.2. MERMAS Y DESPERDICIOS

Es necesario recordar que la materia prima pierde peso al procesarse para ser utilizada en frío como las frutas, los vegetales o los quesos. También merman productos que requieren se les despoje de grasa y pellejo, como una caña de filete o un generoso filete de salmón. Lo anterior afecta al costo, ya que el volumen que se compró se redujo, siendo en algunas ocasiones un monto muy importante.

Permitir que los empleados coman en la cocina provocará qué tarde o temprano cometan abusos que afectarán al costo, ya que no informará que comieron o bebieron algo no permitido.

Otra causa de mermas es reducir el tiempo de vida de los alimentos si se dejan los alimentos a la temperatura de la cocina: si por alguna causa un empleado interrumpe lo que está procesando, exígele que antes de retirarse guarde en el refrigerador la materia prima.

Utiliza espátulas de hule para recuperar casi todo el alimento remanente en el interior de recipientes y ollas.

Otra forma de que los alimentos pierdan peso es durante el cocimiento, principalmente de productos cárnicos que posteriormente se venderán por kilo, como las carnitas, la sabrosa barbacoa o el pollo asado.

La pérdida de peso al procesar y al cocinar es tomada en cuenta al costear las recetas cuando se tiene presente el aprovechamiento, lo que incrementa, el precio de compra con base en el porcentaje que se perdió del producto. En la receta mezcla para chalupas (tabla 5.6) identificamos el queso, la cebolla y el cilantro con aprovechamientos distintos, lo que modifica el costo total de $7.40 a $7.79, de $1.36 a $1.60, y de $0.15 a $0.21, respectivamente.

Tabla 5.6. Costeo considerando el aprovechamiento

Producto: Mezcla para chalupa   Fecha: Febrero de 2008
Rendimiento: 0.400 kg   Elaboró: Gerencia de operaciones

Ingredientes	Cantidad	Unidad	Costo unitario	Costo total	Rendimiento	0.400
Queso añejo 95%	0.200	kg	37.00	$7.79	Costo unitario	$34.01
Cebolla 85%	0.170	kg	8.00	$1.60		
Rabanitos	6	Pieza	0.67	$4.00		
Cilantro 70%	0.030	kg	5.00	$0.21		
				$13.60		

Si lo anterior está considerado en el costeo, lo que debes cuidar y registrar oportunamente son las mermas ocasionadas al desperdiciar los alimentos por descuido al cocinar o almacenar, o por errores al proyectar la producción, y en especial:

- Producto terminado pero rechazado por desacuerdo del cliente.
- Producto sobrecocido.
- Materia prima que caducó.
- Producto preparado por error.
- Producto preparado que se rezagó y echó a perder.

El riesgo de manejar alimentos es que cualquier descuido se puede convertir en una merma o desperdicio de la inversión al comprar la materia prima debes analizar el monto mensual de la mermas para que no sea la caja donde se esconda la ineficiencia al dirigir la operación de la cocina. Es común que el porcentaje que represente este rubro, no sea mayor a 0.5% y en algunos restaurantes presupuestan hasta 1.0%.

De una venta mensual $800 000 la cantidad "autorizada" que se puede tirar a la basura serían $4 000. Lo digo en estos términos porque es la realidad, ya que si se proyectan las mermas no es para buscar ese porcentaje, ya que es sólo una referencia. Lo recomendable es que el monto y porcentaje de las mermas sea cero y que condicionen o afecten los bonos de eficiencia que tú, como gerente, puedas recibir por tu buen desempeño.

5.2.1. Reporte diario de mermas/producto terminado

A diario registrarás los productos terminados que se han desechado por muchas causas, siendo la principal el incumplimiento del 100% de los estándares de calidad establecidos. En el reporte diario de mermas (tabla 5.7) traza una raya en la columna de conteo, siempre y cuando tu Jefe de piso o tú, autoricen la cancelación del platillo en la cuenta del cliente. Se registrará de igual manera cuando el Jefe de cocina ordene preparar nuevamente un producto, ya que no cumple con los estándares del aseguramiento de calidad establecido.

Por la noche te entregarán este formato para que lo totalices, captures en el sistema de costos y analices las cantidades resultantes. Diariamente durante las reuniones previas al servicio, comenta los montos de mermas del día anterior con los empleados de cocina y del comedor. Utiliza estas cantidades como referencia para retarlos a abatir las mermas.

Tabla 5.7. Reporte diario de mermas

Viernes   Fecha: 8 de febrero 2008

Conteo	Cantidad	Unidad	Artículo
		Pieza	Ceviche
		Pieza	Corundas
		Pieza	Chalupas de pollo
⦀⦀	5	Pieza	Papatzules
/	1	Pieza	Peneques
		Pieza	Caldo de queso
		Pieza	Sopa de flor de calabaza
		Pieza	Habas
		Pieza	Lentejas
//	2	Pieza	Tortilla
		Pieza	Guachinango verac
		Pieza	Tampiqueña
		Pieza	Alfajor de coco
		Pieza	Arroz con leche
		Pieza	Crepas de cajeta
		Pieza	Dulce de elote
		Pieza	Natilla

5.2.2. Concentrado mensual de mermas/producto terminado

Mensualmente para calcular el costo neto de alimentos y bebidas, es necesario que valores y obtengas el total de las mermas del mes. En el concentrado mensual (tabla 5.8) el total de mermas se multiplica por el costo unitario de cada producto. Se suma la columna de Costo Total.

La cantidad resultante se divide entre la venta mensual para conocer el porcentual, que como anteriormente se mencionó oscila entre 0.5 y 1.0% dependiendo de lo proyectado. Tanto el monto como el porcentual, deberás explicarlo o fundamentarlo al presentar el estado de resultados.

Tabla 5.8. Concentrado mensual de mermas

Fecha: Febrero de 2008

Cantidad	Unidad	Artículo	Costo unitario	Costo total
3	pieza	Ceviche	$39.13	$117.39
0	pieza	Corundas	$24.35	$0.00
2	pieza	Chalupas de pollo	$28.70	$57.39
8	pieza	Papatzules	$30.43	$243.48
1	pieza	Peneques	$23.48	$23.48
0	pieza	Caldo de queso	$36.52	$0.00
0	pieza	Sopa de calabaza	$30.43	$0.00
1	pieza	Habas	$26.09	$26.09
0	pieza	Lentejas	$27.83	$0.00
4	pieza	Tortilla	$33.04	$132.17
2	pieza	Guachi Verac	$108.70	$217.39
1	pieza	Menudo	$65.22	$65.22
0	pieza	Pollo al Pibil	$60.87	$0.00
0	pieza	Puerco calabazas	$56.52	$0.00
4	pieza	Tampiqueña	$104.35	$417.39
1	pieza	Alfajor de coco	$30.43	$30.43
0	pieza	Arroz con leche	$28.70	$0.00
0	pieza	Crepas cajeta	$39.13	$0.00
3	pieza	Dulce de elote	$26.09	$78.26
0	pieza	Natilla	$33.04	$0.00
			Totales	$1 408.70

5.2.3. Mermas de producto en crudo

Registra diariamente los productos crudos que se merman con el fin de tener información para concentrar mensualmente estos desperdicios (tabla 5.9). Para conocer con detalle los productos que se tiraron a la basura, se desglosan por grupos, siendo estos: abarrotes, bebidas, carnes y pescados, frutas, lácteos, panes y pasteles y vegetales.

Tabla 5.9. Concentrado mensual de mermas

Abarrotes

Cantidad	Unidad	Artículo	Costo unitario	Costo total
0.64	kg	Harina	$4.50	$2.88
18	Pieza	Aceitunas s/h	$0.57	$10.31
25	kg	Manteca	$11.70	$292.50
1.5	kg	Arroz	$5.98	$8.97
0.2	kg	Chiles largos	$18.25	$3.65
25	kg	Manteca	$11.70	$292.50
			Totales	$610.81

Concentrado mensual de mermas

Febrero de 2008	Producto en crudo
Abarrotes	610.81
Bebidas	192.91
Carnes y pescados	517.20
Frutas	37.85
Lácteos	61.52
Pan y pasteles	11.95
Vegetales	82.93
Total alimentos	1 322.25
Total bebidas	192.91
Gran total	1 515.16

Si la venta neta del restaurante fuese de $650 000.00 y el monto del concentrado mensual de mermas de producto terminado es de $1,408.70, y el de producto crudo es de $1 515.16, representa un porcentual de 0.45%. Por otra parte, durante la producción supervisa que la limpieza y corte de vegetales y frutas se realicen correctamente para conseguir el aprovechamiento de cada producto. El descuido y la falta de capacitación afectan el costo.

Bebidas

Cantidad	Unidad	Artículo	Costo unitario	Costo total
2	Pieza	Agua soda/natural	$1.53	$3.06
1.5	Lata	Crema de coco	$16.99	$25.48
21	ℓ	Jugo de naranja	$9.73	$20.42
1.3	ℓ	Jugo de piña	$9.73	$12.64
7	Pieza	Cerveza	$6.90	$48.30
0.2	ℓ	Brandy	$208.00	$41.60
0.3	ℓ	Ron blanco	$138.00	$41.40
			Totales	$192.91

Carnes y pescados

Cantidad	Unidad	Artículo	Costo unitario	Costo total
0.58	kg	Filete choice	$307.00	$178.06
1.5	kg	Costillas de puerco	$47.00	$70.50
0.7	kg	Chicharrón	$140.00	$98.00
1.4	kg	F. pez sierra	$80.00	$112.00
18	Pieza	Ostiones	$1.12	$20.14
1	Pieza	Pechuga de pollo	$38.50	$38.50
			Totales	$517.20

Frutas

Cantidad	Unidad	Artículo	Costo unitario	Costo total
26	Pieza	Limón	$0.58	$15.17
7	Pieza	Naranja	$0.40	$2.82
1	Pieza	Naranjas agrias	$0.66	$0.66
1.6	kg	Piña	$12.00	$19.20
			Totales	$37.85

Panes y pasteles

Cantidad	Unidad	Artículo	Costo unitario	Costo total
6	Pieza	Chalupas	$0.23	$1.35
1.5	Paquete	Galletas saladas	$0.28	$0.43
0.5	kg	Masa de maíz	$4.00	$2.00
8	Pieza	Tortillas chicas	$0.26	$2.06
18	Pieza	Tortillas	$0.34	$6.12
			Totales	$11.95

Lácteos

Cantidad	Unidad	Artículo	Costo unitario	Costo total
0.3	ℓ	Crema ácida	$24.78	$7.43
6	Pieza	Huevo rojo	$0.73	$4.37
2	ℓ	Leche	$8.23	$16.45
0.15	kg	Queso añejo	$37.00	$5.55
0.35	kg	Queso panela	$64.90	$22.72
0.2	kg	Requesón	$25.00	$5.00
			Totales	$61.52

Vegetales

Cantidad	Unidad	Artículo	Costo unitario	Costo total
6	Pieza	Aguacate	$9.00	$54.00
1.4	kg	Cebolla	$8.00	$11.20
0.67	kg	Cilantro	$5.00	$3.35
2.3	kg	Flor de calabaza	$6.25	$14.38
3.1	kg	Jitomate Saladet	$9.20	$28.52
			Totales	$82.93

5.3. PROGRAMACIÓN Y REGISTRO DE COMIDA PARA EMPLEADOS

La comida para los empleados (tabla 5.10) es tan importante como la de los clientes, ya que los colaboradores interactúan con ellos. Registra y costea todos los ingredientes que utilices en la elaboración de la comida para el personal. Este monto lo debes acreditar al costo bruto de alimentos y bebidas, ya que la materia prima se tomó del almacén o se pidió exclusivamente al proveedor aunque no se vendió, pero sí se consumió.

Tabla 5.10. Comida para empleados

Fecha: Febrero de 2008

Cantidad	Unidad	Artículo	Costo unitario	Costo total
Abarrotes				
2	Lata	Chiles chipotles	$22.00	$44.00
2	Lata	Granos de elote	$17.00	$34.00
7.5	Lata	Frijoles	$18.50	$138.75
2	kg	Huevo	$12.60	$25.20
0.3	Galón	Mayonesa	$45.30	$13.59
8	kg	Pasta	$26.30	$210.40
			Total	$465.94
Carnes				
13	kg	Bistec	45.30	588.90
22	kg	Carne molida	32.00	704.00
7.5	kg	Jamón	38.30	287.25
18.3	kg	Muslo de pollo	29.50	539.85
1.5	kg	Pechuga	33.80	50.70
2.5	kg	Salchicha	27.30	68.25
			Total	2 238.95
Producto terminado				
5	Orden	Ceviche	$45.00	$225.00
1	Orden	Chalupas de pollo	$33.00	$33.00
3	Orden	Papatzules	$35.00	$105.00
1	Orden	Caldo de queso	$42.00	$42.00
1	Orden	Sopa de calabaza	$35.00	$35.00
2	Orden	Lentejas	$32.00	$64.00
1	Orden	Menudo	$75.00	$75.00
1	Orden	Puerco con calabazas	$65.00	$65.00
3	kg	Dulce de elote	$30.00	$90.00
6	Orden	Natilla	$38.00	$228.00
			Total	$962.00

Cantidad	Unidad	Artículo	Costo unitario	Costo total
Bebidas				
4	Botella	Jarabe de limón	$18.60	$74.40
7	Botella	Jarabe de horchata	$23.60	$165.20
8	Botella	Refresco de cola	$11.00	$88.00
			Total	$327.60
Pan y tortillas				
48	Piezas	Bolillos	$1.50	$72.00
24	kg	Tortilla de maíz	$8.50	$204.00
			Total	$276.00
Verduras				
2.75	kg	Calabaza	$7.10	$19.53
10.7	kg	Cebolla	$12.60	$134.82
1	kg	Chile jalapeño	$28.60	$28.60
8	Piezas	Lechuga romana	$7.40	$59.20
13	kg	Limón	$8.50	$110.50
4	kg	Papa	$8.40	$33.60
23	kg	Zanahoria	$4.30	$9.89
			Total	$396.14

Resumen comida para empleados

Abarrotes	$465.94
Bebidas	$327.60
Carnes	$2 238.95
Pan y tortillas	$276.00
Verduras	$396.14
Producto terminado	$962.00
Total	$4 666.63

5.4. PARA EL SERVICIO

El momento de ensamblar el platillo o la bebida es la última, pero la mejor oportunidad para entregar un producto de calidad y lograr consistencia. El estrés de la operación, la deficiente capacitación y una dirección permisiva, provocará que todos los esfuerzos anteriores, literalmente se vayan a la basura.

5.4.1. Lista de verificación

Media hora previa a la apertura y al menos dos veces durante la hora de mayor trabajo, asegúrate de que en las líneas de ensamble se cuente con lo necesario para terminar o **montar** los platillos. Con esta actividad preactiva, asegurarás que se cumplan con los estándares de calidad y que el **servicio** sea rápido y oportuno.

Cuando verifiques ten a la mano la tabla de producción para cotejar que las cantidades de producción pronosticadas, están "montadas" en la línea o están disponibles en los refrigeradores del área (figura 5.5).

Figura 5.5. Refrigerador en la **línea de ensamble**

Verifica que las porciones tengan el peso correcto. Retroalimenta al cocinero con los detalles que debe resolver y comunícale el tiempo que tiene para cubrir totalmente las necesidades de producción o para hacer las correcciones, y así cumplir al 100% de los estándares de calidad.

Enseña y demuestra cuál debe ser la textura de salsas y sopas. Al probar los ingredientes, hazlo cuchareando a un tazón para degustar el sabor y sentir la textura. Ten a la mano un termómetro de preferencia digital para verificar las temperaturas. Cuando los alimentos no alcanzan las temperaturas seguras tanto en frío como en caliente, su estado sano se afectará. El exceso de calor dará como resultado el sabor del alimento salado porque la evaporación de líquidos concentrará el sabor.

Si la especialidad de tu restaurante fuese italiana, la lista de verificación de (tabla 5.11) los estándares estarían centrados en la cocción correcta de las pastas, que estén hidratadas y que la cantidad pronosticada de cada producto esté cocinada. Además debes asegurarte de que las salsas que acompañarán los platillos tienen el sabor y textura adecuados, y que se mantienen a la temperatura segura. Los equipos deben funcionar perfectamente y el disponer de los utensilios y la loza o refractarios en cantidad suficiente.

Tabla 5.11. Lista de verificación

Empleado: _____   Fecha: 8 de febrero de 2008

	☑	☒	☑	☒	☑	☒
Pastas	Agua fría		Al dente		Tabla producción	
Bowtie						
Fettuccini						
Fusilli						
Spaghetti						

	☑	☒	☑	☒	☑	☒
Salsas	Textura		Sabor		60°Có+	
Della cassa						
Mantequilla						
Marinera						
Pesto						
Pizzaida						
Tres quesos						

	☑	☒	☑	☒
Equipos	Temperatura		Layout	
Baño María > 60°C				
Refrigerador < 5.5°C				

	☑	☒
Utensilios		
2 escurridores		
20 Platos refractarios		
20 sartenes en estufa		
Cucharas medidoras		
Cucharón por salsa		
Platos calientes		

	☑	☒
Parmesano		

Acciones
Correctivas   _____

_____

_____

Durante la *mise en place* los cocineros respetaron los procedimientos del recetario, emplearon jarras de plástico graduadas y utilizaron las básculas para pesar los ingredientes, para tener lo necesario y más tarde poder terminar de cocinar o ensamblar los platillos. Ahora, es tu obligación proporcionarles los instrumentos suficientes y adecuados como las tazas y cucharas medidoras, cucharones de cierta capacidad, para que mantengan el tamaño o peso de la porción al cocinar y servir los alimentos al cliente.

Figura 5.6. Utensilios de medición

Debes exigir a los empleados del bar o la cocina que usen los utensilios de medida, pues si permites que sólo utilicen su criterio para calcular a ojo de buen cubero, estarán entregando de menos con perjuicio hacia el cliente o servirán de más, afectando el costo de operación.

¡La única forma de acabar con esto es poner el ejemplo al medir todo y siempre!

Verifica diariamente la calidad del aceite para freír. Debes desechar el aceite muy oscuro y humeante antes de que el sabor y el color del alimento frito ocasione la devolución del platillo.

5.4.2. Ayudas visuales

En la cocina fría o caliente, deben estar a la vista ayudas visuales (figura 5.7) para que a través de gráficos los cocineros y el personal de servicio puedan:

- Consultarlas en caso de duda de los ingredientes que llevan.
- Capacitarse constantemente al estudiarlas en momentos de poco trabajo.
- Comparar el platillo terminado contra la fotografía para asegurar los estándares de presentación.
- Dominar el ensamble de cada platillo.
- Promover atinadamente los platillos de la carta.
- Realizar la última revisión de calidad del producto que entrega o recibe.

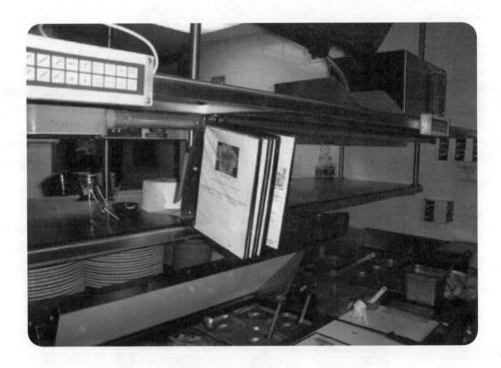

Figura 5.7. Ayudas visuales

¡La ayuda visual es sinónimo de aseguramiento de calidad!

5.4.3. Comunicación con el boquetero

Durante los momentos de mayor cargo de trabajo en la cocina se presentan situaciones de crisis, sobre todo si tu personal y, principalmente el **boquetero** (figura 5.8), carecen de la experiencia y la capacitación gradual que les permita poder "consolidar" en su mente, los productos que deben preparar con las características de tiempo de cocción, sin algún ingrediente, con ingredientes extras, o con la sustitución de alguno. ¡Cualquier error u omisión afectará al costo por el desperdicio de algún platillo que no salió al momento o como lo quería el cliente!

Figura 5.8. Trabajo del boquetero

Durante mi entrenamiento como gerente de capacitación en Chili's, después de haber sido entrenado durante cuatro semanas en las estaciones de freidora, ensaladas, plancha y asador, experimenté y enfrenté el que ha sido para mí el mayor reto –¡poder dirigir el trabajo de una cocina!– y ciertamente fue frustrante no poder hacerlo como yo hubiese querido, mi orgullo me decía que tenía la habilidad mental de coordinar el trabajo de los demás y organizar la entrega oportuna de los alimentos, respetando al 100% los estándares de calidad en presentación y en tiempos de preparación, pero realmente me faltó tiempo para lograr un desempeño al menos regular.

Por lo anterior quiero retarte a ti gerente que desempeñes por una semana el puesto de "boquetero", ¡dirige tu cocina en el servicio de comida! ¡Experimenta y comprende que los errores en la producción se evitarán mientras más experiencia tengan tus empleados y reciban tu apoyo "hombro con hombro"!

"El que dirige la orquesta en la cocina, debe saber cuándo debe tocar cada uno de los instrumentos y hacer posible mantener que el ritmo, sea allegro vivace y que la melodía, o sean los platillos o bebidas, deleiten a los espectadores". El desafío es tener un "director" de cocina que exija que:

- Todo producto a preparar sea "cantado" por él.
- Lo que se prepare debe tener un soporte, sea una tradicional **comanda**, o un *ticket* impreso, o que aparezca en la pantalla.

- Se entreguen todos los alimentos que se servirán en una mesa, no permitas las entregas parciales o "al gusto del cocinero", sin respetar los tiempos de servicio establecidos en la comanda manual o electrónica.
- Evita que salga al comedor algún platillo que no cubra el aseguramiento de calidad al 100%, respecto a los estándares de presentación y los complementos.
- Pon atención a los comentarios de los meseros de si les agradaron a los comensales los platillos o bebidas que consumieron. Recuerda que los oídos de los vendedores son importantes por ser voceros de la satisfacción de las necesidades del cliente.

    ¡Escucha y toma decisiones, no importando reponer platillos!

5.5. CONTROLES DURANTE EL SERVICIO

El control del ingreso es de suma importancia durante el servicio a la mesa. La inversión y los esfuerzos realizados en preparar un platillo o bebida y que finalmente disfrutará el cliente, ¡deben ser compensados con el cobro de la cuenta!

Para que el ingreso económico repercuta en un sano flujo de efectivo para el negocio es necesario asegurar que suceda lo descrito a continuación.

- El vendedor, sin excusa debe registrar el pedido en una comanda manual o electrónica.
- Si la comanda es manual, el pedido se escribe por tiempos de servicio y se entrega al boquetero para que dirija y organice la producción.
- Si la comanda es electrónica, el mesero captura en el punto de venta (figuras 5.9a y 5.9b) los alimentos y bebidas solicitados por el cliente por tiempos de servicio y envía el pedido a una impresora remota o a un monitor en la cocina o bar, para que el boquetero dirija y organice la producción.

Figura 5.9a. Punto de venta

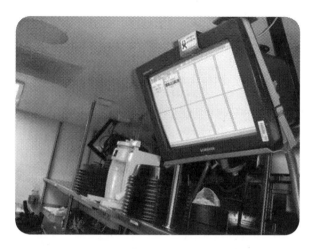

Figura 5.9b. Punto de venta

- En caso de que el mesero dirija su propia producción, él captura en forma dosificada los alimentos y bebidas tomando en cuenta los tiempos que requiere el cocimiento o ensamble para que pueda entregarlos oportunamente al cliente.
- Que la información que disponga la cocina sea completa e indique modificaciones y que las carnes precisen el tiempo de cocimiento.
- El cocinero o cantinero será responsable de efectuar el primer aseguramiento de calidad al entregar el platillo o bebida de acuerdo con la ayuda visual o estándares de presentación.
- El boquetero, en la cocina, consolida en una sola entrega, cada uno de los tiempos de servicio registrados en la comanda manual o electrónica. Además comprueba por segunda ocasión la presentación de los platillos.
- Un tercer aseguramiento de calidad lo realiza el mesero que recibe el platillo o bebida, exigiendo que se corrija cualquier desviación de los estándares establecidos, o se reponga inmediatamente.
- Todos los miembros del personal de la cocina y los meseros son responsables de entregar los platillos o bebidas al cliente en los tiempos establecidos. En caso de bebidas preparadas, los estándares no deben exceder de cinco minutos para que el mesero regrese por ellas. En caso de alimentos cada platillo tomará cierto tiempo, el cual debe conocer perfectamente el mesero.
- En algunas operaciones el trabajo en equipo agiliza la entrega de los platillos o bebidas preparadas. El mesero cercano a la cocina o bar entregará el platillo o bebida, aunque no sea su mesa.
- Una vez que el cliente ha degustado cada uno de los platillos o bebidas solicitadas, el mesero debe efectuar un cuarto aseguramiento de calidad, preguntando al cliente si son de su agrado.
- En caso de que haya alguna queja, el ***empowerment*** conferido al mesero, debe realizar el arreglo, cambio o resarcimiento del error, pero será necesario que el Gerente o Jefe de piso autorice por escrito en la comanda el cambio o cancelación, con el respectivo registro en el reporte diario de mermas.

5.5.1. Cobro de cuentas y extras

Es importante que supervises que todas las mesas atendidas tienen "abierta" una cuenta que será cobrada posteriormente. Evita sorpresas desagradables asegúrate que no existan acuerdos deshonestos entre meseros, cantineros, cocineros y cajeros, ya que estos han llevado a la quiebra a muchos negocios.

Sabes que para calcular el porcentaje del costo, es necesario que dividas el consumo o costo entre la venta neta. Esto demuestra la importancia de asegurar que lo que ha ordenado por el cliente se refleje indiscutiblemente en el total de la venta del día.

- Antes de que el mesero entregue la cuenta al cliente, el capitán o jefe de piso deben revisarla y anotar en su control personal que la cuenta está cerrada.
- Accesa al sistema punto de venta y verifica que las mesas ocupadas en el momento, corresponden con las mesas activas en el sistema.
- Recuerda consistentemente que todos los ingredientes extras deben registrarse en comanda para cobrarlos.
- Se implacable si algún empleado actúa deshonestamente.

5.5.2. Seguridad operativa

Ocasionalmente los empleados resentidos o los que actúan con dolo pueden ser un *dolor de cabeza* que exige que tomes acciones firmes.

- Hay un refrán que dice: "en arca abierta, hasta el más santo, peca". Analiza las opciones de robo y soluciónalas inmediatamente.
- Coloca cerraduras en las áreas donde almacenes productos valiosos.
- Por seguridad (figura 5.10) ubica los vestidores fuera del comedor y prohíbe a los empleados que entren al restaurante con mochilas o bolsas grandes.

Figura 5.10. Medidas de seguridad

- Para evitar sorpresas, revisa los paquetes o bolsas de mano de los empleados.
- Para evitar los robos hormiga, revisa la salida de bolsas con basura y, de preferencia, que éstas sean transparentes.
- Revisa con un rastrillo que en la basura no haya artículos de cocina o alimentos.
- Evita que los empleados de recolección de basura saquen de tu restaurante las bolsas o botes de basura.

- Construye una cámara de basura fuera del restaurante o adquiere un contenedor lo suficientemente amplio para la basura en el exterior.

5.6. CONTROL DIARIO

Ésta es la llave de oro en la operación diaria del restaurante, ya que compara el consumo real contra los productos vendidos. Para un **control diario** y exacto, es indispensable que realices el inventario de los productos cuyo costo o consumo es alto. También es recomendable que lo apliques para aquellos artículos que presentan diferencias importantes al calcular los consumos y existencias reales a la semana, quincena o mes.

Este recuento se podrá realizar al finalizar el día o momentos antes de que lleguen los cocineros o cantineros. Es una de las formas de asegurar día con día el adecuado y racional uso de la materia prima, ya que se compara inmediatamente contra las ventas del día, o del día anterior, lo cual constituye la base del control de inventarios. El control diario (tabla 5.12) compara el consumo real, controlado por el cocinero o cantinero, ya que él valida el inventario cuando inicia su turno, solicita y recibe productos crudos o preparados, registra las mermas y entrega al almacén u otro cocinero o cantinero los productos que no se utilizaron.

Tabla 5.12. Control diario

Día: _____   Responsable: _____

Fecha: _____   Verificó: _____

Producto	Consumo real					Consumo teórico venta	Diferencia ±	
	Inv. inicial	Surtido	Mermas	Inv. final	Total			
Ceviche (kg)	5.8	2.8	0.25	1.5	6.85	6.75	-0.1	☑
Ostiones (porción)	13		1	6	6	5	-1	☒
Puerco con calabazas (kg)	2.69	5		5.7	1.99	1.8	-0.19	☑
Tampiqueña (pieza)	17	18	1	19	15	14	-1	☒
Huachinango (pieza)	9	10		11	8	8	0	☑
Pollo pibil (porción)	12	14		8	18	18	0	☑
Crepas (pieza)	24	75	2	45	52	48	-4	☒
Cerveza (botella)	56	48	1	62	41	44	3	?
Tequila reposado	3.1	2		3.4	1.7	1.5	-0.2	☒
Ron Bacardí blanco	4.7	3		6.8	0.9	1.4	0.5	?

Tú, como gerente, haces la comparación al registrar o hacer la **interfase** en tu sistema de los platillos que se vendieron y al aprobar las mermas ocurridas tanto en la cocina, el bar y en el comedor. Pero lo más importante es ¡analizar las diferencias! y ¡tomar decisiones!

La fórmula para calcular el *consumo* real:

Inventario inicial + surtidos del turno − mermas − inventario final.

En el ejemplo anterior, se inició el turno con 5.8 kilos de ceviche y más tarde se solicitó producto y entregaron 2.8 kilos, por lo que durante el día el cocinero dispuso de 8.6 kilos. Por inconformidad del cliente se tiraron 250 gramos registrándose como merma. Al terminar el turno se contaba con un inventario final de kilo y medio. Lo disponible menos la merma y menos el inventario final, resultó un consumo real de 6.85 kilos. Al comparar el consumo contra la venta de 27 ceviches de 250 gramos (6.750 kilos), se observa una diferencia de 100 gramos que, a mi parecer es aceptable ☑. Otros productos no tienen diferencias o es mínima.

Existen diferencias que se deben investigar ☒ como cuando falta una porción de ostiones, una tampiqueña, más de una porción de crepas y dos décimas de botella de tequila reposado. Si la botella es de 750 mililitros, 2 décimas corresponde a 150 mililitros que representan cinco onzas fluidas, o sea que se "esfumaron misteriosamente" 2½ bebidas preparadas. ($750 \div 10 \times 2 = 150 \div 29.57 = 5.07$ onzas = 2.5 bebidas preparadas).

También saltan a la vista resultados ilógicos ☒ como el consumo real de 41 botellas de cerveza y se vendieron 44, ¿cómo se pueden reproducir las cervezas? También sucede lo mismo con el ron blanco con un sobrante de media botella. Una botella de 750 mililitros rinde 25 onzas, por lo tanto, se vendieron 12 bebidas preparadas sin utilizar ron.

Definitivamente los datos son un ejemplo, pero cuando no se tiene cuidado al tomar inventarios, lo inverosímil se convierte en un suceso de la vida real.

6. Cálculo y análisis del costo

6.1. INVENTARIO MENSUAL

El control del almacén tiene como fuente de información la práctica de inventarios, para asegurar la veracidad y oportunidad en las cantidades y valuación de las existencias físicas. Por eso es necesario dar seguimiento diario a los productos, cada semana, quincena o mes. Es común que los reportes de inventarios tengan diferencias contra lo "que debería haber", debido principalmente a errores aritméticos, al contar, al registrar, robos, y a cambio en la presentación de los productos.

La toma de inventarios con códigos de barras es una técnica de captura electrónica de datos, conformados por gráficos de barras y espacios paralelos con anchos variables. Identifican los productos que pudieras tener almacenados en cámaras, refrigeradores, bares, alacenas y en el almacén de secos; cada código contiene la información pormenorizada del producto como nombre, marca, presentación, precio de compra, número de código, ubicación en el almacén y cualquier otro dato relevante que nos permita administrar su existencia en el restaurante.

Esta información puede ser leída y decodificada por medio de lectores ópticos o *escáner* y que a través de una **interfase** hacia tu sistema de cómputo, te permitirá tomar diversas decisiones: el uso obligado de existencias con poco movimiento como "sugerencias del día", decidir la compra de emergencia por haber llegado a mínimos de existencia, elimina errores de captura, cuando ésta se realiza manualmente, mantener disponible la base de datos para realizar operaciones de manera rápida y oportuna y poder configurar los reportes que requieras a partir de la información en tu computadora.

En el inventario mensual son registrados todos los artículos del almacén, de refrigeradores y congeladores, los que están en la cocina, en el bar y en el comedor, con lo que podrás:

- Saber con exactitud cuántos artículos hay en tiempo real.
- Disponer de información de consumos de cada artículo del inventario para determinar la **orden de compra**. Esta información puede sustituir el cálculo de materiales para compra a partir de la **mezcla de ventas** y las recetas estándar.
- Evidenciar compras en exceso o inferiores al consumo promedio.
- Incrementar la frecuencia del seguimiento de las materias primas, como podría ser por medio del control diario.

Es conveniente que alguien ajeno a la operación, efectúe conteos inesperados y aleatorios para dar certeza a la información final. Estos datos se concentran en alimentos y bebidas, proporcionan el inventario existente y el consumo real durante el mes. Recuerda que el inventario inicial es igual a la cifra del Inventario Final del mes anterior. La unidad de medida es la presentación del producto como pieza, kilo, caja, litro y su valor unitario será obtenido con el método de valuación elegido.

6.1.1. Tarjeta de kárdex

El objetivo de los inventarios es comprobar que las existencias físicas son iguales a las registradas en las tarjetas de almacén o de *kárdex*, sean estas manuales o electrónicas. Mientras más frecuente sea el recuento y comparación, mayor eficiencia existirá en el control del almacén. Los valores de la tarjeta de *kárdex* se calculan utilizando los sistemas Costo Promedio, Primeras Entradas, Primeras Salidas (PEPS), Últimas Entradas, Primeras Salidas (UEPS) y Costo Identificado o último precio de compra, el cual más utilizado en los restaurantes.

6.1.2. Método valuación: costo promedio

El **Costo** Promedio (tabla 6.1) es una forma de valuar los inventarios. Cuando se trata de una entrada, el precio de compra se registra en la columna de precio de valuación. Mientras que el valor de la entrada se obtiene multiplicando el precio de valuación por las unidades compradas por ejemplo, el 4 de abril entraron con la factura número 200, 12 latas de puré de tomate a $16.00 cada una, dando un valor de entrada por $192.00, que sumados a los $321.72 de valor de existencia del inventario Inicial, da un valor de existencia de $513.72.

Al registrar salidas, el precio de valuación se obtiene dividiendo el valor de existencias entre las existencias de la fecha anterior. Ejemplo: el día 19 de abril se solicitaron 10 latas de puré de tomate valuadas a $15.95 dando un valor de salida de $159.53, y $303.10 del valor de existencia. Para obtener el precio de valuación se dividió $462.63 (valor de existencia) entre 29 (existencias) del día 18 de abril, dando los $15.95 citados anteriormente.

Tabla 6.1. Tarjeta de kárdex

Producto: Puré de tomate   Mes: Abril de 2008

Unidad: Lata   Caja con 12 latas   Almacenista: Jorge Lara

Fecha	Referencia	Unidades			Precio de valuación	Valores			Recibió	Capturó
		Entrada	Salida	Existencia		Entrada	Salida	Existencia		
01-abr-08	Inventario			21	$15.32	0		321.72		
04-abr-08	f 200	12		33	$16.00	192		513.72		
05-abr-08	r 458		8	25	$15.57		124.54	389.18		
11-abr-08	f 345	12		37	$16.00	192		581.18		
14-abr-08	r 479		20	17	$15.71		314.15	267.03		
18-abr-08	f 378	12		29	$16.30	195.6		462.63		
19-abr-08	r 489		10	19	$15.95		159.53	303.10		
25-abr-08	f 404	24		43	$16.30	391.2		694.30		
27-abr-08	r 494		17	26	$16.15		274.49	419.81		
31-abr-08	Inventario			26	$16.15			419.81		

6.1.3. Método valuación: PEPS

Para este método de Primeras Entradas, Primeras Salidas (tabla 6.2), las requisiciones al almacén se valúan al precio de compra más antiguo, hasta agotar el número de existencias adquiridas.

En la tabla siguiente encontrarás el mismo ejercicio visto anteriormente, con las mismas entradas y salidas, pero difiere en la forma de valuación de las requisiciones al almacén.

Tabla 6.2. Tarjeta de kárdex

Producto: Puré de tomate

Mes: Abril de 2008

Unidad: Lata   Caja con 12 latas

Almacenista: Jorge Lara

Fecha	Referencia	Unidades			Precio de valuación	Valores			Recibió	Capturó
		Entrada	Salida	Existencia		Entrada	Salida	Existencia		
01-abr-08	Inventario			21	$15.32	0		321.72		
04-abr-08	f 200	12		33	$16.00	192		513.72		
05-abr-08	r 458		8	25	$15.32		122.56	391.16		
11-abr-08	f 345	12		37	$16.00	192		583.16		
14-abr-08	r 479		20	17			311.16	272.00		
			13		15.32		199.16			
			7		16.00		112.00			
18-abr-08	f 378	12		29	$16.30	195.6		467.60		
19-abr-08	r 489		10	19	$16.00		160.00	307.60		
25-abr-08	f 404	24		43	$16.30	391.2		698.80		
27-abr-08	r494		17	26			275.00	423.80		
			7		16.00		112.00			
			10		16.30		163.00			
31-abr-08	Inventario			26	$16.30			423.80		

El 14 de abril con la requisición 479, salieron 20 latas de puré de tomate, las cuales se valuaron como se describe a continuación: de las 21 latas al inicio del mes a $15.32 solamente quedaban 13, ya que se habían entregado 8 el día 5 de abril; por lo tanto, el valor parcial de salida es de $199.16; las otras 7 latas, para completar las 20 latas solicitadas, se valuaron a $16.00, que es el valor de la compra del 4 de abril, dando otro valor parcial de la salida de $112.00. Podrás ver que el valor total de salida del 14 de abril es la suma de los dos valores parciales (199.16 + 112.00), dando un valor de salida por $311.16.

Posteriormente, el día 27 de abril se valúa la salida con las existencias que se disponen; 7 latas a $16.00 y 10 latas a $16.30, dando un total de $275.00.

Los precios de compra más recientes se utilizarán para valuar las últimas requisiciones de la cocina.

6.1.4. Método valuación: UEPS

En esta valuación de Últimas Entradas, Primeras Salidas (tabla 6.3) las requisiciones al almacén se valúan al precio de compra reciente, hasta agotar el número de adquisición.

Tabla 6.3. Tarjeta de kárdex

Producto: Puré de tomate

Unidad: Lata   Caja con 12 latas

Mes: Abril de 2008

Almacenista: Jorge Lara

Fecha	Referencia	Unidades			Precio de valuación	Valores			Recibió	Capturó
		Entrada	Salida	Existencia		Entrada	Salida	Existencia		
01-abr-08	Inventario			21	$15.32	0		321.72		
04-abr-08	f 200	12		33	$16.00	192		513.72		
05-abr-08	r 458		8	25	$16.00		128.00	385.72		
11-abr-08	f 345	12		37	$16.00	192		577.72		
14-abr-08	r 479		20	17			317.28	260.44		
			16		16.00		256.00			
			4		15.32		61.28			
18-abr-08	f 378	12		29	$16.30	195.6		456.04		
19-abr-08	r 489		10	19	$16.30		163.00	293.04		
25-abr-08	f 404	24		43	$16.30	391.2		684.24		
27-abr-08	r494		17	26	$16.30		277.10	407.14		
31-abr-08	Inventario			26				407.14		
			9		16.30			146.70		
			17		$15.32			260.44		

El 14 de abril con la requisición 479 salieron 20 latas de puré de tomate, las cuales se valuaron de la siguiente manera: las últimas compras de 24 latas (del 4 y 11 de abril), costaron $16.00, y ya consideraron 8 con este último valor el 5 de abril, por lo tanto, sólo restan 16 latas al precio de $16.00; las otras 4 latas se tomarán al precio de las 21 latas del inicio del mes a $15.32. El primer valor parcial de $256.00 resulta de multiplicar 16 latas a $16.00. El segundo valor parcial de $61.28 resulta de multiplicar 4 latas por $15.32.

Las requisiciones del 19 y del 27 se valuaron a $16.30, que fue el valor de las compras del 18 y del 25 de abril. El inventario de fin de mes arroja una existencia de 26 latas, de las cuales 9 tienen valor de $16.30 y 17 latas con valor de $15.32, arrojando un valor del inventario final de $407.14.

6.1.5. Método valuación: costo identificado

En esta valuación de Costo Identificado (tabla 6.4) las requisiciones al almacén se valúan al último precio de compra. Aunque aparentemente aumentará el costo de operación, es el que maneja los valores reales y actuales al adquirir la materia prima. Al fin de mes se obtiene un nuevo precio de valuación promedio, dividiendo el anterior valor de existencia entre las unidades de existencia. Si el valor de existencias al 27 de abril de 2008 es de \$404.42 y lo divido entre 26 arroja un nuevo precio de valuación de \$15.55 para iniciar el mes de mayo.

Tabla 6.4. Tarjeta de kárdex

Producto: Puré de tomate　　　　　　　　　　　　　　　　　　Mes: Abril de 2008

　　Unidad: Lata　　　　　　Caja con 12 latas　　　　　　Almacenista: Jorge Lara

Fecha	Referencia	Unidades			Precio de valuación	Valores			Recibió	Capturó
		Entrada	Salida	Existencia		Entrada	Salida	Existencia		
01-abr-08	Inventario			21	\$15.32			321.72		
04-abr-08	f 200	12		33	\$16.00	192		513.72		
05-abr-08	r 458		8	25	\$16.00		128.00	385.72		
11-abr-08	f 345	12		37	\$16.00	192		577.72		
14-abr-08	r 479		20	17	\$16.00		320.00	257.72		
18-abr-08	f 378	12		29	\$16.30	195.6		453.32		
19-abr-08	r 489		10	19	\$16.30		163.00	290.32		
25-abr-08	f 404	24		43	\$16.30	391.2		681.52		
27-abr-08	r 494		17	26	\$16.30		277.10	404.42		
31-abr-08	Inventario			26	\$15.55			404.42		

Ejercicio. Completa la siguiente tarjeta de kárdex de jugo de naranja utilizando el costo promedio para valuar las salidas del almacén.

Tabla 6.5. Tarjeta de kárdex

Producto: Jugo de naranja　　　　　　　　　　　　　　　　　Mes: Abril de 2008

　　Unidad: Lata　　　　　　Caja con 12 latas　　　　　　Almacenista: Jorge Lara

Fecha	Referencia	Unidades			Precio de valuación	Valores			Recibió	Capturó
		Entrada	Salida	Existencia		Entrada	Salida	Existencia		
01-abr-08	Inventario			21	\$7.50					
04-abr-08	f 200	24		45	\$7.60					
05-abr-08	r458		12	33						
11-abr-08	f 345	12		45	\$7.60					
14-abr-08	r 479		6	39						
18-abr-08	f 378	24		63	\$7.70					
19-abr-08	r 489		10	53						
25-abr-08	f 404	12		65	\$7.65					
27-abr-08	r 494		24	41						
31-abr-08	Inventario			41						

6.1.6. Logística del inventario mensual

PREVIO A LA FECHA DE INVENTARIO

- Asegura contar con las básculas necesarias de acuerdo con el número de empleados que harán los conteos.
- Programa en horario especial al personal que lo practicará.
- Ordena el layout del almacén, el de la cocina, el de la barra y contrabarra. "Un lugar para cada cosa y cada cosa en su lugar", si la mercancía se coloca en un lugar determinado y se conserva el orden, facilita contar los productos.
- Actualiza las listas de productos para cada área donde harás el inventario (almacén, cocina, comedor y bar). Recuerda que la secuencia en las listas de productos se basa en el layout de las áreas y no sólo en orden alfabético.
- Agrupa los productos. En congelación sólo debe haber una caja o paquete abierto, los demás deben estar cerrados. En refrigeración, las salsas o aderezos "en uso" deben encontrarse en un solo recipiente, perfectamente identificados, y los demás botes o recipientes deben estar cerrados.
- Suministra temprano a la cocina, al bar y al comedor los artículos que requieran para ese día, insiste que los almacenes, cámaras de refrigeración y congelación estarán cerrados.

EL DÍA DEL INVENTARIO

- Por la mañana realiza el primer conteo de los productos congelados, refrigerados (tabla 6.6), y abarrotes (tabla 6.7). El almacenista, en caso de haberlo, será el responsable de este conteo.
- Por la tarde el responsable del inventario hará el segundo recuento para, posteriormente, confrontar los dos conteos.

Tabla 6.6. Inventario mensual de productos refrigerados

Contó: Jorge Lara

Revisó: José Luis Rosales   Fecha: Febrero de 2008

Código	Producto	Marca	Unidad	Precio Unitario	Primer conteo	Segundo conteo	Cantidad	Valor
AC00101	Ostiones	La Viga	Pieza	$1.12	134	134	134	$149.95
AC00102	Panza de res	Sanitaria	kg	$25.00	2.3	2.2	2.3	$57.50
AC00103	Pechuga de pollo	Pilgrim's	kg	$38.50	15.4	15.4	15.4	$592.90
AF0101	Limón	Central A	kg	$7.00	5	5	5	$35.00
AF0102	Naranja	Central A	kg	$9.30	9	8.7	8.7	$80.91
AL00101	Crema ácida 0.450	Alpura	Lata	$12.65	3	3	3	$37.95
AL00102	Huevo rojo 90	Bachoco	Pieza	$0.85	345	345	345	$293.25
AL00103	Leche 12	Alpura 2000	ℓ	$9.23	16	15	15	$138.45
AL00104	Leche evaporada 0.410	Carnation	Lata	$10.40	7	8	7	$72.80

Total $1 458.71

Tabla 6.7. Inventario mensual de abarrotes (almacén)

Contó: Jorge Lara
Revisó: José Luis Rosales
Fecha: Febrero de 2008

Código	Producto	Marca	Unidad	Precio unitario	Primer conteo	Segundo conteo	Cantidad	Valor
AA00101	Aceite de maíz	La Gloria	ℓ	$18.63	9	9	9	$167.70
AA00102	Aceitunas 0.65	La Costeña	Frasco	$31.50	7	7	7	$220.50
AA00103	Arroz	Morelos	kg	$5.98	18	17	17	$101.66
AA00104	Consomé de pollo 3.6	Knorr Suiza	Frasco	$36.94	2	2	2	$73.89
AA00105	Frijol bayo	Morelos	kg	$7.30	8	8	8	$58.40
AA00106	Manteca	Inca	kg	$11.67	18	18	18	$210.00
AA00107	Sal	La Fina	kg	$4.30	4	5	4	$17.20
BB00101	Crema de coco 0.48	Calahua	Lata	$16.99	12	12	12	$203.86
BB00102	Jarabe natural	La Madrileña	ℓ	$19.01	5	5	5	$95.07
BA00101	Ron blanco 0.75	Bacardí	Botella	$78.50	3	3	3	$235.50
BA00102	Tequila 0.75	Don Julio	Botella	$286.00	2	2	2	$572.00
BA00103	Tequila 0.75	Jimador	Botella	$138.33	5	5	5	$691.67
AL00103	Leche 12	Alpura 2000	ℓ	$9.23	15	16	16	$147.68
AL00104	Leche evaporada 0.410	Carnation	Lata	$10.40	8	8	8	$83.20

Total $2 878.32

- Por la noche, el responsable realizará un tercer conteo en las cámaras y en el almacén debido a diferencias que deba aclarar.
- Antes del cierre del restaurante tanto en el bar, el comedor, como en la cocina se hará un precierre ordenando los alimentos crudos y preparados en el orden que serán contados.
- Al cierre se harán los primeros conteos en el bar (tabla 6.8), en el comedor (tabla 6.9) y de la cocina tanto de alimentos crudos como terminados (tabla 6.10) registrando los datos en las hojas previamente preparadas.
- Los empleados asignados deben realizar el segundo conteo. El responsable del inventario llevará a cabo un tercer conteo en estas últimas áreas para aclarar diferencias.

Tabla 6.8. Inventario mensual del bar

Contó: Jorge Lara
Revisó: José Luis Rosales
Fecha: Febrero de 2008

Código	Producto	Marca	Unidad	Precio Unitario	Primer conteo	Segundo conteo	Cantidad	Valor
AA00102	Aceitunas 0.65	La Costeña	Frasco	$31.50	1.3	1.5	1.5	$47.25
AA00107	Sal	La Fina	kg	$4.30	0.7	0.65	0.7	$3.01
BB00101	Crema de coco 0.48	Calahua	Lata	$16.99	3	3	12	$203.86
BB00102	Jarabe natural	La Madrileña	ℓ	$19.01	5	5	5	$95.07
BA00101	Ron Blanco 0.75	Bacardí	Botella	$78.50	1.3	1.5	1.5	$117.75
BA00102	Tequila 0.75	Don Julio	Botella	$286.00	1.8	1.6	1.8	$514.80
BA00103	Tequila 0.75	Jimador	Botella	$138.33	2.5	2.5	2.5	$345.83
AL00104	Leche evaporada 0.410	Carnation	Lata	$10.40	8	8	8	$83.20
AF0101	Limón	Central A	kg	$7.00	5	5	5	$35.00
AF0102	Naranja	Central A	kg	$9.30	8.6	9	9	$83.70

Total $1 529.47

Tabla 6.9. Inventario mensual del comedor

Contó: Jorge Lara

Revisó: José Luis Rosales

Fecha: Febrero de 2008

Código	Producto	Marca	Unidad	Precio unitario	Primer conteo	Segundo conteo	Cantidad	Valor
AA00102	Aceite oliva extra virgen	La Virgen	Frasco	$41.90	1.8	1.6	1.6	$67.04
AA00107	Sal	La Fina	kg	$4.30	1.78	1.79	1.78	$7.65
AA00121	Azúcar estándar	Central de Abastos	kg	$7.55	5.3	5.3	5.3	$40.02
AA00132	Jugo Maggi 6/0.100	Nestlé	Frasco	$22.10	5.5	5.1	5.1	$112.71
AA00103	Pimienta blanca	McCormick	kg	$135.21	1.3	1.5	1.5	$202.82
AA00104	Salsa inglesa	Crosse & Black well	Frasco	$17.34	1.8	1.5	1.5	$26.01
AA00105	Brandy	Fundador	ℓ	$208.00	1.6	1.6	1.6	$332.80
AA00106	Licor naranja	Controy	ℓ	$107.47	0.8	0.7	0.8	$85.97
AA00104	Leche evaporada 8/.410	Carnation	ℓ	$16.28	5	5	5	$81.39
AA00108	Galleta salada 1:24	Saladitas Gamesa	Caja	$6.72	1.6	1.4	1.5	$10.08
AF0101	Limón (12/1.000)	Central de Abastos	Pieza	$0.58	21	21	21	$12.25

Total $978.74

Tabla 6.10. Inventario mensual de la cocina

Contó: Jorge Lara

Revisó: José Luis Rosales

Fecha: Febrero de 2008

Código	Producto	Marca	Unidad	Precio unitario	Primer conteo	Segundo conteo	Cantidad	Valor
RCE001	Ceviche		kg	$35.04	0.75	0.75	0.75	$26.28
AA00102	Aceite de oliva	La Virgen	ℓ	$41.90	0.7	0.65	0.7	$29.33
AA00108	Galleta salada	Gamesa	Paquete	$0.28	32	30	32	$9.10
RCE004	Crema de pepita		kg	$39.58	0.45	0.45	0.45	$17.81
RCE006	Caldillo de jitomate		kg	$4.97	4.3	4.1	4.1	$20.36
AL00111	Requesón (queso)	Alpura	kg	$25.00	1.3	1.1	1.3	$32.50
RCE001	Base caldo		ℓ	$15.58	2.5	2.5	2.5	$38.96
AL00109	Queso Oaxaca	Alpura	kg	$39.25	1	1	1	$39.25
RCE032	Menudo		kg	$22.00	5	5.2	5.2	$114.41
RCE033	Tampiqueña		kg	$161.29	1.26	1.29	1.3	$209.68
RCE034	Pollo pibil		Porción	$20.05	5	5	5	$100.27
RCE042	Arroz con leche		kg	$3.98	1.3	1.3	1.3	$5.18
RCE044	Crepa		Pieza	$0.52	22	21	21	$10.94

Total $654.07

6.2. CONCENTRADO MENSUAL DE COMPRAS

Conforme recibas los pedidos es necesario que registres en el concentrado mensual de compras el detalle de la compra en el renglón respectivo al día y en la columna correspondiente a la clasificación de los alimentos (tabla 6.11) o bebidas (tabla 6.12). Totaliza las compras del día en cada una de las hojas, así como los totales por columna. Calcula día a día el total mensual. Si hoy fuese miércoles 17 el concentrado mensual de compras mostraría lo siguiente:

Tabla 6.11. Concentrado mensual de compras de alimentos

hoja 1 de 2   Mes: Febrero de 2008

Fecha	Día	Abarrotes	Cárnicos	Lácteos	Pan	Vegetales	Total alimentos
1	Vie	$0.00	$4 563.00	$377.52	$0.00	$555.00	$5 495.52
2	Sáb	$9 397.28	$420.45	$5 960.42	$2 555.23	$731.56	$19 064.94
26	Mar	$0.00	0.00	$265.22	$212.00	$0.00	$477.22
27	Miér	$52.80	0.00	$574.20	$0.00	$2 219.64	$2 846.64
28	Jue	$1 491.48	$819.00	$2 911.67	$498.64	$1 068.31	$6 789.10
29	Vier						$0.00
Total de alimentos		$49 460.38	$47 841.04	$28 802.68	$14 599.07	$30 488.60	$171 191.77

Tabla 6.12. Concentrado mensual de compras de bebidas

hoja 2 de 2   Mes: Febrero de 2008

Fecha	Día	Bebidas	Beb. alcohol	Total bebidas	Total mensual
1	Vie	$1 049.44	$4 671.60	$5 721.04	$11 216.56
2	Sáb	$973.98	$0.00	$973.98	$20 038.92
26	Mar	$0.00	$0.00	$0.00	$477.22
27	Miér	$0.00	$116.50	$116.50	$2 963.14
28	Jue	$0.00	$116.50	$116.50	$6 905.60
29	Vier			$0.00	$0.00
Total de bebidas		$10 676.24	$36 164.69	$46 840.93	$218 032.70

Esta información te permite identificar el consumo mensual de cada grupo de alimentos o bebidas, así como poder calcular el costo de alimentos y bebidas. Estos totales deben coincidir con la información que maneja el departamento de contabilidad. Al mismo tiempo debes comprobar que las notas de crédito han sido consideradas por el proveedor, ya sea con la sustitución física de producto que hayas regresado o que se haya efectuado el descuento respectivo en la factura correspondiente.

6.3. COSTO POTENCIAL

El **costo potencial** (tabla 6.13) muestra los datos de la mezcla de ventas de todos los productos del menú, para poder determinar cuál es el costo de alimentos y bebidas que el restaurante debería tener y proporcionar cifras para comparar las diferencias contra el costo real.

El dueño, los supervisores de operaciones o los gerentes de distrito, a través del uso adecuado de este formato, pueden evaluar con gran precisión el comportamiento del costo de los alimentos y las bebidas en el restaurante. Aun siendo restaurantes de cadena, cada uno arrojará diferentes valores en cuanto al costo, debido a los precios de proveedores de vegetales y frutas que normalmente son decididos por el gerente del restaurante y principalmente por las diferencias en la composición de la venta. Este formato te permite:

- Aumentar el conocimiento del comportamiento de las ventas de los productos del menú.
- Evaluar el éxito de las sugerencias de venta.
- Proporcionar una forma de comparación por medio de porcentuales de ventas y costos, sean por conceptos de la carta, por alimentos y bebidas o en forma consolidada.
- Inferir la **contribución marginal** de cada platillo o bebida, a partir del costo versus venta.
- Ilustrar el efecto que cada producto del menú tiene sobre el costo total pronosticado.
- Identificar desviaciones o diferencias al compararlo contra "lo que debería haber", lo que facilitará corregir y tomar las decisiones necesaria a fin de mes.

"El ciclo de control es un sistema administrativo y sus divisiones son planear sistemas procedimientos y tiempos. Comparar a cierto tiempo los resultados reales con los planeados y corregir para modificar o enriquecer lo planeado, y comenzar nuevamente".[1]

Al tener este reporte puedes hacer las relaciones e inferencias que desees y tomar la decisión de convertir tu carta en un instrumento que pueda modificar u optimizar el costo de operación. Al realizar la **Ingeniería de productos** podrás retirar de la carta ciertos platillos o bebidas o promoverlos para darles una nueva oportunidad, analizando nuevamente su comportamiento y tomar, de ser necesario, la decisión de probar nuevos platillos o bebidas.

A continuación encontrarás la forma de integrar el reporte, lo más importante de éste es el análisis que puedes y debes efectuar al leerlo. Podrás entender cómo la mezcla de ventas afecta al costo potencial, ya que una importante venta de productos de costo alto lo incrementarán. Otro motivo de análisis es conocer la contribución marginal de cada producto, si ésta es considerable, no te preocupes porque el potencial se eleve, ya que aporta a la empresa dinero fresco, que es el flujo de efectivo, que permite afrontar con tranquilidad los compromisos económicos y financieros del negocio.

Para algunos profesionales, prefieren agregar el 1% del monto del costo en alimentos, por concepto de complementos que el cliente utiliza, como lo son el pan, galletas, limón, salsas, mantequilla, mermelada, entre otros más. Lo anterior se aplica directo al costo potencial, "por lo que al costear las recetas no se consideran los complementos referidos".

---

[1]   Youshimatz, pp. 35 y 36

Tabla 6.13. Costo potencial del alimentos y bebidas

Mes: Febrero de 2008

Producto	Cantidad	Precio con IVA	Precio sin IVA	Venta total	Porcentaje de ventas	Costo unitario	Costo total	Porcentaje del costo	Potencial
Entradas									
Ceviche	443	$45.00	$39.13	$17 334.78	28.9	$12.32	$5 458.17	31.5	9.1
Corundas	198	$28.00	$24.35	$4 820.87	8.0	$3.51	$694.25	14.4	1.2
Chalupas de pollo	462	$33.00	$28.70	$13 257.39	22.1	$3.42	$1 578.92	11.9	2.6
Papatzules	585	$35.00	$30.43	$17 804.35	29.7	$5.06	$2 959.42	16.6	4.9
Peneques	287	$27.00	$23.48	$6 738.26	11.2	$4.95	$1 421.76	21.1	2.4
Sopas			**Entradas**	**$59 955.65**	**100**		**$12 112.51**	**20.2**	
Caldo de queso	426	$42.00	$36.52	$15 558.26	24.2	$12.35	$5 259.37	33.8	8.2
Sopa de flor de calabaza	460	$35.00	$30.43	$14 000.00	21.8	$11.55	$5 312.38	37.9	8.3
Sopa de habas	240	$30.00	$26.09	$6 260.87	9.8	$1.24	$297.84	4.8	0.5
Sopa de lentejas	290	$32.00	$27.83	$8 069.57	12.6	$3.60	$1 044.44	12.9	1.6
Sopa de tortilla	614	$38.00	$33.04	$20 288.70	31.6	$9.26	$5 686.64	28.0	8.9
Platos principales			**Sopas**	**$64 177.39**	**100**		**$17 600.67**	**27.4**	
Huachinango a la veracruzana	266	$125.00	$108.70	$28 913.04	16.8	$45.68	$12 150.38	42.0	7.1
Menudo	616	$75.00	$65.22	$40 173.91	23.4	$10.98	$6 763.86	16.8	3.9
Pollo al pibil	433	$70.00	$60.87	$26 356.52	15.3	$30.02	$12 996.55	49.3	7.6
Puerco con calabazas	325	$65.00	$56.52	$18 369.57	10.7	$6.88	$2 235.63	12.2	1.3
Tampiqueña	556	$120.00	$104.35	$58 017.39	33.8	$33.49	$18 623.21	32.1	10.8
Postres			**Platos principales**	**$171 830.43**	**100**		**$52 769.62**	**30.7**	
Alfajor de coco	215	$35.00	$30.43	$6 543.48	9.2	$6.37	$1 369.03	20.9	1.9
Arroz con leche	507	$33.00	$28.70	$14 548.70	20.5	$0.72	$363.55	2.5	0.5
Crepas con cajeta	665	$45.00	$39.13	$26 021.74	36.6	$14.19	$9 437.34	36.3	13.3
Dulce de elote	295	$30.00	$26.09	$7 695.65	10.8	$4.09	$1 207.22	15.7	1.7
Natilla	492	$38.00	$33.04	$16 257.39	22.9	$2.48	$1 221.44	7.5	1.7
			Postres	**$71 066.96**	**100**		**$13 598.59**	**19.1**	
			Total alimentos	**$367 030.43**	**73.1**		**$96 081.40**	**26.2**	**19.1**
Bebidas									
Agua de alfalfa	340	$22.00	$19.13	$6 504.35	16.7	$1.35	$459.10	7.1	1.2
Agua de horchata	368	$22.00	$19.13	$7 040.00	18.1	$5.37	$1 977.96	28.1	5.1
Agua de jamaica	302	$22.00	$19.13	$5 777.39	14.9	$1.43	$431.19	7.5	1.1
Limonada/naranjada	418	$26.00	$22.61	$9 450.43	24.3	$4.04	$1 687.67	17.9	4.3
Refescos	581	$20.00	$17.39	$10 104.35	26.0	$3.27	$1 900.60	18.8	4.9
Bebidas alcohólicas			**Bebidas**	**$38 876.52**	**100**		**$6 456.51**	**16.6**	
Paloma Don Julio	682	$60.00	$52.17	$35 582.61	37.0	$15.03	$10 249.12	28.8	10.7
Cerveza Sol, Indio o Lagger	211	$25.00	$21.74	$4 586.96	4.8	$6.90	$1 455.90	31.7	1.5
Margarita Fozen	352	$75.00	$65.22	$22 956.52	23.9	$16.33	$5 746.44	25.0	6.0
Michelada	180	$35.00	$30.43	$5 478.73	5.7	$9.40	$1 692.43	30.9	1.8
Piña colada	526	$60.00	$52.17	$27 443.48	28.6	$8.20	$4 313.93	15.7	4.5
			Bebidas alcohólicas	**$96 048.29**	**100**		**$23 457.82**	**24.4**	
			Total bebidas	**$134 924.81**	**26.9**		**$29 914.32**	**22.2**	**6.0**
			Gran total	**$501 955.25**	**100**		**$125 995.72**	**25.1**	**25.1**

En particular resaltan algunos resultados o formas de interpretarlos:

- Las unidades vendidas las obtienes de la mezcla de ventas.
- Multiplicar el precio sin IVA para obtener la venta total.
- En la columna de porcentaje de ventas puedes identificar que los papatzules es la entrada con mayor venta (29.7%) con un precio alto de $30.43. Mientras que las corundas es la entrada con menor porcentaje de venta (8.0%) con un precio bajo de $24.35.
- El costo unitario es el costo total de la receta estándar básica.
- En la columna de porcentaje del costo identificas que el producto de más alto costo es el ceviche y el más bajo son las chalupas de pollo.
- El 20.2% representa el total del porcentaje de costo de las entradas y está constituido por los valores de la columna titulada potencial.
- Puedes ver que tanto el ceviche como los papatzules representan la mejor venta pero el costo del primero es un poco más del doble que la entrada yucateca.
- Los productos de menor venta son las corundas y los peneques, pero el porcentaje de costo del segundo es casi 7 puntos más que los tamalitos michoacanos.
- Las corundas son un producto "interrogante", pero con promoción o venta personal puede mejorar su comportamiento.
- El ceviche es un producto "estrella", pues tiene muy buena venta aunque su costo es alto.
- Los papatzules son un producto "vaca lechera", ya que es por un producto de buena venta y con una contribución marginal alta.
- Del 20.2% del costo de entradas:
  - Casi la mitad es atribuido al ceviche (9.1%).
  - Los papatzules, con venta similar al ceviche, contribuyen con casi una cuarta parte (4.9%).
  - Del 27.4% del costo de sopas:
  - La sopa de tortilla contribuye con 8.9%, pero con la mejor contribución marginal.
- Del 30.7% del costo de los platos principales:
  - El pollo al pibil tiene costo más alto (49.3%), contribuye en menor porción que la tampiqueña, la cual tiene el costo más bajo (32.1%).
  - El puerco con calabazas, de costo bajísimo (12.2%), contribuye también con un bajísimo 1.3 %.
- Del 19.1% del costo de postres:
  - El arroz con leche es un producto con baja contribución al potencial (0.5%), y con excelente contribución marginal de $27.98 por cada venta unitaria.
  - Las crepas con venta del 36.6% aportan el 13.3% de costo.

6.4. DETERMINACIÓN DEL COSTO REAL DE ALIMENTOS Y BEBIDAS

El costo real (tabla 6.14) está integrado por los productos utilizados para elaborar los platillos y bebidas que recibe y paga el cliente, además, sólo se cargan al costo los artículos usados durante el mes; por ejemplo: si al inicio del mes se contaba con 19 kilos de tampiqueña y durante éste se compraron 340 kilos, dispusiste de 359 kilos, pero sí sólo 312 fueron consumidos, esta última cifra, multiplicada por el precio de valuación elegido, resulta en la cantidad a considerar en el cálculo.

Como lo puedes deducir del siguiente ejemplo, primero debes calcular el Costo Bruto sumando las compras del mes al inventario inicial del mismo y restarle las notas de crédito efectuadas durante el mes, además debes reducir el valor del inventario final. El costo de alimentos durante febrero de 2008 te muestra en la cocina se procesaron alimentos con fines diversos que ampararon la cantidad de $109 962.00, pero que no necesariamente fueron vendidos al cliente.

Tabla 6.14. Cálculo del costo real de alimentos y bebidas

			Febrero de 2008	
	Alimentos	$	**Bebidas**	$
	Inventario inicial	31 687.00	Inventario inicial	10 368.00
+	Compras	117 400.00	Compras (+)	30 934.00
−	Notas de crédito	578.00	Notas de crédito (−)	87.00
−	Inventario final	38 547.00	Inventario final (−)	8 643.00
=	**Costo bruto**	109 962.00	**Costo bruto** (=)	32 572.00
	Operación	7 589.00	Operación	0.00
	Administración	1 308.00	Administración	678.00
	Cortesías	876.00	Cortesías	897.00
−	Mermas	2 398.00	Mermas (−)	206.00
	Créditos al costo	12 171.00	Créditos al costo	1 781.00
=	**Costo real**	97 791.00	**Costo real** (=)	30 791.00

Como segundo paso, descuenta los créditos al costo, del costo bruto que están integrados por la comida de empleados, las cortesías otorgadas a distintas personas con motivos de relaciones públicas, promoción y por convenios comerciales pactados anteriormente; ya que todos estos productos no fueron vendidos, pero sí procesados en la cocina o en el bar.

Otro valor que debes restar es el ocasionado por las mermas que son los desperdicios no considerados en el costeo de alimentos, pero que se ocasionaron durante la operación al desechar productos que no cumplieron las expectativas del cliente o que por motivos diversos, afectó negativamente la calidad del producto final o materia prima. Esta última cantidad debe estar dentro de los rangos considerados al presupuestar el ejercicio mensual.

Por lo tanto, a los $109 962.00 del costo bruto le restas $12 171.00 de créditos al costo y resultará el costo real de los alimentos de $97 791.00.

Si durante el mes, la materia prima tuvo los cuidados que se han descrito con detalle en todas las unidades del libro, y no existieron actos deshonestos principalmente, entonces el costo real debe ser idéntico al costo potencial.

6.5. COMPARACIÓN DEL COSTO REAL *VS.* COSTO POTENCIAL

Los errores y omisiones al registrar valores en el concentrado mensual de compras y en el inventario mensual darán como resultado diferencias al comparar el costo real contra el potencial, (tabla 6.15).

Tabla 6.15. Comparación del costo real *vs.* costo potencial

Febrero de 2008

	Real	%	Presupuesto	%	Diferencia	%	
Ventas de alimentos	$371 952.17	73.4	$390 962.00	74.7	-$19 009.83	-3.75	
Ventas de bebidas	$134 924.81	26.9	$132 529.00	25.3	$2 395.81	0.47	
Ventas totales	$506 876.99	100	$523 491.00	100	-$16 614.01	-3.28	
	Real	%	Potencial	%	Diferencia	%	
Costo de alimentos	$97 791.00	26.3	$100 025.64	25.6	$2 628.93	0.71	?
Costo de bebidas	$30 791.00	22.8	$29 914.32	22.6	$335.89	0.25	☑
Costo de ventas	$128 582.00	25.4	$129 939.96	24.8	$2 964.82	0.6	

En el ejemplo anterior resalta una diferencia de $1 709.60 de costo en alimentos 1.78 que si se hubiesen vendido en lugar de haberse "desperdiciado", la venta aumentaría en $6 530.66 (1 709.60 × 100/26.2). En caso de las bebidas si no existiese la diferencia de $876.68 con un porcentaje "ideal" de 22.2 aportaría un incremento de ventas de $3 954.16 (876.68 × 100/22.2). En lugar de que hayas perdido un costo de $2 586.28 diferencia en costo de operación en insumos, pudiste haber incrementado tus ventas en $10 303.50.

Es importante analizar esta información y a partir de las diferencias encontradas, podrás establecer un reto justo que puedan alcanzar el Jefe de cocina, el Jefe de piso, a los Subgerentes y el Gerente del restaurante para que puedan gozar de bonos mensuales, por la óptima administración de los recursos que les fueron conferidos.

6.6. ESTADO DE RESULTADOS DEL MES

Este documento (tabla 6.16) es en ocasiones tu pesadilla de cada mes, ya que muestra todos los datos importantes de ventas, costos y gastos de ese periodo.

- Resume todos los esfuerzos realizados día a día en la administración del restaurante.
- Compara lo que debías haber logrado contra los resultados logrados.
- Muestra la diferencia entre el costo potencial y el costo real.

La primera parte te permite comparar las ventas reales contra las pronosticadas y te muestra las diferencias en valores absolutos y relativos. En el ejemplo siguiente la venta real de alimentos es menor a la venta pronosticada en $19 009.83, aunque la venta de bebidas supera a lo planeado en $2 395.81.

Tabla 6.16. Estado de resultados

	Real	%	Presupuesto	%	Diferencia	%
					Febrero de 2008	
Ventas de alimentos	$371 952.17	73.4	$390 962.00	74.7	-$19 009.83	-3.75
Ventas de bebidas	$134 924.81	26.6	$132 529.00	25.3	$2 395.81	0.47
Ventas totales	$506 876.99	100	$523 491.00	100	-$16 614.01	-3.28
Costo de alimentos	$97 791.00	26.3	$100 025.64	25.6	$2 628.93	0.71
Costo de bebidas	$30 791.00	22.8	$29 914.32	22.6	$335.89	0.25
Costo de operación	$128 582.00	25.4	$129 939.96	24.8	$2 964.82	0.6
Utilidad bruta	$378 294.99	74.6	$393 551.04	75.2	-$15 256.05	-3.0
Fuerza de trabajo	$130 357.44	25.7	$130 872.75	25.0	-$515.31	-0.2
Gastos indirectos	$9 939.20	2.0	$10 469.82	2.0	-$530.62	-0.2
Gastos de venta	$43 084.54	8.5	$41 879.28	8.0	$1 205.26	0.5
Gastos de administración	$30 452.00	3.2	$26 174.55	5.0	$4 277.45	1.8
Gastos de mantenimiento	$16 680.69	3.3	$15 704.73	3.0	$975.96	0.4
Gastos de promoción	$6 589.40	1.3	$7 852.37	1.5	-$1 262.96	-0.5
Gastos de operación	$237 103.27	46.8	$232 953.50	44.5	$4 149.78	1.8
Utilidad de operación	**$141 191.71**	**27.9**	**$160 597.54**	**30.7**	**-$19 405.83**	**-3.83**

En la segunda parte se comparan los valores del costo de alimentos y de bebidas reales contra los pronosticados. En el ejemplo es lógico que el costo de alimentos sea menor, ya que a menor venta, se consume menos.

Si el costo real fuese menor al potencial, que sirve de presupuesto algo malo sucede en la operación del restaurante, esto puede deberse a:

- Se entregan porciones menores al cliente.
- Hay errores en la toma de inventarios.
- Existen compras que no han sido registradas.

Lo anterior es ilógico, y no debes interpretarlo como un resultado positivo.

La tercera parte evidencia el comportamiento del control de gastos operacionales reales contra los pronosticados. En el ejemplo se demuestra que en forma general no hubo disciplina al aplicar el gasto. Si bajaron las ventas, también debieron hacerlo los gastos. En gastos de venta, el porcentual de 8% se excedió en 0.6%, en los gastos de administración se gastó $4 277.45 más igual al 1.1%, de más y los gastos de mantenimiento superaron el porcentual presupuestado en 0.3%.

La **utilidad operacional** muestra 3.3% menos de rentabilidad del negocio, lo que representaría tu sueldo mensual como gerente del restaurante.

Al llenar cada mes esta forma, podrás solucionar asertivamente desviaciones en el costo de operación:

- Al interpretar la información de consumos.
- Al detectar posibles excesos en existencias.

- Al detectar faltantes en inventario.
- Al identificar desperdicio excesivo.
- Al ubicar las áreas donde es más posible el robo.

Este reporte te muestra también las tendencias operativas del restaurante y le proporciona una visión clara al personal gerencial de recién ingreso.

7. Invierte en sistemas que faciliten tu trabajo

7.1. HO-TEC DEL CARIBE, ALTA TECNOLOGÍA PARA HOTELES Y RESTAURANTES

La información Ho-Tec del Caribe es proporcionada para ser utilizada en este libro como soporte para que tengas opciones al elegir el software que se adapte a las necesidades de tu negocio.

7.1.1. Newstock, existencias de alimentos y bebidas

Éste es un paquete de software especializado para la administración integral de los almacenes y compras de alimentos y bebidas en hoteles y restaurantes. Controla desde el pedido y compra hasta los inventarios de almacenes y secciones. Tiene una estructura de codificación flexible para productos simples y compuestos. Contiene todos los reportes y listas de control necesarios para la gestión de las operaciones de un restaurante, bar, hotel o central de compras. Este programa se basa en los criterios de organización contable. Dispone de interfaces con el software de las terminales del punto de venta para que los productos vendidos sean descontados de los inventarios en los almacenes y de las secciones de existencias.

GESTIÓN PROFESIONAL

Considera los aspectos de la función de auditoria interna, indicadores de gestión científica de las existencias, control de transformación de los productos en la cocina.

PRODUCTOS COMPUESTOS

NewStock permite definir las composiciones de los productos compuestos y las recetas, menús y bufetes. En la preparación de una ficha de producto compuesto, el software automáticamente busca y hace la valoración de cada ingrediente, para calcular el precio final del costo.

Puede definirse un margen de ganancia y calcular el precio de venta a partir del costo. Los movimientos o ventas de los productos compuestos o dosis son desglosados para efectos de control y valoración en las mismas unidades de los productos base.

PARAMETRIZACIÓN

NOMENCLATURA DE PRODUCTOS

La nomenclatura de codificación de los productos es muy flexible, pues permite una organización jerárquica por grupos, familias, subfamilias, así como en productos simples y compuestos. También se pueden definir varios almacenes y un número ilimitado de secciones y departamentos.

Cada usuario dispone de un código personalizado para entrar al software, el cual controla sus derechos de acceso autorizado a cada opción.

VARIOS TIPOS DE MOVIMIENTOS

NewStock considera todos los tipos de movimientos necesarios para una gestión eficiente y profesional de los almacenes, compras y existencias: pedidos, requisiciones, transferencias, conversiones entre alimentos y bebidas, mermas, diferencias de inventarios, etcétera.

CRITERIOS DE VALORACIÓN

Los inventarios y movimientos pueden ser valorados con los criterios de costo promedio, PEPS, UEPS y precio de venta en las secciones.

INTERFACES

TERMINALES PUNTO DE VENTAS

NewStock dispone de interfaz con el software de las terminales del punto de venta para descontar automáticamente los productos vendidos de las existencias. La interfase considera productos simples y compuestos para un completo y riguroso control.

CONTABILIDAD

La organización de datos, operaciones y reportes está de acuerdo con los criterios contables para una perfecta integración y exportación automática de ficheros para la contabilidad.

REPORTES DE GESTIÓN

NewStock tiene configurados todos los reportes necesarios para la gestión profesional de almacenes y compras. Adicionalmente se pueden programar nuevos reportes y lista a través de un generador de reportes estándar que accede directamente a la base de datos utilizando el lenguaje SQL.

LISTAS DE CONSUMOS

Se puede conocer en cualquier momento los consumos de cada sección organizados por fechas, grupos, familias y subfamilias de productos.

CONCILIACIÓN DE COSTOS Y BENEFICIOS

Este reporte que calcula para cada sección y para el total consolidado, los principales indicadores de gestión, incluyendo las ventas, débitos y créditos, costo de las mercancías vendidas y consumidas, costo de las ventas, resultado teórico, resultado real, diferencias en cantidad y valor, rotación de productos de existencias y cobertura en días.

INVENTARIOS

Para cada periodo (día, mes u otro). El software prepara automáticamente un reporte de inventario con la indicación de la cantidad teórica de cada producto en existencia. El inventario considera el inventario inicial, los saldos de todos los movimientos del periodo, las ventas y los consumos para calcular la existencia teórica. Se puede escoger entonces entre un conteo físico general o una muestra para determinar la existencia real y las diferencias, éstas son valoradas para cada sección a precio de costo y el valor potencial de venta.

PROVEEDORES Y CUENTAS

La información disponible sobre cada proveedor incluye, además de su completa identificación, los productos que vende, detalles de las últimas compras, plazos de pago y condiciones de descuento. Una cuenta corriente asociada a cada proveedor, permite saber el saldo de la cuenta, facturas por pagar y el registro histórico de movimientos.

7.1.2. Newpos, punto de venta para restaurante y bar

Es un sofisticado software para gestión de terminales en el punto de venta para bares, restaurantes y hoteles. Este paquete de software fue diseñado para Windows y puede ser instalado en cualquier microcomputadora estándar. La utilización de TPV es muy fácil e intuitiva, soportando la operación por teclado y *touch screen*. Permite crear un número ilimitado de productos y teclas PLU. Cada producto puede ser representado por una figura *(ícono)* escogida entre la colección de imágenes de alimentos y bebidas suministradas con el software.

MÁS FÁCIL QUE UNA REGISTRADORA

Las ventas se registran tocando con el dedo en la pantalla táctil *(touch screen)* o a través del teclado. El control de accesos de cada empleado es hecho por un código de identificación y un *password*. Los pedidos son registrados y mostrados en la pantalla como si fuera una registradora. Existe un riguroso control de cancelaciones de venta *(void)*, para lo cual se requiere de un código de acceso especial. Los descuentos pueden ser hechos por línea o por total de la cuenta. Se pueden imprimir varios comprobantes antes de cerrar la cuenta y que se emita el cheque. También admite varias formas de pago. Es posible obtener una factura a solicitud del cliente. Asimismo el software permite la división de la cuenta en "cuentas separadas" *(split check)*.

FLEXIBLE COMO UNA COMPUTADORA

Pueden definirse varias pantallas con grupos de productos. La cantidad de productos y mesas que pueden manejar es ilimitada. Cada producto puede tener varios precios de venta. La estructura de productos incluye grupos, familias y subfamilias.

BAR Y RESTAURANTE

NewPos para Windows permite a cualquier computadora estándar con Microsoft Windows trabajar como caja registradora especializada para bar y restaurante. Se puede hacer una instalación sencilla con una sola máquina o una sofisticada red de varias computadoras utilizando la arquitectura cliente-servidor en función de las necesidades del negocio. Toda la operación de TPV bajo el software NewPos es muy fácil e intuitiva. Ventas directas, memorias de mesas, pedidos a cocina, consultas de cuentas, facturación, cuentas separadas, cancelaciones, descuentos, impuestos, "Hora feliz", cobros y reportes de producción se hacen con la mayor facilidad que los sistemas tradicionales. Las ventas pueden hacerse directamente o insertarse en cuentas de las mesas en cantidad ilimitada. En cualquier momento el usuario puede consultar las cuentas abiertas, las mesas ocupadas e imprimir un comprobante con los detalles y el saldo de la venta. La utilización del *touch screen* permite una fácil y rápida operación de ventas directas en la barra o en las mesas.

PREPARACIONES

En cada pedido, el empleado puede especificar los deseos del cliente: preparaciones, salsas, condimentos guarniciones, etc. Esta información puede ser impresa en forma inmediata en una impresora de cocina.

MULTIPAGO Y MULTIMONEDA

Varias modalidades de cobro pueden ser utilizadas para liquidar una cuenta: efectivo, tarjeta de crédito, divisas extranjeras, cheque, *voucher,* consumo interno, etc. Para los cobros con divisas extranjeras el software calcula automáticamente el importe correspondiente en la moneda local. El software está preparado para soportar las transacciones en los países europeos.

MULTIDEPARTAMENTO

Pueden realizarse ventas para varios departamentos desde la máquina del punto de venta e integrar el resultado en una misma cuenta. Por cada departamento es posible definir una tarifa de precios distinta para los mismos productos.

REPORTES Y CONTROL

NewPos ofrece un completo conjunto de reportes para análisis y control de las ventas e ingresos. Además desglosa los resultados de producción diaria por grupo, familia, producto y cajero. Existen también reportes de cierre de turno, listas de control, estadística y análisis de ventas por hora. Se pueden programar otros indicadores utilizando las herramientas de generador de reportes estándar.

INTERFACES CON EXISTENCIAS

Las ventas diarias son enviadas automáticamente a los ficheros de software de almacenes y existencias, permitiendo la consolidación de datos entre las compras y las ventas. Asimismo calcula los inventarios y las necesidades de reposiciones de productos abajo del **stock** de alerta.

HORA FELIZ

Esta función permite activar una tarifa de precios especial para algunos periodos del día, en función de un calendario semanal.

CLUBS Y CABARETS

El módulo adicional de software NewClub permite hacer la gestión de reservaciones y control de ocupación de mesas y asientos en restaurantes, clubs y cabarets.

COMANDA ELECTRÓNICA

En función de la configuración escogida para los equipos, la utilización de terminales de radio o infrarrojos facilita la introducción de ventas y de pedidos a distancia.

7.1.3. SISTEMA DE CONTROL TOTAL EN EL BAR (AZBAR)

AZ-200

La versión AZ-200 de AZBAR, es el más avanzado puesto de mandos para obtener un control absoluto de todas las bebidas: alcohol, cerveza, vino, aun zumos y refrescos.

Figura 7.1

Al controlar a la vez las cantidades servidas y la facturación, el AZ-200 toma a su cargo la gestión de sus operaciones ofreciéndole además una gama de ventajas únicas:

- Impide los fraudes, los errores, los servicios excesivos.
- Elimina las fastidiosas operaciones de inventario.
- Calcula automáticamente, para cada cliente, una factura precisa y detallada.
- Aumenta la satisfacción de la clientela gracias al servicio de porciones constantemente bien controladas.

MODO DE OPERACIÓN

- Selecciona un consumo usando el teclado.
- Coloca el anillo magnético sobre el tapón dosificador y sirva.
- El AZ-200 servirá la dosis exacta y grabará en la memoria automáticamente la marca, la cantidad, el precio, el usuario, la hora y el nuevo nivel de existencias.
- Si la botella no corresponde a la marca seleccionada a través del teclado, el tapón dosificador impedirá que la bebida salga.
- El AZ-200 controla directamente, desde el principio, la venta de todos los productos disponibles en un bar.
- Siendo a la vez caja registradora y de gestión, el AZ-200 memoriza y hace el total de todas las transacciones.

Figura 7.2

VENTAJAS EXCLUSIVAS

- Cada transacción es grabada automáticamente en la memoria.
- El inventario se actualiza en cada transacción.
- Hace imposible servir porciones excesivas o insuficientes, no facturar al cliente, diluir el contenido de las botellas, hacer fraude o cometer errores.
- Cada vaso o cóctel es servido exactamente como el cliente lo desea.

- Puede obtener informes rápidamente sobre sus empleados, existencias, ventas, promociones, beneficios, pedidos por hacer, perfil de ventas, etcétera.
- Vigilancia desde tu domicilio con un módem.
- Economiza tiempo y dinero, además cuenta con asistencia técnica completa.

Figura 7.3

FUNCIONES

- Identifica hasta 255 bebidas diferentes.
- Mide hasta cuatro dosis distintas para las bebidas.
- Clave de identificación para el usuario.
- Reemplaza la caja registradora.
- Puede funcionar en red.
- Gestión por mesa.
- Controla todas sus bebidas: vino, cerveza, alcohol y refrescos.
- Cambio automático de los precios según la hora (para 5 a 7, "Hora feliz", eventos especiales, etcétera.)
- Posibilidad de incorporar hasta 16 bebidas diferentes.

Figura 7.4

COMPATIBILIDAD

- Puede funcionar con cualquier ordenador PC.
- Interfaz posible con la mayoría de los sistemas de gestión de punto de venta (POS).
- Interfaz posible con algunas máquinas de café.
- Posibilidad de interfaz con la mayoría de las pistolas eléctricas de refrescos.

Figura 7.5

ACCESORIOS FACULTATIVOS

- *Cashdrawer* (cajón para efectivo o dinero).
- Impresora para informes.
- Impresora para punto de ventas

TORRE COCTELERA

El periférico ultrarrápido que realiza a la perfección, sin error y en menos de tres segundos, todo tipo de cóctel.

Puede medir simultáneamente hasta 16 bebidas diferentes, jugos y refrescos, esta torre coctelera no tiene rival para realizar sus recetas y acelera al máximo su servicio de bar.

Además sus clientes estarán encantados de que su cóctel preferido tiene siempre el mismo delicioso sabor, sea cual sea la hora, el barman o la cantidad de clientes.

Figura 7.6

MODO DE OPERACIÓN

- Selecciona el cóctel usando el teclado del AZ-200. Pon el vaso bajo la torre. El sistema servirá simultáneamente las dosis exactas de cada una de las bebidas, zumos o refrescos necesarios para completar la receta.
- Si una bebida en particular no está disponible, el sistema te permitirá completar la receta manualmente con una botella que disponga de un tapón dosificador.
- Si por error se escogiera una botella que no está en la receta, el tapón dosificador impedirá que la bebida salga.

VENTAJAS EXCLUSIVAS

- Servicio ultrarrápido. Exige menos personal.
- Identificación automática del usuario.
- Garantiza la preparación de cócteles perfectos, con sabor constante, sea cual sea el personal o su experiencia.
- Estandariza y memoriza todas sus recetas.
- Hace imposible servir porciones excesivas o insuficientes, no facturar al cliente, diluir el contenido de las botellas, hacer fraude o cometer errores.

Figura 7.7

FUNCIONES Y COMPATIBILIDAD, REQUIERE EL AZ-200

- Permite hasta 64 bebidas diferentes por cada torre.
- Ofrece la posibilidad de dosificar simultáneamente hasta 16 bebidas diferentes por cóctel.
- También permite servir sólo jugos y refrescos.
- Posibilidad de interfaz con la mayoría de los sistemas de gestión de punto de venta (POS)
- Posibilidad de interfaz con la mayoría de las pistolas eléctricas de refrescos que existen (si ha escogido no tener esas bebidas en la torre).

DISTRIBUIDOR DE VINO A PRESIÓN

La manera más rápida y más segura de servir a presión y de controlar los vinos en garrafa. Este distribuidor de vino a presión completará maravillosamente tu instalación Azbar. Como todos los otros periféricos de la gama, te aseguran que cada vaso de vino servido será pagado.

Por un lado impide los servicios excesivos y los fraudes, y por el otro lleva una rigurosa contabilidad electrónica, la cual aumentará la rentabilidad de las operaciones.

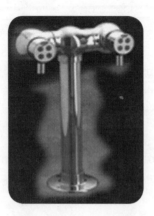

Figura 7.8

MODO DE OPERACIÓN

Selecciona en la columna la porción deseada (entre cuatro opciones. Aprieta el botón. El distribuidor servirá automáticamente la cantidad exacta.

VENTAJAS

- Elimina las pérdidas y el desperdicio.
- Asegura un servicio muy rápido.
- Identifica el usuario por medio de una clave.
- Identifica y asegura un control diferente para cada vino.
- Hace imposible servir porciones excesivas o insuficientes, no facturar al cliente, desperdiciar o hacer fraude. También evita los errores.

FUNCIONES Y COMPATIBILIDAD

- Selección de cuatro dosis programables.
- Dos variedades de vino por distribuidor.
- Compatibilidad con el AZ-200 y con el Júnior.
- Posibilidad de interfaz con la mayoría de los sistemas de gestión del punto de venta (POS).

DISTRIBUIDOR DE CERVEZA A PRESIÓN

Elimina automáticamente las pérdidas relacionadas con la venta de cerveza a presión. El distribuidor de cerveza a presión Azbar es inviolable y ha sido concebido para que cada gota de cerveza servida sea facturada y pagada.

Según la National Restaurant Association (NRA), un bar pierde una media de 23% de los ingresos que puede hacer por cada barril de cerveza. Todo ese dinero se pierde por las siguientes razones:

- Equipo inadecuado.
- Porciones excesivas.
- Robo o extrema generosidad de los empleados hacia los clientes.

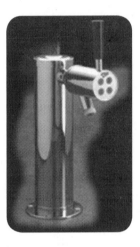

Figura 7.9

MODO DE OPERACIÓN

- En modo automático: es suficiente con seleccionar una de las cuatro dosis posibles y el sistema servirá la cantidad exacta.
- En modo manual: un aforador totaliza las cantidades servidas.

VENTAJAS EXCLUSIVAS

- Elimina completamente las pérdidas del volumen de ventas y garantiza los ingresos que provienen de la venta de cerveza a presión.
- Identifica al usuario por medio de una clave.
- Asegura un control distinto de cada marca de cerveza.
- Es imposible servir porciones excesivas o insuficientes, no facturar al cliente, desperdiciar o hacer fraude. Evita los errores.

FUNCIONES Y COMPATIBILIDAD

- Selección de cuatro dosis programables.
- Compatible con el AZ-200 y con el Júnior.
- Posibilidad de interfaz con la mayoría de los sistemas de gestión del punto de venta (POS).

AZBAR-JÚNIOR

Desarrollado especialmente para incrementar el ingreso y mejorar la rentabilidad de los bares pequeños o medianos. Debido a sus tapones electrónicos, que miden la dosis de servicio, el Júnior te permite controlar hasta 100 bebidas diferentes, proporciona informes detallados y elimina las posibilidades de hacer fraude, podrás estar tranquilo aún cuando tengas que ausentarte.

MODO DE OPERACIÓN

- Sólo tienes que pasar el anillo magnético sobre el tapón dosificador de la botella y servir.
- Júnior identificará automáticamente la marca y servirá la cantidad exacta deseada.
- También podrás controlar la cerveza a presión, el vino, los zumos y los refrescos.

VENTAJAS EXCLUSIVAS

- Cada transacción se graba automáticamente en la memoria.
- Actualiza automáticamente el inventario a partir de cada transacción.
- Hace imposible servir porciones excesivas o insuficientes, no facturar al cliente, diluir el contenido de las botellas, hacer fraude o cometer errores.
- Informes fáciles de obtener sobre tus empleados, existencias, ventas, beneficios, pedidos por hacer, beneficio de ventas.
- Vigilancia desde tu domicilio con un módem.
- Economiza tiempo y dinero.
- Asistencia técnica completa.

Figura 7.10

FUNCIONES Y COMPATIBILIDAD

- Identifica hasta 100 bebidas diferentes.
- Mide hasta cuatro dosis diferentes para las bebidas.
- Hasta cuatro usuarios pueden usarlo.
- Puede controlar la cerveza a presión, el vino, el jugo y los refrescos.
- Posibilidad de conexión con cualquier computadora personal.
- Interfaz posible con la mayoría de los sistemas de gestión de punto de venta (POS).

ACCESORIOS FACULTATIVOS

- Impresora para informes.
- Distribuidor de vino a presión.
- Distribuidor de cerveza a presión.

7.2. OSIRIS SISTEMAS EN INFORMÁTICA

La información de Osiris Sistemas, en Informática, es proporcionada para ser utilizada en este libro como soporte para que tengas opciones al elegir el software que se adapte a las necesidades de tu negocio.

7.2.1. SICBR 2.0 estándar, sistema de control para bares y restaurantes 2.0

Componentes del Sistema

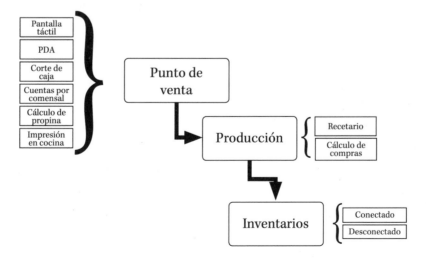

Figura 7.11

CARACTERÍSTICAS DE OPERACIÓN

- Completamente diseñado para Windows.
- Uso eficiente y ergonómico.
- Consulta avanzada en todos los campos.
- Captura por código de alimento, por código secundario y por descripción.
- Tickets y reportes flexibles y configurables.

Figura 7.12

CARACTERÍSTICAS PRINCIPALES DEL PUNTO DE VENTA

- Captura por teclado, pantalla táctil (*touch screen*) y PDA.
- Folios abiertos.
- Separación por comensal.
- Opcional captura de folio de comanda, comensal y tiempo.
- Captura por clave principal y secundaria.
- Impresión en múltiples cocinas.

CAPTURA POR CAJERO

- Práctico.
- Arranque inmediato.
- Escasos requerimientos de hardware.
- Sin cambios logísticos.

Figura 7.13

CAPTURA POR CAJERO (CON IMPRESIÓN EN COCINA)

- Mayor control de los meseros.
- Evita fugas por alteración de comandas.
- Mínimos requerimientos de hardware.

CAPTURA POR PANTALLA TÁCTIL *(TOUCH SCREEN)*

- Menor desplazamiento de meseros.
- Uso intuitivo.
- Menor carga de trabajo en caja.

Figura 7.14

CAPTURA POR PDA (DISPOSITIVOS MÓVILES)

- Máxima productividad de meseros.
- Elimina posibles fraudes con comandas.
- Información instantánea en cocina y caja.

CARACTERÍSTICAS PRINCIPALES INVENTARIOS

- Inventario conectado.
- Inventario desconectado.
- Periodos abiertos.

INVENTARIOS.

- Conectado.
- Mediante el recetario realiza el cálculo de compras y descuento automático de alimentos.
- Es posible conocer la existencia instantánea.
- Ideal para la mayoría de las ocasiones.

REPORTEADOR

- Incluido dentro de la aplicación.
- En idioma español, multilenguaje.
- Fácil de utilizar.
- Genera archivos independientes fáciles de transportar.
- Permite una máxima flexibilidad de la aplicación.

8. Casos prácticos

8.1. RESTAURANTE

A continuación encontrarás un caso práctico en el cual se aplica la metodología expuesta y comentada en todas las unidades del libro para el control de costos.

Este capítulo inicia con la propuesta de lo que sería tu oferta gastronómica en el restaurante; tras conocer los platillos y bebidas que venderás, se plantea la elaboración de recetarios básicos y complementarios. Conforme experimentas las preparaciones, se van delineando lo que más tarde serán los estándares de compra que deben regir la calidad de la adquisición de materia prima.

Las descripciones de los productos te permitirán conocer los precios de compra para costear las recetas estándar tanto básicas como complementarias. Al finalizar el caso práctico se toma en consideración la popularidad de los platillos contenida en la mezcla de ventas para calcular los costos potencial y el real y estar en condiciones de compararlos.

8.1.1. Menú de alimentos y bebidas

Es lógico que antes de realizar cualquier otra actividad de planeación, debes definir los alimentos y las bebidas que venderás. Cabe mencionar que este menú sirve como ejemplo para poder desarrollar el ejercicio, mas no es un menú que haya sido resultado de un estudio de mercado, donde se haya indagado gustos y preferencias del cliente potencial.

Menú

Entradas		**Postres**	
Ceviche	$45.00	Alfajor de coco	$35.00
Corundas	$28.00	Arroz con leche	$33.00
Chalupas de pollo	$33.00	Crepas con cajeta	$45.00
Papatzules	$35.00	Dulce de elote	$30.00
Peneques	$27.00	Natilla	$38.00
Sopas		**Bebidas**	
Caldo de queso	$42.00	Agua de alfalfa	$22.00
Flor de calabaza	$35.00	Agua de horchata	$22.00
Habas	$30.00	Agua de jamaica	$22.00
Lentejas	$32.00	Limonada /naranjada	$26.00
Tortilla	$38.00	Refrescos	$20.00
Platos principales		**Bebidas alcohólicas**	
Huachinango a la veracruzana	$130.00	Cerveza	$25.00
Menudo	$75.00	Margarita Fozen	$75.00
Pollo al pibil	$80.00	Michelada	$35.00
Puerco con calabazas	$65.00	Paloma	$60.00
Tampiqueña	$20.00	Piña colada	$50.00

8.1.2. Recetarios básicos

Entradas

Producto: Ceviche   Fecha: Febrero de 2008
Rendimiento: 1 porción   Tamaño porción: 0.250 kilos

Ingredientes	Cantidad	Unidad	Método de preparación
Base ceviche	1	Taza	Sirve en una copa tulipán
Aceite de oliva	2	cs	Cubre el ceviche con el aceite.
Aguacate	$^1/_6$	Pieza	Decora con el aguacate y cilantro.
Cilantro finamente picado	1	cc	
Galleta salada	2	Paquete	Monta la copa sobre un plato panero y acompaña con la galleta.

Producto: Corundas   Fecha: Febrero de 2008
Rendimiento: 1 orden   Tamaño porción: 2 piezas

Ingredientes	Cantidad	Unidad	Método de preparación
Corundas	2	Pieza	Descubre dos corundas y acomoda un plato ensaladero caliente.
Salsa roja	3	cs	Baña las corundas.

Producto: Chalupas de pollo
Rendimiento: 1 orden

Fecha: Febrero de 2008
Tamaño porción: 2 piezas

Ingredientes	Cantidad	Unidad	Método de preparación
Chalupa	2	Pieza	Fríe las chalupas cinco segundos por lado.
Aceite	1	cs	Colócalas en un plato panero.
Papa, cubitos fritos	1	cs	Sobre cada chalupita distribuye una cucharada de papas, otra de pollo, otra de los vegetales picados.
Pechuga deshebrada	1	cs	
Mezcla para corundas	1	cs	
Salsa verde o roja	2	cs	Baña cada chalupa con una cucharada de salsa.

Producto: Papatzules
Rendimiento: 1 orden

Fecha: Febrero de 2008
Tamaño porción: 3 piezas

Ingredientes	Cantidad	Unidad	Método de preparación
Tortillas chicas	3	Pieza	En una sartén con aceite caliente, fríe cada tortillas por cinco segundos por lado.
Aceite de maíz	2	cs	
Crema de pepita	2	cs	Remoja las tortillas en la pasta de pepita, rellena con poco huevo.
Huevo cocido finamente picado	1	Pieza	Distribuye una cucharadita en cada tortilla y enrolla.
Cassé de tomate	1	cs	Coloca tres piezas en un plato para postre y baña con más crema de pepita.
	1	cs	Decora con listón de cassé de tomate.

Producto: Peneques
Rendimiento: 1 orden

Fecha: Febrero de 2008
Tamaño porción: 2 piezas

Ingredientes	Cantidad	Unidad	Método de preparación
Peneques	2	Pieza	Rellena los peneques con queso.
Requesón	2	cs	
Harina	1	cs	Enharina cada pieza.
Huevo	0.5	Pieza	Bate las claras de huevo a punto de turrón e incorpora las yemas.
Manteca	3	cs	Fríe cada peneque y déjelos escurrir.
Caldillo de jitomate	3	cs	Coloca los peneques en un plato panero y báñalos con caldillo muy caliente.

Sopas y caldos

Producto: Caldo de queso
Rendimiento: 1 porción

Fecha: Febrero de 2008
Tamaño porción: 0.200 litros

Ingredientes	Cantidad	Unidad	Método de preparación
Queso manchego	½	Taza	Corta en cubitos de 1 cm y agrégalo a un tazón.
Base caldo de queso	1	Taza	Sirve un cucharón de caldo hirviendo en el tazón.
			Sirve inmediatamente.

Producto: Sopa de flor de calabaza: Fecha: Febrero de 2008
Rendimiento: 1 porción   Tamaño porción: 0.200 litros

Ingredientes	Cantidad	Unidad	Método de preparación
Sopa de flor de calabaza	1	Taza	Sirve un cucharón de sopa hirviendo en un tazón. Sirve inmediatamente.

Producto: Sopa de habas   Fecha: Febrero de 2008
Rendimiento: 1 porción   Tamaño porción: 0.200 litros

Ingredientes	Cantidad	Unidad	Método de preparación
Sopa de habas	1	Taza	Sirve un cucharón de sopa hirviendo en un tazón.
Cilantro finamente picado	2	cc	Espolvorea cilantro sobre la sopa. Sirve inmediatamente.

Producto: Sopa de lentejas   Fecha: Febrero de 2008
Rendimiento: 1 porción   Tamaño porción: 0.200 litros

Ingredientes	Cantidad	Unidad	Método de preparación
Sopa de lentejas	1	Taza	Sirve un cucharón de sopa hirviendo en un tazón. Sirve inmediatamente.

Producto: Sopa de tortillas   Fecha: Febrero de 2008
Rendimiento: 1 porción   Tamaño porción: 0.200 litros

Ingredientes	Cantidad	Unidad	Método de preparación
Tortillas doradas	$1/2$	Taza	Con pinzas sirve tortillas hasta un $1/4$ del tazón grande.
Caldillo de jitomate	1	Taza	Sirve el caldillo de tomate hirviendo en cada tazón.
Crema leche	1	cs	Decora la sopa con un listón de crema.
Aguacate	$1/8$	Pieza	Coloca el aguacate sobre la sopa.
Queso Oaxaca	1	cs	Espolvorea con una cucharada sopera de queso rallado.
Chile pasillla	1	cs	Espolvorea con una cucharada sopera de chile pasilla.
Chicarrón	2	Trocitos	En el plato base de la sopa, coloca dos trocitos de chicharrón.

Platillos principales

Producto: Huachinango a la veracruzana   Fecha: Febrero de 2008
Rendimiento: 1 porción   Tamaño porción: 0.500 kilos

Ingredientes	Cantidad	Unidad	Método de preparación
Huachinango a la veracruzana	1	Porción	En un plato oval coloca medio pescado preparado. Salsea.
Arroz blanco	1	Taza	Acompaña con arroz blanco.

Producto: Menudo   Fecha: Febrero de 2008
Rendimiento: 1 porción   Tamaño porción: 0.350 litros

Ingredientes	Cantidad	Unidad	Método de preparación
Menudo	1.5	Taza	En un tazón grande sirve una cucharada de cocina con pancita. Agrega cucharón y medio de caldo.
Limón	2	Tercio	Monta el tazón sobre un plato ensaladero y acomoda dos tercios de limón.
Orégano	1	cc	Acompaña con convoy de orégano molido, chile piquín y cebolla.
Chile piquín	1	cc	
Cebolla finamente picada	2	cs	

Producto: Pollo al pibil   Fecha: Febrero de 2008
Rendimiento: 1 porción   Tamaño porción: 2 piezas

Ingredientes	Cantidad	Unidad	Método de preparación
Pollo al pibil	1	Porción	En un plato trinche de loza o de barro coloca una porción de pollo.
Cebollas desflemadas	1	Porción	Coloca en un extremo del plato una cazuelita de barro con la cebolla. Destapa enrollando la hoja de plátano.

Producto: Puerco con calabazas   Fecha: Febrero de 2008
Rendimiento: 1 porción   Tamaño porción: 0.300 kilos

Ingredientes	Cantidad	Unidad	Método de preparación
Puerco con calabazas	2	cco	En un plato trinche de loza o de barro coloca el puerco con calabas.
Frijoles refritos	1	Porción	Coloca en un extremo del plato una porción de frijoles refritos.
Totopos	1/4	Taza	Decora los frijoles con totopos y queso.
Queso rallado	1	cc	

Producto: Tampiqueña   Fecha: Febrero de 2008
Rendimiento: 1 porción   Tamaño porción: 0.180 kilos

Ingredientes	Cantidad	Unidad	Método de preparación
Tampiqueña	0.180	kg	Asa la carne el tiempo necesario según el término solicitado.
Tortilla	2	Pieza	Pasa las tortillas por aceite seis segundos por lado.
Aceite	1	cs	Mételas en salsa verde caliente.
Salsa verde	1/2	cc	Coloca en un plato trinche las tortillas dobladas.
Cebolla fileteada	1		Decora con cebolla fileteada.
Frijoles refritos	1	Porción	Sirve una porción de frijol a la izquierda de las enchiladas.
Totopos	1/4	Taza	Decora los frijoles con totopos y queso.
Queso rallado	1	cc	
Guacamole	1	Porción	Sirve una porción de guacamole a la derecha de las enchiladas.
			Coloca la carne en el plato.

Postres

	Producto:	Alfajor de coco		Fecha: Febrero de 2008
	Rendimiento:	1 porción		Tamaño porción: 2 piezas

Ingredientes	Cantidad	Unidad	Método de preparación
Obleas 8 cm de diámetro	4	Pieza	Coloca en un plato panero cuatro obleas y sobre éstas un dulce
Alfajor de coco	2	Pieza	rojo y otro blanco.
Pepitas de calabaza	8	Pieza	Decora haciendo una flor con pepitas.

	Producto:	Arroz con leche		Fecha: Febrero de 2008
	Rendimiento:	1 porción		Tamaño porción: 0.180 kilos

Ingredientes	Cantidad	Unidad	Método de preparación
Arroz con leche	1	Porción	Monta una copa o plato con arroz sobre plato panero.

	Producto:	Crepas con cajeta		Fecha: Febrero de 2008
	Rendimiento:	24 piezas		Tamaño porción: 3 piezas

Ingredientes	Cantidad	Unidad	Método de preparación
Crepa	3	Pieza	Unta cada crepa con una cucharada sopera de cajeta y dobla dos
Cajeta	3	cs	veces.
Mantequilla	1	cs	Engrasa una sartén para flamear. Mezcla el azúcar con el jugo.
Jugo de naranja	½	Taza	Cocina hasta que espese la salsa.
Azúcar	2	cs	
Brandy	1	Onza	Mete las crepas en la salsa y flamea con el brandy.
Nuez picada	1	cc	Espolvorea la nuez sobre las crepas.

	Producto:	Dulce de elote		Fecha: Febrero de 2008
	Rendimiento:	6 porciones		Tamaño porción: 0.180 kg

Ingredientes	Cantidad	Unidad	Método de preparación
Dulce de elote	1	Porción	Monta un refractario con dulce de elote sobre un plato panero.

	Producto:	Natilla		Fecha: Febrero de 2008
	Rendimiento:	1 porción		Tamaño porción: 0.180 litros

Ingredientes	Cantidad	Unidad	Método de preparación
Natilla	1	Porción	Monta un plato con natilla sobre un plato panero.
Canela en polvo	1.000	Pizca	Decora con canela en polvo.

Bebidas

	Producto:	Agua de alfalfa		Fecha: Febrero de 2008
	Rendimiento:	4 litros		Tamaño porción: 10 onzas

Ingredientes	Cantidad	Unidad	Método de preparación
Hielo	3	Pieza	Coloca los hielos en vaso jaibolero de 12 onzas.
Agua de alfalfa	10	oz	Agrega agua de alfalfa hasta un dedo abajo del borde del vaso.

Producto: Agua de horchata   Fecha: Febrero de 2008
Rendimiento: 5 litros   Tamaño porción: 10 onzas

Ingredientes	Cantidad	Unidad	Método de preparación
Hielo	3	Pieza	Coloca los hielos en vaso jaibolero de 12 onzas.
Agua de horchata	10	oz	Agrega agua de horchata hasta un dedo abajo del borde del vaso.
Canela en polvo	1	Dash	Espolvorea canela.

Producto: Agua de jamaica   Fecha: Febrero de 2008
Rendimiento: 4 litros   Tamaño porción: 10 onzas

Ingredientes	Cantidad	Unidad	Método de preparación
Hielo	3	Pieza	Coloca los hielos en vaso jaibolero de 12 onzas.
Agua de jamaica	10	oz	Agrega agua de jamaica hasta un dedo abajo del borde del vaso.

Producto: Limonada   Fecha: Febrero de 2008
Rendimiento: 1 porción   Tamaño porción: 10 onzas

Ingredientes	Cantidad	Unidad	Método de preparación
Hielo	3	Cubos	Sirve hielo con un cucharón hasta la mitad del vaso.
Jugo de limón	$1/2$	Onza	Vierte $1/2$ onza de jugo de limón y una onza de jarabe natural.
Jarabe natural	1	Onza	
Agua soda o natural	1	Botella chica	Vacía el agua soda o natural y mezcla con una cuchara.
Garnitura	1	Pieza	Decora con una rodaja de limón

Producto: Margarita frozen   Fecha: Febrero de 2008
Rendimiento: 1 porción   Tamaño porción: 12 onzas

Ingredientes	Cantidad	Unidad	Método de preparación
Tequila	3	Onza	Escarcha un tarro de cerveza.
Jugo de limón	$1/2$	Onza	En el vaso de la licuadora agrega el hielo. Jugo de limón, el tequila, el
Controy	$1/2$	Onza	jarabe de tamarindo y el licor de naranja.
Sal	1	cc	Licúa hasta obtener una consistencia de nieve.
Jarabe de tamarindo	$1 1/2$	Onza	Sirve en el tarro.
Hielos	6	Cubos	

Producto: Michelada cubana   Fecha: Febrero de 2008
Rendimiento: 1 porción   Tamaño porción: 12 onzas

Ingredientes	Cantidad	Unidad	Método de preparación
Sal	1	cc	Escarcha un tarro de cerveza.
Hielo	3	Cubos	Agrega el hielo.
Jugo de limón	$1/2$	Onza	Agrega el jugo de limón, el jugo Maggi y la salsa inglesa.
Jugo Maggi	1	Dash	Sirve la cerveza y remueve con agitador.
Salsa inglesa	1	Dash	
Cerveza	1	Pieza	

Producto: Naranjada
Rendimiento: 1 porción

Fecha: Febrero de 2008
Tamaño porción: 12 onzas

Ingredientes	Cantidad	Unidad	Método de preparación
Hielo	3	Cubos	Sirve hielo con un cucharón hasta la mitad del vaso.
Jugo de naranja	3	Onza	Vierte tres onzas de jugo de naranja y una onza de jarabe natural.
Jarabe natural	1	Onza	
Agua de soda o natural	1	Botella chica	Vacía el agua de soda o natural y mezcla con una cuchara.
Garnitura	1	Pieza	Decora con una rodaja de naranja.

Producto: Paloma
Rendimiento: 1 porción

Fecha: Febrero de 2008
Tamaño porción: 1 onza

Ingredientes	Cantidad	Unidad	Método de preparación
Tequila reposado	1 $\frac{1}{2}$	Onza	Escarcha el vaso con sal. Exprime el resto del limón.
Refresco de toronja	1	Onza	Sirve el hielo en vaso jaibolero.
Limón	1	Tercio	Vierte el tequila.
Sal	1	cc	Agrega el refresco hasta un dedo abajo del borde del vaso.
Hielo	3	Cubos	Remueve con una cuchara larga.

Producto: Piña colada
Rendimiento: 1 porción

Fecha: Febrero de 2008
Tamaño porción: 14 onzas

Ingredientes	Cantidad	Unidad	Método de preparación
Hielo	5	Pieza	Sirve en el vaso de la licuadora un cucharón y haz hielo frapé.
Ron blanco	1 $\frac{1}{2}$	Onza	Vierte en un vaso de licuadora el ron y la leche evaporada y la mezcla
Mezcla colada	2	Chaisser	colada.
Leche evaporada	2	oz	Licúa hasta obtener una consistencia de nieve.
Garnitura	1	Pieza	Sirve en tarro de cerveza adornado con una banderilla de piña.

8.1.3. Recetarios complementarios

Entradas

Producto: Base para ceviche
Rendimiento: 3.000 kilos

Fecha: Febrero de 2008

Ingredientes	Cantidad	Unidad	Método de preparación
Ostiones	6	Docenas	Corta en cuadritos el pescado. Acomoda el pescado y los ostiones en
Filete pez sierra	1.000	kg	un recipiente de acero inoxidable, exprime los limones.
Limón	20	Pieza	Deja reposar por hora y media. Escurre y tira el jugo.
Salsa mexicana	2	Taza	Mezcla la salsa mexicana con lo anterior. Sazona.
Sal	4	Pizca	
Pimienta	2	Pizca	

Producto: Corundas
Rendimiento: 10 porciones
Fecha: Febrero de 2008

Ingredientes	Cantidad	Unidad	Método de preparación
Cáscaras de tomate	15	Pieza	Hierve las cáscaras y el tequesquite por cinco minutos en una taza de agua.
Tequesquite	2	Pizca	
Leche	$^1/_2$	Taza	Cuela lo anterior y agrega la leche.
Manteca	2	Taza	Bate la manteca hasta que esponje.
Masa de maíz	2	kg	Liga la manteca con la mezcla de agua y leche.
Sal	4	Pizca	Sigue batiendo e incorpora poco a poco la masa. Sazona.
Hojas verdes de elote	20	Pieza	Forma un cucurucho con una hoja y rellena con la masa. Cierra formando un triángulo. Cocina al vapor por una hora.

Producto: Crema de pepita
Rendimiento: 0.800 kilos
Fecha: Febrero de 2008

Ingredientes	Cantidad	Unidad	Método de preparación
Pepitas	0.500	kg	Tuesta las pepitas y licúa hasta lograr una pasta homogénea.
Epazote	5	Ramita	Agrega la crema de pepita a la cacerola y añade los chiles finamente picados, las hojas de epazote e incorpora agua hasta lograr consistencia espesa.
Chile habanero	4	Pieza	
Sal	5	Pizca	Cocina removiendo con una pala hasta lograr una consistencia cremosa.

Producto: Cubitos de papa fritos
Rendimiento: 0.900 kilos
Fecha: Febrero de 2008

Ingredientes	Cantidad	Unidad	Método de preparación
Papa alfa	4	Pieza	Cocina, pela y pica las papas. Fríelas.
Aceite	0.100	ℓ	

Producto: Mezcla para chalupas
Rendimiento: 10 porciones
Fecha: Febrero de 2008
Tamaño porción: 2 piezas

Ingredientes	Cantidad	Unidad	Método de preparación
Queso añejo	1	Taza	Ralla el queso.
Cebolla	$^1/_2$	Pieza	Lava y pica finamente la cebolla y el cilantro.
Rabanitos	6	Pieza	Lava y corta en cuadritos los rabanitos.
Cilantro	10	Ramitas	En un tazón chico revuelve perfectamente los ingredientes.

Producto: Pechuga deshebrada
Rendimiento: 1.800 kilos
Fecha: Febrero de 2008

Ingredientes	Cantidad	Unidad	Método de preparación
Pechuga de pollo	4	Pieza	En agua hirviendo coloca el pollo sin piel y lavado, la cebolla y sal. Cocina en marmita 20 minutos.
Cebolla	$^1/_2$	Pieza	
Sal	4	Pizca	
			Deja enfriar y deshebra con tenedor.

Sopas

Producto: Base para caldo queso
Rendimiento: 1.700 litros

Fecha: Febrero de 2008

Ingredientes	Cantidad	Unidad	Método de preparación
Papa alfa	2	Pieza	Pela y corta en cuadritos de $^1/_2$ cm. Fríelas hasta dorar.
Aceite	0.040	ℓ	Incorpora las rajas de chile y cocina cinco minutos más.
Chile cuaresmeño	2	Pieza	
Caldillo de jitomate	1.600		Agrega el caldillo de jitomate y deja hervir hasta que se cocinen las
Sal	2		papas. Sazona.

Producto: Caldillo de jitomate
Rendimiento: 2 litros

Fecha: Febrero de 2008

Ingredientes	Cantidad	Unidad	Método de preparación
Cassé de tomate	0.400	ℓ	Sirve el cassé de tomate en una cacerola y agrega el caldo.
Caldo de pollo	1.600	ℓ	Cocina 10 minutos más.

Producto: Caldo de pollo
Rendimiento: 5 litros

Fecha: Febrero de 2008

Ingredientes	Cantidad	Unidad	Método de preparación
Consomé de pollo	0.200	kg	Sirve el cassé de tomate en una cacerola y agrega el caldo.
Agua	5.000	ℓ	Cocina 10 minutos más.

Producto: Sopa de flor de calabaza
Rendimiento: 1.600 litros

Fecha: Febrero de 2008

Ingredientes	Cantidad	Unidad	Método de preparación
Elote	3	Pieza	Desgrana y cuece con una taza de agua y sal.
Sal	2	Pizca	
Chile poblano	3	Pieza	Tuesta, suda y pela los chiles. Desvena y parte en rajas.
Aceite	2	cs	Fríe las rajas.
Cebolla	1	Pieza	Pica finamente la cebolla y el ajo.
Ajo	3	Dientes	Limpia, lava y pica las flores.
Flor de calabaza	$^1/_2$	Manojo	
Aceite	3	cs	Blanquea la cebolla y el ajo. Saltea por tres minutos las flores.
Epazote	1	Rama	En una olla agrega los granos de elote con el agua donde se coció, las
Caldo de pollo	1.5	ℓ	rajas, las flores, el epazote y el caldo. Hierve cinco minutos.

Producto: Sopa de habas
Rendimiento: 2.000 litros

Fecha: Febrero de 2008

Ingredientes	Cantidad	Unidad	Método de preparación
Habas secas	2	Taza	Quita las cáscaras y cocina en ocho tazas de agua hasta que se ablanden.
Cassé de tomate	0.400	ℓ	Agrega el cassé y cocina cinco minutos.
Consomé de pollo	1.000	ℓ	Agrega el consomé y hieve 10 minutos.

Producto: Sopa de lentejas
Rendimiento: 2.200 litros
Fecha: Febrero de 2008

Ingredientes	Cantidad	Unidad	Método de preparación
Lentejas	1	Tasa	Remoja con dos horas de anticipación las lentejas.
Cebolla	$^1/_2$	Pieza	Pica finamente la cebolla y el ajo. Fríe hasta acitronar la cebolla.
Ajo	2	Diente	
Aceite	2	cs	
Zanahoria	1	Pieza	Pela y pica en cubitos la zanahoria.
Caldo de pollo	2	ℓ	Agrega el caldo a una marmita, la cebolla, el ajo, la zanahoria, sal, las
Sal	3	Pizca	lentejas, el laurel y el hueso. Hierve 20 minutos.
Laurel	1	Hoja	Unos minutos antes de terminar el cocimiento agrega la piña cortada
Hueso jamón	1	Pieza	en cubitos de $^1/_2$ centímetro. Al terminar retira el laurel y el hueso.
Piña, cubitos $^1/_2$ cm	1	Taza	

Producto: Tortillas doradas
Rendimiento: 4 tazas
Fecha: Febrero de 2008

Ingredientes	Cantidad	Unidad	Método de preparación
Tortillas	16	Pieza	Corta en tiras de $^1/_2$ centímetro las tortillas y fríelas hasta dorar.
Aceite	0.050	ℓ	Escurre perfectamente.
Sal	4	Pizca	Sala perfectamente las tortillas.

Platillos principales

Producto: Huachinango a la veracruzana
Rendimiento: 0.450 kg
Fecha: Febrero de 2008

Ingredientes	Cantidad	Unidad	Método de preparación
Huachinango entero	0.4	kg	Corta el pescado a la mitad a lo largo, limpia el interior, retira las espi-
Limón	2	Pieza	nas y lava.
Sal	3	Pizca	Pica los costados con tenedor y úntalo con limón y sal.
			Deja reposar por media hora. Conserva la cabeza y la cola.
Caldillo de jitomate	1.5	Taza	Cocina por cinco minutos el caldillo con las hierbas.
Orégano	1	Pizca	
Laurel	3	Hojas	
Cebolla	0.5	Pieza	Pela y filetea la cebolla. Coloca el pescado en una fuente, acomoda la
Chiles largos	3	Pieza	cabeza y la cola, cúbrelo con el caldillo de jitomate.
Aceitunas sin hueso	6	Pieza	Adorna con los chiles, aceitunas y cebolla.
			Hornea 25 minutos a fuego medio.

Producto: Menudo
Rendimiento: 3.500 litros
Fecha: Febrero de 2008

Ingredientes	Cantidad	Unidad	Método de preparación
Panza de res	2	kg	Corta en pedazos chicos y lava perfectamente las vísceras.
Cebolla Ajo Sal	½ 5 3	Pieza Dientes Pizca	En marmita cubre el menudo con dos litros de agua. Hierve 30 minutos con ajo, sal y cebolla.
Chile guajillo	3	Pieza	Tuesta, limpia, remoja y muele el chile en 1 ½ tazas de agua.
Epazote	1	Rama	Agrega a la marmita el chile molido y el epazote. Cocina 15 minutos más.

Producto: Pollo al pibil
Rendimiento: 20 piezas
Fecha: Febrero de 2008

Ingredientes	Cantidad	Unidad	Método de preparación
Ajo Naranjas agrias Achiote Sal	15 20 2 10	Dientes Pieza Barrita Pizca	Exprime las naranjas. En caso de no disponer de naranjas agrias, usa otras agregando cinco cucharadas de vinagre. Licúa los ingredientes.
Pollo	20	Pieza	Lava la carne y úntala con la mezcla. Marina al menos por dos horas.
Hojas de plátano	10	Pieza	Pasa por fuego la hoja para suavizarla. Sazona y envuelve el pollo. Hornea 60 minutos.
			Deja enfriar, desmenuza y rectifica el sazón.

Producto: Puerco con calabazas
Rendimiento: 3.000 kilos
Fecha: Febrero de 2008

Ingredientes	Cantidad	Unidad	Método de preparación
Costillas de puerco	3	kg	Cocina la carne en dos tazas con agua. Deja consumir el agua. Deja dorar en su propia grasa.
Calabacitas italiana	10	Pieza	Lava las calabacitas y córtalas en tiras delgadas.
Salsa verde	1½	ℓ	Hierve la salsa verde, agrega las calabazas y la carne. Cocina 10 minutos, hasta que las calabacitas estén tiernas.

Postres

Producto: Alfajor de coco
Rendimiento: 20 piezas
Fecha: Febrero de 2008

Ingredientes	Cantidad	Unidad	Método de preparación
Coco rallado Leche evaporada	8 2	Taza Taza	Licúa el coco con la leche. Vacía la cacerola.
Azúcar Pintura vegetal roja	2 6	Taza Gotas	Cocina la leche, coco y azúcar a fuego vivo, con pala de madera mueve constantemente hasta ver el fondo de la cacerola. Divide la mezcla en dos recipientes, a uno agrega color. Haz círculos de 8 × 1 cm de espesor.

Producto: Arroz con leche
Rendimiento: 1.800 kilos

Fecha: Febrero de 2008

Ingredientes	Cantidad	Unidad	Método de preparación
Arroz	2	Taza	Remoja el arroz en agua fría 15 minutos. Escúrrelo.
Leche Canela raja	1	ℓ	Hierve 20 minutos a fuego bajo la leche con canela y el arroz.
Leche Azúcar Vainilla	1 $^1/_2$ 1	ℓ kg cs	Una vez que el arroz esté cocido, agrega nuevamente leche, vainilla y el azúcar. Cocina 10 minutos, revuelve de vez en cuando.
Pasas	2	cs	Vacía en una copa parfait o en un plato compotero y adorna con pasas. Refrigera.

Producto: Crepas con cajeta
Rendimiento: 24 piezas

Fecha: Febrero de 2008

Ingredientes	Cantidad	Unidad	Método de preparación
Harina Sal Huevo Leche Mantequilla	2 $^1/_2$ 2 2 2	Taza cc Pieza Taza cc	En un tazón de acero inoxidable, cierne la harina, mezcla con la sal, el huevo, la leche y la mantequilla derretida. Bate hasta deshacer los grumos.
Mantequilla	$^1/_2$	Barra Chica	Engrasa ligeramente una sartén de 16 centímetros de diámetro. Con cucharón chico, vierte mezcla y extiéndela, cocina un minuto por lado.

Producto: Dulce de elote
Rendimiento: 1.080 kilos

Fecha: Febrero de 2008

Ingredientes	Cantidad	Unidad	Método de preparación
Grano de elote tierno	3	Taza	Licúa perfectamente el elote.
Leche Canela en raja Azúcar	3 1 1	Taza Pieza Taza	Hierve la leche con la canela y el azúcar siete minutos. Agrega el elote licuado y remueve constantemente hasta cocinar.
Canela en polvo Pasas	1 $^1/_2$	Pizca Taza	Vacía a moldes refractarios individuales. Decora con pasas y canela en polvo. Refrigera.

Producto: Natilla
Rendimiento: 2.700 kilos

Fecha: Febrero de 2008

Ingredientes	Cantidad	Unidad	Método de preparación
Yemas Harina de trigo Leche	8 4 3	Pieza cs ℓ	Mezcla todos los ingredientes. Cocina a fuego alto. Remueve constantemente con pala de madera, retira del fuego hasta que puedas ver el fondo de la cacerola.
Azúcar Esencia de vainilla	$1^1/_2$ 2	Taza cs	Vacía en platos compoteros. Deja enfriar. Refrigera.

Bebidas

Producto: Agua de alfalfa
Rendimiento: 4 litros
Fecha: Febrero de 2008

Ingredientes	Cantidad	Unidad	Método de preparación
Alfalfa	1	Manojo chico	Lava y desinfecta la alfalfa. Corta los limones en octavos.
Azúcar	2	Chico Tazas	Licúa en cuatro litros de agua potable y azúcar. Cuela y deposita en un vitrolero.
Limón sin semilla	2	Pieza	En agua de alfalfa, licúa los limones con cáscara. Cuela y deposita en un vitrolero

Producto: Agua de horchata
Rendimiento: 5 litros
Fecha: Febrero de 2008

Ingredientes	Cantidad	Unidad	Método de preparación
Arroz	1	kg	Remoja el arroz en cuatro litros de agua potable por una hora.
Azúcar	2	Taza	Licúa el agua de arroz con la leche y el azúcar.
Leche evaporada	3	Lata	Cuela con malla fina en el vitrolero.

Producto: Agua de jamaica
Rendimiento: 4 litros
Fecha: Febrero de 2008

Ingredientes	Cantidad	Unidad	Método de preparación
Flor de jamaica	0.150	Kg	Hierve la jamaica cinco minutos.
Azúcar	2	Taza	Cuela, deposita en un vitrolero y completa 4 litros con agua potable. Endulza.

Producto: Mezcla colada
Rendimiento: 1.480 litros
Fecha: Febrero de 2008

Ingredientes	Cantidad	Unidad	Método de preparación
Jugo de piña	1	l	Licúa por un minuto y guarda en refrigeración hasta usarse.
Crema de coco	1	Lata	Tiempo de vida: 72 horas.

Guarniciones

Producto: Arroz blanco
Rendimiento: 2.500 kilos
Fecha: Febrero de 2008

Ingredientes	Cantidad	Unidad	Método de preparación
Arroz	2	Taza	Enjuaga el arroz en agua caliente. Escúrrelo perfectamente.
Cebolla	$1/2$	Pieza	Pica finamente la cebolla y el ajo.
Ajo	4	Dientes	En una cacerola, con el aceite caliente, acitrona la cebolla y el ajo.
Aceite	$1/2$	Taza	Vierte el arroz y dóralo. Escurre el aceite.
Caldo de pollo	1	l	Agrega el caldo, tapa la cacerola y cocina 40 minutos, hasta resecar.

Producto: Cebolla desflemada
Rendimiento: 1.000 kilos
Fecha: Febrero de 2008

Ingredientes	Cantidad	Unidad	Método de preparación
Cebolla morada	3	Pieza	Filetea la cebolla y el chile.
Chile habanero	2	Pieza	
Naranjas agrias	3	Pieza	Agrega el jugo de naranja y el orégano. Sazona.
Orégano	1	cs	
Sal	3	Pizca	

Producto: Frijoles refritos
Rendimiento: 1.200 kilos
Fecha: Febrero de 2008

Ingredientes	Cantidad	Unidad	Método de preparación
Frijol bayo	1	kg	Remoja el frijol al menos dos horas.
Sal	5	Pizca	Cocina en marmita u olla exprés 20 minutos.
			Destapa y agrega la sal. Cocina cinco minutos más.
Cebolla	$1/2$	Pieza	Pica finamente la cebolla y el ajo.
Ajo	2	Dientes	Acitrona la cebolla y el ajo en una sartén con aceite caliente.
Aceite	$1/4$	Taza	Vierte los frijoles y machácalos. Cocina hasta lograr una masa uniforme.

Producto: Guacamole
Rendimiento: 1.500 kilos
Fecha: Febrero de 2008

Ingredientes	Cantidad	Unidad	Método de preparación
Tomates	12	Pieza	Asa los tomates y los chiles. Pela los tomates.
Chile serrano	0.050	kg	
Ajo	4	Dientes	Muele en un molcajete el ajo y los chiles. Sazona.
Sal	4	Pizca	
Aguacate	4	Pieza	Agrega los tomates y el aguacate y sigue moliendo.
Cilantro	10	Ramitas	Lava, desinfecta y pica finamente el cilantro.
Cebolla	2	Pieza	Pela y filete la cebolla. Adorna el guacamole con cilantro y cebolla.

Producto: Totopos
Rendimiento: 0.600 kilos
Fecha: Febrero de 2008

Ingredientes	Cantidad	Unidad	Método de preparación
Tortilla	9	Pieza	Corta la tortilla en octavos y dóralas en aceite. Escurre.
Aceite	$1/4$	Taza	

Salsas

Producto: Cassé de tomate
Rendimiento: 2 litros
Fecha: Febrero de 2008

Ingredientes	Cantidad	Unidad	Método de preparación
Jitomate saladet	3	kg	Escalfa y pela los jitomates.
Ajo	5	Diente	Licúa los jitomates con el ajo y la cebolla.
Cebolla	1	Pieza	
Aceite	0.090	*l*	Vacía lo anterior en la cazuela con aceite caliente.
Sal	5	Pizca	Cocina 20 minutos. Espuma constantemente. Sazona.
Pimienta	2	Pizca	

Producto: Salsa mexicana
Rendimiento: 1.200 kilos
Fecha: Febrero de 2008

Ingredientes	Cantidad	Unidad	Método de preparación
Jitomate	1	kg	Escalfa, pela y pica finamente los jitomates.
Chile serrano	0.050	kg	Pica finamente el chile, la cebolla y el ajo.
Ajo	4	Dientes	Mezcla el jitomate.
Cebolla	1	Pieza	Vacía en una cacerola con aceite y fríe 10 minutos.
Limones	1	Pieza	Exprime el limón. Agrega el orégano y el aceite.
Orégano	1	Pizca	Mezcla perfectamente todos los ingredientes.
Aceite de maíz	2	cs	

Producto: Salsa verde
Rendimiento: 2 litros
Fecha: Febrero de 2008

Ingredientes	Cantidad	Unidad	Método de preparación
Tomates	2	kg	Limpia los tomates. Coloca los tomates y el chile en cacerola.
Chile serrano	0.050	kg	Cubre con agua y hierve cinco minutos.
Ajo	4	Dientes	Licúa los tomates, chile, ajo y cilantro.
Cilantro	6	Ramitas	Vacía en una cacerola y fríe con aceite 10 minutos.
Aceite de maíz	0.060	*l*	

Producto: Salsa roja
Rendimiento: 2 litros
Fecha: Febrero de 2008

Ingredientes	Cantidad	Unidad	Método de preparación
Jitomate	2	kg	Limpia los tomates. Coloca los jitomates y el chile en cacerola.
Chile serrano	0.050	kg	Cubre con agua y hierve cinco minutos.
Ajo	4	Dientes	Licúa los jitomates, chile, ajo y cebolla.
Cebolla	$^1/_4$	Pieza	Vacía en una cacerola y fríe con aceite 10 minutos.
Aceite de maíz	0.060	*l*	

Producto: Pan, tortilla, mantequilla:
Rendimiento: 1 porción
Fecha: Febrero de 2008

Ingredientes	Cantidad	Unidad	Método de preparación
Pan	1	Pieza	Coloca en panera o tortillero.
Tortilla	2	Pieza	Acompaña con dos rebanadas de 0.5 centímetros de mantequilla.
Mantequilla	2	Rebanada	

8.1.4. Estándares de compra

Producto	Marca	Empaque	Presentación	Precio compra	Unidad	Precio unitario
Abarrotes						
Aceite de maíz 4/1 ℓ	La Gloria	Caja	4	$55.90	ℓ	$13.98
Aceite de oliva extra virgen	La Virgen	ℓ	1	$41.90	ℓ	$41.90
Aceitunas s/h (1:60)	La Costeña	Caja	12	$378.00	Pieza	$0.57
Achiote 1:0.100	Tikal	Barra	0.100	$7.00	kg	$70.00
Arroz 25/1 kg	Morelos	Paquete	25	$149.50	kg	$5.98
Azúcar estándar	Central de Abastos	Costal	10	$75.50	kg	$7.55
Cajeta	Coronado	Frasco	0.450	$25.00	kg	$55.56
Canela en polvo	McCormick	Frasco	0.443	$41.90	kg	$94.58
Canela en raja	Central de Abastos	kg	1	$145.00	kg	$145.00
Consomé de pollo	Knorr Suiza	Frasco	3.600	$169.00	kg	$46.94
Chile guajillo	Toone's	Bote	0.900	$110.00	kg	$122.22
Chile pasilla	Toone's	Bote	0.750	$54.00	kg	$72.00
Chile piquín	Toone's	Bote	1.100	$45.00	kg	$40.91
Chiles largos (1.000)	Herdez	Caja	12	$219.00	kg	$18.25
Frijol bayo 5/1 kg	Morelos	Paquete	5	$36.50	kg	$7.30
Habas secas	Morelos	kg	1	$6.50	kg	$6.50
Harina 4/k	San Blas	Paquete	4	$18.00	kg	$4.50
Jugo Maggi 6/0.100	Nestlé	Frasco	6	$76.55	ℓ	$127.58
Laurel (1:120)		Bote	1	$7.00	Hoja	$0.06
Lentejuas	Morelos	Bolsa	1	$7.50	kg	$7.50
Manteca	Inca	kg	1	$11.70	kg	$11.70
Nuez picada	Central de Abastos	kg	1	$68.00	kg	$68.00
Obleas	Central de Abastos	Ciento	100	$15.00	Pieza	$0.15
Orégano	McCormick	Frasco	0.141	$19.90	kg	$141.13
Pasas	Central de Abastos	kg	1	$38.00	kg	$38.00
Pepitas	Central de Abastos	kg	1	$45.00	kg	$45.00
Pimienta blanca	McCormick	Frasco	0.443	$59.90	kg	$135.21
Pintura vegetal roja	McCormick	Frasco	0.120	$5.80	ℓ	$48.33
Sal 3/1 kg	La Fina	Paquete	3	$12.90	kg	$4.30
Salsa inglesa	Crosse & Blackwell	Frasco	0.980	$31.50	ℓ	$32.14
Tequesquite	Granel	kg	1	$8.00	kg	$8.00
Vainilla	Pasa	Frasco	0.250	$15.00	ℓ	$60.00
Bebidas						
Agua de soda natural	Tehuacán	Caja	24	$36.70	Pieza	$1.53
Crema de coco (24/0.480)	Calahua	Caja	24	$407.71	Lata	$16.99
Hielo	Fiesta	Bolsa	82	$15.00	Pieza	$0.18
Jarabe natural (12/1.000)	La Madrileña	Caja	12	$212.00	ℓ	$17.67
Jarabe de tamarindo	Gadi	Botella	1	$18.00	ℓ	$18.00
Jugo de limón	Country Orchard	Botella	0.946	$17.00	ℓ	$17.97
Jugo de naranja 4:1.000	Jumex	Paquete	4	$38.90	ℓ	$9.73
Jugo de piña 4:1.000	Jumex	Paquete	4	$38.90	ℓ	$9.73
Refresco de toronja	Squirt	Paquete	24	$78.51	Lata	$3.27

Producto	Marca	Empaque	Presentación	Precio compra	Unidad	Precio unitario
Bebidas alcohólicas						
Cerveza	Sol, Lagger XX	Caja	20	$138.00	Pieza	$6.90
Brandy	Fundador	Bote	0.750	$156.00	ℓ	$208.00
Licor de naranja	Controy	Bote	0.750	$80.60	ℓ	$107.47
Ron Blanco 12:0750	Bacardí	Caja	12	$874.00	ℓ	$97.11
Tequila 12:0750	Don Julio	Caja	12	$2 926.00	ℓ	$243.83
Tequila 12:0750	Jimador	Caja	12	$1 660.00	ℓ	$138.33
Cárnicos						
Filete Choice	Sanitaria	Paquete	1	$150.00	kg	$150.00
Costillas de puerco	Sanitaria	kg	1	$47.00	kg	$47.00
Chicharrón	Sanitaria	kg	1	$140.00	kg	$140.00
Filete de pescado sierra	La Viga	kg	1	$80.00	kg	$80.00
Huachinango entero	La Viga	kg	1	$70.00	kg	$70.00
Hueso de jamón	Sanitaria	kg	1	$20.00	kg	$20.00
Ostiones	La Viga	Costal	210	$235.00	Pieza	$1.12
Panza de res	Sanitaria	kg	1	$25.00	kg	$25.00
Pechuga de pollo ± 2.000	Pilgrim's	Paquete	6	$134.00	Pieza	$22.33
Pollo (pierna o muslo)	Pilgrim's	Paquete	12	$78.00	Pieza	$6.50
Lácteos						
Crema ácida 3/.450 kg	Alpura	Paquete	1.350	$33.45	ℓ	$24.78
Huevo rojo 90 piezas	Bachoco	Caja	90	$65.50	Pieza	$0.73
Leche 12/1 ℓ	Alpura 2000	Caja	12	$98.70	ℓ	$8.23
Leche evaporada 8/.410	Carnation	Paquete	3.280	$53.39	ℓ	$16.28
Mantequilla	Iberia	Paquete	1.000	$49.50	kg	$49.50
Queso añejo	Alpura	Paquete	2.000	$74.00	kg	$37.00
Queso manchego	Nochebuena	Paquete	2.000	$169.00	kg	$84.50
Queso Oaxaca	Alpura	Paquete	2.000	$78.50	kg	$39.25
Queso panela	Covadonga	Paquete	1.000	$64.90	kg	$64.90
Requesón	Alpura	Paquete	1	$25.00	kg	$25.00
Panes y creales						
Chalupas 1:20	Central de Abastos	Paquete	1	$4.50	Pieza	$0.23
Galleta salada 1:24	Saladitas Gamesa	Caja	200	$56.90	Paquete	$0.28
Masa de maíz	Las Hijas del Maíz	kg	1	$4.00	kg	$4.00
Peneques	Central Abastos	Pieza	1	$1.00	Pieza	$1.00
Bolillo	La Hacienda	Pieza	1	$1.00	Pieza	$1.00
Tortillas chicas (1.000:35)	Las Hijas del Maíz	kg	1	$9.00	Pieza	$0.26
Tortillas (1.000:25	Las Hijas del Maíz	kg	1	$8.50	Pieza	$0.34

Producto	Marca	Empaque	Presentación	Precio compra	Unidad	Precio unitario
Vegetales y frutas						
Aguacate (1:4)	Central de Abastos	Caja	4	$36.00	Pieza	$9.00
Ajo (1:10:15)	Central de Abastos	Red	10	$20.00	Diente	$0.13
Alfalfa	Central de Abastos	Manojo	1.500	$6.50	kg	$4.33
Calabacitas	Central de Abastos	Caja	3	$24.00	kg	$8.00
Cebolla (1.000:3)	Central de Abastos	Costal	18	$144.00	kg	$8.00
Cebolla morada (1.000:3)	Central de Abastos	Costal	6	$54.00	kg	$9.00
Cilantro (1:1.400)	Central de Abastos	Manojo	1	$7.00	kg	$5.00
Chile cuaresmeño	Central de Abastos	Caja	5	$225.00	kg	$45.00
Chile habanero	Central de Abastos	Caja	5	$153.50	kg	$30.70
Chile poblano 1:4	Central de Abastos	Caja	3	$45.00	kg	$15.00
Chile serrano	Central de Abastos	kg	1	$29.00	kg	$29.00
Coco rallado	Central de Abastos	kg	1	$39.00	kg	$39.00
Epazote (1:0.400:14)	Central de Abastos	Manojo	0.400	$5.00	kg	$12.50
Flor de calabaza 1:0.800	Central de Abastos	Manojo	0.800	$5.00	kg	$6.25
Flor de jamaica	Central de Abastos	kg	1	$58.00	kg	$58.00
Grano de elote tierno	Central de Abastos	kg	1	$17.00	kg	$17.00
Hojas de plátano (1:18)	Central de Abastos	Caja	2	$70.00	Hoja	$1.94
Hojas verdes de elote	Central de Abastos	Paquete	36	$10.00	Hoja	$0.28
Jitomate saladet (1:8)	Central de Abastos	Caja	10	$92.00	kg	$9.20
Limón (12/1.000)	Central de Abastos	Caja	10	$70.00	Pieza	$0.58
Naranja	Central de Abastos	Postal	144	$58.00	Pieza	$0.40
Naranjas agrias	Central de Abastos	Postal	144	$95.00	Pieza	$0.66
Papa alfa (1:4)	Central de Abastos	Paja	5	$40.00	kg	$8.00
Piña	Central de Abastos	Pieza	1	$12.00	kg	$12.00
Rabanitos (1:15)	Central de Abastos	Manojo	2	$20.00	Pieza	$0.67
Tomate verde	Central de Abastos	Caja	5	$20.00	kg	$4.00
Zanahoria (1:8)	Central de Abastos	Caja	5	$28.00	kg	$0.70

8.1.5. Recetas estándar básicas

Entradas

Producto: Ceviche
Rendimiento: Una porción

Fecha: Febrero de 2008
Elaboró: Gerencia operaciones

Ingredientes	Cantidad	Unidad	Costo unitario	Costo total	Precio de venta	$39.13
Base ceviche	0.25	kg	$34.80	$8.70	**% costo**	**32.06**
Aceite de oliva	0.04	ℓ	$41.90	$1.68		
Aguacate	0.17	Pieza	$9.00	$1.53		
Cilantro 70%	0.01	kg	$5.00	$0.07		
Galleta salada	2	Paquete	$0.28	$0.57		

$12.55

Producto: Corundas   Fecha: Febrero de 2008
Rendimiento: Una porción   Elaboró: Gerencia operaciones

Ingredientes	Cantidad	Unidad	Costo unitario	Costo total	Precio de venta	$24.35
Corundas	2	Pieza	$0.99	$1.98	% costo	14.4
Salsa roja	0.06	ℓ	$25.43	$1.53		
				$3.51		

Producto: Chalupas de pollo   Fecha: Febrero de 2008
Rendimiento: Una porción   Elaboró: Gerencia operaciones

Ingredientes	Cantidad	Unidad	Costo unitario	Costo total	Precio de venta	$28.70
Chalupa 80%	2	Pieza	$0.23	$0.56	% costo	11.9
Aceite	0.02	ℓ	$13.98	$0.28		
Cubitos papa fritos	0.02	kg	$11.43	$0.23		
Pechuga	0.03	kg	$43.34	$1.30		
Mezcla para chalupas	0.02	kg	$34.01	$0.68		
Salsa verde o roja	0.04	ℓ	$9.16	$0.37		
				$3.42		

Producto: Papatzules   Fecha: Febrero de 2008
Rendimiento: Una porción   Elaboró: Gerencia operaciones

Ingredientes	Cantidad	Unidad	Costo unitario	Costo total	Precio de venta	$30.43
Tortillas chicas	3	Pieza	$0.26	$0.77	% costo	16.6
Aceite	0.06	ℓ	$13.98	$0.84		
Crema de pepita	0.06	kg	$39.58	$2.37		
Huevo	1	Pieza	$0.73	$0.73		
Cassé de tomate	0.02	ℓ	$17.32	$0.35		
				$5.06		

Producto: Peneques   Fecha: Febrero de 2008
Rendimiento: Una porción   Elaboró: Gerencia operaciones

Ingredientes	Cantidad	Unidad	Costo unitario	Costo total	Precio de venta	$23.48
Peneques	2	Pieza	$1.00	$2.00	% costo	21.1
Requesón	0.06	kg	$25.00	$1.50		
Harina	0.02	kg	$4.50	$0.09		
Huevo	0.5	Pieza	$0.73	$0.36		
Manteca	0.06	kg	$11.70	$0.70		
Caldillo de jitomate	0.06	ℓ	$4.97	$0.30		
				$4.95		

Sopas

	Producto:	Caldo de queso			Fecha:	Febrero de 2008	
	Rendimiento:	Una porción			Elaboró:	Gerencia operaciones	

Ingredientes	Cantidad	Unidad	Costo unitario	Costo total	Precio de venta	$36.52
Queso manchego	0.10	kg	$84.50	$8.45	% costo	33.8
Base caldo de queso	0.25	*l*	$15.58	$3.90		
Pan y mantequilla	1.25	*l*	$4.32	$5.39		
				$12.35		

	Producto:	Sopa de flor de calabaza			Fecha:	Febrero de 2008	
	Rendimiento:	Una porción			Elaboró:	Gerencia operaciones	

Ingredientes	Cantidad	Unidad	Costo unitario	Costo total	Precio de venta	$30.43
Sopa de flor de calabaza	0.25	*l*	$46.19	$11.55	% costo	37.9
				$11.55		

	Producto:	Sopa de habas			Fecha:	Febrero de 2008	
	Rendimiento:	Una porción			Elaboró:	Gerencia operaciones	

Ingredientes	Cantidad	Unidad	Costo unitario	Costo total	Precio de venta	$26.09
Sopa de habas	0.25	*l*	$14.36	$3.59	% costo	14.0
Cilantro 70%	0.01	kg	$5.00	$0.05		
				$3.64		

	Producto:	Sopa de lentejas			Fecha:	Febrero de 2008	
	Rendimiento:	Una porción			Elaboró:	Gerencia operaciones	

Ingredientes	Cantidad	Unidad	Costo unitario	Costo total	Precio de venta	$27.83
Sopa de lentejas	0.25	*l*	$14.41	$3.60	% costo	12.9
				$3.60		

	Producto:	Sopa de tortilla			Fecha:	Febrero de 2008	
	Rendimiento:	Una porción			Elaboró:	Gerencia operaciones	

Ingredientes	Cantidad	Unidad	Costo unitario	Costo total	Precio de venta	$33.04
Tortillas doradas	0.06	kg	$17.72	$1.06	% costo	28.0
Caldillo de jitomate	0.25	*l*	$4.97	$1.24		
Crema leche	0.02	*l*	$24.78	$0.50		
Aguacate	0.125	Pieza	$9.00	$1.13		
Queso Oaxaca	0.02	kg	$39.25	$0.79		
Chile pasilla	0.02	kg	$72.00	$1.44		
Chicharrón 90%	0.02	kg	$155.56	$3.11		
				$9.26		

Platillos principales

Producto: Huachinango a la veracruzana   Fecha: Febrero de 2008
Rendimiento: Una porción   Elaboró: Gerencia operaciones

Ingredientes	Cantidad	Unidad	Costo unitario	Costo total	Precio de venta	$113.04
Huachinango a la veracruzana	1	Porción	$37.22	$37.22	**% costo**	**38.4**
Arroz blanco	0.2	kg	$3.72	$0.74		
Pan y mantequilla	1.25	*l*	$4.32	$5.39		
				$43.36		

Producto: Menudo   Fecha: Febrero de 2008
Rendimiento: Una porción   Elaboró: Gerencia operaciones

Ingredientes	Cantidad	Unidad	Costo unitario	Costo total	Precio de venta	$65.22
Menudo	0.35	*l*	$22.00	$7.70	**% costo**	**24.0**
Limón	1	Pieza	$0.58	$0.035		
Orégano	0.01	kg	$141.13	$1.41		
Chile piquín	0.01	kg	$40.91	$0.41		
Cebolla 90%	0.04	kg	$8.00	$0.40		
Pan y mantequilla	1.25	*l*	$4.32	$5.39		
				$15.67		

Producto: Pollo al pibil   Fecha: Febrero de 2008
Rendimiento: Una porción   Elaboró: Gerencia operaciones

Ingredientes	Cantidad	Unidad	Costo unitario	Costo total	Precio de venta	$69.57
Pollo al pibil	1	Porción	$17.87	$17.87	**% costo**	**34.6**
Cebollas desflemada	0.060	kg	$13.48	$0.81		
Pan y mantequilla	1.25	*l*	$4.32	$5.39		
				$24.08		

Producto: Puerco con calabazas   Fecha: Febrero de 2008
Rendimiento: Una porción   Elaboró: Gerencia operaciones

Ingredientes	Cantidad	Unidad	Costo unitario	Costo total	Precio de venta	$56.52
Puerco con calabazas	0.3	kg	$18.18	$5.45	**% costo**	**22.6**
Frijoles refritos	0.08	kg	$7.60	$0.61		
Totopos	0.04	kg	$0.25	$0.01		
Queso panela	0.02	kg	$64.90	$1.30		
Pan y mantequilla	1.25	*l*	$4.32	$5.39		
				$12.76		

Producto: Tampiqueña
Rendimiento: Una porción

Fecha: Febrero de 2008
Elaboró: Gerencia operaciones

Ingredientes	Cantidad	Unidad	Costo unitario	Costo total	Precio de venta	$104.35
Tampiqueña 93%	0.180	kg	$161.29	$29.03	% costo	32.1
Tortilla	2	Pieza	$0.34	$0.68		
Aceite	0.02	ℓ .	$13.98	$0.28		
Salsa verde	0.1	ℓ	$5.61	$0.56		
Cebolla 90%	0.02	kg	$8.00	$0.16		
Frijoles refritos	0.08	kg	$7.60	$0.61		
Totopos	0.04	kg	$0.25	$0.01		
Queso panela	0.02	kg	$64.90	$1.30		
Guacamole	0.1	kg	$8.66	$0.87		
Pan y mantequilla	1.25	ℓ	$4.32	$5.39		

$33.49

Postres

Producto: Alfajor de coco
Rendimiento: Una porción

Fecha: Febrero de 2008
Elaboró: Gerencia operaciones

Ingredientes	Cantidad	Unidad	Costo unitario	Costo total	Precio de venta	$30.43
Alfajor preparado	2	Pieza	$2.43	$4.87	% costo	2.4
Obleas	4	Pieza	$0.15	$0.60		
Pepitas	0.02	kg	$45.00	$0.90		

$6.37

Producto: Arroz con leche
Rendimiento: Una porción

Fecha: Febrero de 2008
Elaboró: Gerencia operaciones

Ingredientes	Cantidad	Unidad	Costo unitario	Costo total	Precio de venta	$28.70
Arroz con leche	0.18	kg	$3.98	$0.72	% costo	2.5

$0.72

Producto: Crepas con cajeta Fecha: Febrero de 2008
Rendimiento: Una porción Elaboró: Gerencia operaciones

Ingredientes	Cantidad	Unidad	Costo unitario	Costo total	Precio de venta	$39.13
Crepa	3	Pieza	$0.52	$1.56	% costo	36.3
Cajeta	0	kg	$55.56	$3.33		
Mantequilla	0	kg	$49.50	$0.99		
Naranja	1	Pieza	$0.40	$0.40		
Azúcar	0.04	kg	$7.55	$0.30		
Brandy	0.03	ℓ	$208.00	$6.24		
Nuez picada	0.02	kg	$68.00	$1.36		
				$14.19		

Producto: Dulce de elote Fecha: Febrero de 2008
Rendimiento: Una porción Elaboró: Gerencia operaciones

Ingredientes	Cantidad	Unidad	Costo unitario	Costo total	Precio de venta	$26.09
Dulce de elote	0.18	kg	$22.73	$4.09	% costo	15.7
				$4.09		

Producto: Natilla Fecha: Febrero de 2008
Rendimiento: Una porción Elaboró: Gerencia operaciones

Ingredientes	Cantidad	Unidad	Costo unitario	Costo total	Precio de venta	$33.04
Natilla	0.18	kg	$12.25	$2.20	% costo	7.5
Canela en polvo	0.005	kg	$55.56	$0.28		
				$2.48		

Bebidas

Producto: Agua de alfalfa Fecha: Febrero de 2008
Rendimiento: Una porción Elaboró: Gerencia operaciones

Ingredientes	Cantidad	Unidad	Costo unitario	Costo total	Precio de venta	$19.13
Hielo	3	Pieza	$0.18	$0.55	% costo	7.1
Agua de alfalfa	0.3	ℓ	$2.67	$0.80		
				$1.35		

Producto: Agua de horchata
Rendimiento: Una porción

Fecha: Febrero de 2008
Elaboró: Gerencia operaciones

Ingredientes	Cantidad	Unidad	Costo unitario	Costo total	Precio de venta	$19.13
Hielo	3	Pieza	$0.18	$0.55	% costo	28.1
Agua de horchata	0.3	ℓ	$14.51	$4.35		
Canela en polvo	0	kg	$94.58	$0.47		
				$5.37		

Producto: Agua de jamaica
Rendimiento: Una porción

Fecha: Febrero de 2008
Elaboró: Gerencia operaciones

Ingredientes	Cantidad	Unidad	Costo unitario	Costo total	Precio de venta	$19.13
Hielo	3	Pieza	$0.18	$0.55	% costo	7.5
Agua de jamaica	0.3	ℓ	$2.93	$0.88		
				$1.43		

Producto: Limonada
Rendimiento: Una porción

Fecha: Febrero de 2008
Elaboró: Gerencia operaciones

Ingredientes	Cantidad	Unidad	Costo unitario	Costo total	Precio de venta	$22.61
Hielo	3	Cubos	$0.18	$0.55	% costo	16.5
Jugo de limón	0.015	ℓ	$17.97	$0.27		
Jarabe natural	0	ℓ	$17.67	$0.53		
Agua soda o natural	1	Botella	$1.53	$1.53		
Piña Garnitura 70%	0.05	kg	$12.00	$0.86		
				$3.73		

Producto: Margarita frozen
Rendimiento: Una porción

Fecha: Febrero de 2008
Elaboró: Gerencia operaciones

Ingredientes	Cantidad	Unidad	Costo unitario	Costo total	Precio de venta	$65.22
Tequila blanco	0	ℓ	$138.33	$12.45	% costo	25.0
Jugo de limón	0.015	ℓ	$17.97	$0.27		
Controy	0.015	ℓ	$107.47	$1.61		
Sal	0.02	kg	$4.30	$0.09		
Jarabe de tamarindo	0.045	ℓ	$18.00	$0.81		
Hielos	6	Pieza	$0.18	$1.10		
				$16.33		

Producto: Michelada cubana Fecha: Febrero de 2008
Rendimiento: Una porción Elaboró: Gerencia operaciones

Ingredientes	Cantidad	Unidad	Costo unitario	Costo total	Precio de venta	$30.43
Sal	0.02	kg	$4.30	$0.09	% costo	30.9
Hielo	3	Cubos	$0.18	$0.55		
Jugo de limón	0.015	ℓ	$17.97	$0.27		
Jugo maggi	0.01	ℓ	$127.58	$1.28		
Salsa inglesa	0.01	ℓ	$32.14	$0.32		
Cerveza	1	Pieza	$6.90	$6.90		
				$9.40		

Producto: Naranjada Fecha: Febrero de 2008
Rendimiento: Una porción Elaboró: Gerencia operaciones

Ingredientes	Cantidad	Unidad	Costo unitario	Costo total	Precio de venta	$22.61
Hielo	3	Cubos	$0.18	$0.55	% costo	19.2
Jugo de naranja	0.09	ℓ	$9.73	$0.88		
Jarabe natural	0.03	ℓ	$17.67	$0.53		
Agua soda o natural	1	Botella	$1.53	$1.53		
Piña garnitura 70%	0.05	kg	$12.00	$0.86		
				$4.34		

Producto: Paloma Fecha: Febrero de 2008
Rendimiento: Una porción Elaboró: Gerencia operaciones

Ingredientes	Cantidad	Unidad	Costo unitario	Costo total	Precio de venta	$52.17
Tequila reposado	0.045	l	$243.83	$10.97	% costo	28.8
Refresco de toronja	1	Pieza	$3.27	$3.27		
Limón	0.33	Pieza	$0.58	$0.19		
Sal	0.01	kg	$4.30	$0.04		
Hielo	3	Cubos	$0.18	$0.55		
				$15.03		

Producto: Piña colada Fecha: Febrero de 2008
Rendimiento: Una porción Elaboró: Gerencia operaciones

Ingredientes	Cantidad	Unidad	Costo unitario	Costo total	Precio de venta	$43.48
Hielo	5	Pieza	$0.18	$0.91	% costo	18.9
Ron blanco	0.045	ℓ	$97.11	$4.37		
Mezcla colada	0.060	ℓ	$18.05	$1.08		
Leche evaporada	0.06	ℓ	$16.28	$0.98		
Piña Garnitura 70%	0.05	kg	$12.00	$0.86		
				$8.20		

8.1.6. Recetas estándar complementarias

Entradas

Producto: Base ceviche   Fecha: Febrero de 2008
Rendimiento: 3.000 kilos   Elaboró: Gerencia operaciones

Ingredientes	Cantidad	Unidad	Costo unitario	Costo total	Rendimiento	3.000
Ostiones	6	Docena	$1.12	$6.71	**costo**	**$34.80**
Filete de pescado sierra	1.000	kg	$80.00	$80.00		
Limón	20	Pieza	$0.58	$11.67		
Salsa mexicana	0.4	kg	$11.45	$4.58		
Sal	0.02	kg	$4.30	$0.09		
Pimienta	0.01	kg	$135.21	$1.35		

$104.40

Producto: Corundas   Fecha: Febrero de 2008
Rendimiento: 20 piezas   Elaboró: Gerencia operaciones

Ingredientes	Cantidad	Unidad	Costo unitario	Costo total	Rendimiento	20
Tequesquite	0.010	kg	$8.00	$0.08	**costo**	**$0.99**
Leche	0.1	ℓ	$8.23	$0.82		
Manteca	0.4	kg	$11.70	$4.68		
Masa de maíz 93%	2	kg	$4.00	$8.60		
Sal	0.015	kg	$4.30	$0.06		
Hojas verdes de elote	20	Pieza	$0.28	$5.56		

$19.80

Producto: Crema de pepita   Fecha: Febrero de 2008
Rendimiento: 0.700 kilos   Elaboró: Gerencia operaciones

Ingredientes	Cantidad	Unidad	Costo unitario	Costo total	Rendimiento	0.700
Pepitas	0.500	kg	$45.00	$22.50	**costo**	**$39.58**
Epazote 70%	0.030	kg	$12.50	$0.54		
Chile habanero	0.15	kg	$30.70	$4.61		
Sal	0.015	kg	$4.30	$0.06		

$27.71

Producto: Cubitos de papa fritos
Rendimiento: 0.900 kilos
Fecha: Febrero de 2008
Elaboró: Gerencia operaciones

Ingredientes	Cantidad	Unidad	Costo unitario	Costo total	Rendimiento	0.900
Papa alfa 90%	1	kg	$8.00	$8.89	costo	$11.43
Aceite	0.100	ℓ	$13.98	$1.40		
				$10.29		

Producto: Mezcla para chalupas
Rendimiento: 0.400 kilos
Fecha: Febrero de 2008
Elaboró: Gerencia operaciones

Ingredientes	Cantidad	Unidad	Costo unitario	Costo total	Rendimiento	0.40
Queso anejo 95%	0.200	kg	$37.00	$7.79	costo	$34.01
Cebolla 85%	0.170	kg	$8.00	$1.60		
Rabanitos	6	Pieza	$0.67	$4.00		
Cilantro 70%	0.030	kg	$5.00	$0.21		
				$13.60		

Producto: Pechuga deshebrada
Rendimiento: 2.100 kilos
Fecha: Febrero de 2008
Elaboró: Gerencia operaciones

Ingredientes	Cantidad	Unidad	Costo unitario	Costo total	Rendimiento	2.10
Pechuga de pollo	4	Pieza	$22.33	$89.33	costo	$43.34
Cebolla 85%	0.170	kg	$8.00	$1.60		
Sal	0.02	kg	$4.30	$0.09		
				91.02		

Sopas

Producto: Base para caldo de queso
Rendimiento: 1.700 litros
Fecha: Febrero de 2008
Elaboró: Gerencia operaciones

Ingredientes	Cantidad	Unidad	Costo unitario	Costo total	Rendimiento	1.70
Papa alfa 90%	0.5	kg	$8.00	$4.44	costo	$15.58
Aceite	0.040	ℓ	$13.98	$0.56		
Chile cuaresmeño	0.3	kg	$45.00	$13.50		
Caldillo de jitomate	1.600	l	$4.97	$7.95		
Sal	0.01	kg	$4.30	$0.04		
				$26.49		

Producto: Caldillo de jitomate   Fecha: Febrero de 2008
Rendimiento: 2.00 litros   Elaboró: Gerencia operaciones

Ingredientes	Cantidad	Unidad	Costo unitario	Costo total	Rendimiento	2.00
Cassé de tomate	0.400	*l*	$17.32	$6.93	**costo**	**$4.97**
Caldo de pollo	1.600	*l*	$1.88	$3.00		
				$9.93		

Producto: Caldo de pollo   Fecha: Febrero de 2008
Rendimiento: 5.000 litros   Elaboró: Gerencia operaciones

Ingredientes	Cantidad	Unidad	Costo unitario	Costo total	Rendimiento	5.00
Consomé de pollo	0.200	kg	$46.94	$9.39	**costo**	**$1.88**
				$9.39		

Producto: Sopa de flor de calabaza   Fecha: Febrero de 2008
Rendimiento: 1.600 litros   Elaboró: Gerencia operaciones

Ingredientes	Cantidad	Unidad	Costo unitario	Costo total	Rendimiento	1.60
Elote	3	Pieza	$17.00	$51.00	**costo**	**$46.19**
Sal	0.010	kg	$4.30	$0.04		
Chile poblano	0.75	kg	$15.00	$11.25		
Aceite	0.10	*l*	$13.98	$1.40		
Cebolla 85%	0.175	kg	$8.00	$1.65		
Ajo	3	Diente	$0.13	$0.40		
Flor de calabaza	0.800	kg	$6.25	$5.00		
Epazote A154%	0.02	kg	$12.50	$0.36		
Caldo de pollo	1.5	*l*	$1.88	$2.82		
				$73.91		

Producto: Sopa de habas   Fecha: Febrero de 2008
Rendimiento: 2.200 litros   Elaboró: Gerencia operaciones

Ingredientes	Cantidad	Unidad	Costo unitario	Costo total	Rendimiento	2.00
Habas secas	0.4	kg	$6.50	$2.60	**costo**	**$14.36**
Consomé de pollo	1.000	*l*	$1.88	$1.88		
Casé de tomate	1.400	*l*	$17.32	$24.25		
				$28.73		

Producto: Sopa de lentejas
Rendimiento: 2.200 litros
Fecha: Febrero de 2008
Elaboró: Gerencia operaciones

Ingredientes	Cantidad	Unidad	Costo unitario	Costo total	Rendimiento	2.20
Lentejas	0.200	kg	$7.50	$1.50	costo	$14.41
Cebolla 85%	0.17	kg	$8.00	$1.60		
Ajo	2	Diente	$0.13	$0.27		
Aceite	0.04	ℓ	$13.98	$0.56		
Zanahoria 95%	0	kg	$0.70	$0.09		
Caldo de pollo	2	ℓ	$1.88	$3.76		
Sal	0.06	kg	$4.30	$0.26		
Laurel	4	Hoja	$0.06	$0.23		
Hueso jamón	1	Pieza	$20.00	$20.00		
Piña	0.200	kg	$12.00	$3.43		

$31.69

Producto: Tortillas doradas
Rendimiento: 0.350 kilos
Fecha: Febrero de 2008
Elaboró: Gerencia operaciones

Ingredientes	Cantidad	Unidad	Costo unitario	Costo total	Rendimiento	0.35
Tortillas	16	Pieza	$0.34	$5.44	costo	$17.72
Aceite	0.050	ℓ	$13.98	$0.70		
Sal	0.015	kg	$4.30	$0.06		

$6.20

Platillos principales

Producto: Huachinango a la veracruzana
Rendimiento: 1 porción
Fecha: Febrero de 2008
Elaboró: Gerencia operaciones

Ingredientes	Cantidad	Unidad	Costo unitario	Costo total	Rendimiento	1
Huachinango entero	0.400	kg	$70.00	$28.00	costo	$37.22
Limón	0.165	kg	$0.58	$0.10		
Sal	0.01	kg	$4.30	$0.04		
Caldillo de jitomate	0.375	ℓ	$4.97	$1.86		
Orégano	0.01	kg	$141.13	$1.41		
Laurel	4	Hoja	$0.06	$0.23		
Cebolla 85%	0.15	kg	$8.00	$1.41		
Chiles largos	0.04	kg	$18.25	$0.73		
Aceitunas sin hueso	6	Pieza	$0.57	$3.44		

$37.22

Producto: Menudo
Rendimiento: 3.500 litros

Fecha: Febrero de 2008
Elaboró: Gerencia operaciones

Ingredientes	Cantidad	Unidad	Costo unitario	Costo total	Rendimiento	3.50
Panza de res	2	kg	$25.00	$50.00	**costo**	**$22.00**
Cebolla 85%	0.165	kg	$8.00	$1.55		
Ajo	5	Diente	$0.13	$0.67		
Sal	0.015	kg	$4.30	$0.06		
Chile guajillo	0	kg	$122.22	$12.22		
Epazote	1	Rama	$12.50	$12.50		
				$77.01		

Producto: Pollo al pibil
Rendimiento: 10 porciones

Fecha: Febrero de 2008
Elaboró: Gerencia operaciones

Ingredientes	Cantidad	Unidad	Costo unitario	Costo total	Rendimiento	10
Ajo	15	Diente	$0.13	$2.00	**costo**	**$17.87**
Naranjas agrias	20	Pieza	$0.66	$13.19		
Achiote	0.200	kg	$70.00	$14.00		
Sal	12	kg	$4.30	$11.00		
Pollo	20	Pieza	$6.50	$130.00		
Hojas de plátano	10	Pieza	$1.99	$19.44		
				$178.75		

Producto: Puerco con calabazas
Rendimiento: 10 porciones

Fecha: Febrero de 2008
Elaboró: Gerencia operaciones

Ingredientes	Cantidad	Unidad	Costo unitario	Costo total	Rendimiento	10
Costilla de puerco 90%	3	kg	$47.00	$156.67	**costo**	**$18.18**
Calabacitas	2	kg	$8.00	$16.00		
Frijoles refritos	0.06	kg	$7.60	$0.46		
Totopos	1	Porción	$0.25	$0.25		
Salsa verde	1.5	ℓ	$5.61	$8.42		
				$181.79		

Postres

Producto: Alfajor de coco Fecha: Febrero de 2008
Rendimiento: 20 piezas Elaboró: Gerencia operaciones

Ingredientes	Cantidad	Unidad	Costo unitario	Costo total	Rendimiento	20
Coco rallado	1	kg	$39.00	$39.00	costo	$2.43
Leche avaporada	0.4	ℓ	$16.28	$6.51		
Azúcar	0.4	kg	$7.55	$3.02		
Pintura vegetal rojo	0.003	ℓ	$48.33	$0.15		
				$48.68		

Producto: Arroz con leche Fecha: Febrero de 2008
Rendimiento: 10 porciones Elaboró: Gerencia operaciones

Ingredientes	Cantidad	Unidad	Costo unitario	Costo total	Rendimiento	10
Arroz	0.400	kg	$5.98	$2.39	costo	$3.98
Leche	2	ℓ	$8.23	$16.45		
Canela en raja	0.100	kg	$145.00	$14.50		
Azúcar	0.500	kg	$7.55	$3.78		
Vainilla	0.020	ℓ	$60.00	$1.20		
Pasas	0.040	kg	$38.00	$1.52		
				$39.84		

Producto: Crepas Fecha: Febrero de 2008
Rendimiento: 24 piezas Elaboró: Gerencia operaciones

Ingredientes	Cantidad	Unidad	Costo unitario	Costo total	Rendimiento	24
Harina	0.400	kg	$4.50	$1.80	costo	$0.52
Sal	0.005	kg	$4.30	$0.02		
Huevo	2	Pieza	$0.73	$1.46		
Leche	0.400	ℓ	$8.23	$3.29		
Mantequilla	0.120	kg	$49.50	$5.94		
				$12.51		

Producto: Dulce de elote   Fecha: Febrero de 2008
Rendimiento: 1.400 kilos   Elaboró: Gerencia operaciones

Ingredientes	Cantidad	Unidad	Costo unitario	Costo total	Rendimiento	1.40
Grano de elote	0.400	kg	$17.00	$6.80	**costo**	**$22.73**
Leche	1	ℓ	$8.23	$4.94		
Canela en raja	0.100	kg	$145.00	$14.50		
Azúcar	0.200	kg	$7.55	$1.51		
Canela en polvo	0.003	kg	$94.58	$0.28		
Pasas	0.100	kg	$38.00	$3.80		
				$31.83		

Producto: Natilla   Fecha: Febrero de 2008
Rendimiento: 2.900 kilos   Elaboró: Gerencia operaciones

Ingredientes	Cantidad	Unidad	Costo unitario	Costo total	Rendimiento	2.900
Yemas	8	Pieza	$0.73	$5.82	**costo**	**$12.25**
Harina de trigo	0.080	kg	$4.50	$0.36		
Leche	3	ℓ	$8.23	$24.68		
Azúcar	0.300	kg	$7.55	$2.27		
Esencia de vainilla	0.040	ℓ	$60.00	$2.40		
				$35.52		

Bebidas

Producto: Agua de alfalfa   Fecha: Febrero de 2008
Rendimiento: 4 litros   Elaboró: Gerencia operaciones

Ingredientes	Cantidad	Unidad	Costo unitario	Costo total	Rendimiento	4.000
Alfalfa	1.5	kg	$4.33	$6.50	**costo**	**$2.67**
Azúcar	0.400	kg	$7.55	$3.02		
Limón	2	Pieza	$0.58	$1.17		
				$10.69		

Producto: Agua de horchata   Fecha: Febrero de 2008
Rendimiento: 5 litros   Elaboró: Gerencia operaciones

Ingredientes	Cantidad	Unidad	Costo unitario	Costo total	Rendimiento	2.00
Arroz	1	kg	$5.98	$5.98	**costo**	**$14.51**
Azúcar	0.400	kg	$7.55	$3.02		
Leche evaporada	1.230	ℓ	$16.28	$20.02		
				$29.02		

Producto: Agua de jamaica   Fecha: Febrero de 2008
Rendimiento: 4 litros   Elaboró: Gerencia operaciones

Ingredientes	Cantidad	Unidad	Costo unitario	Costo total	Rendimiento	4.000
Flor de jamaica	0.150	kg	$58.00	$8.70	**costo**	**$2.93**
Azúcar	0.4	kg	$7.55	$3.02		
				$11.72		

Producto: Mezcla colada   Fecha: Febrero de 2008
Rendimiento: 1.480 litros   Elaboró: Gerencia operaciones

Ingredientes	Cantidad	Unidad	Costo unitario	Costo total	Rendimiento	1.480
Jugo de piña	1	ℓ	$9.73	$9.73	**costo**	**$18.05**
Crema de oco	1	Lata	$16.99	$16.99		
				$26.71		

Guarniciones

Producto: Arroz blanco   Fecha: Febrero de 2008
Rendimiento: 2.500 kilos   Elaboró: Gerencia operaciones

Ingredientes	Cantidad	Unidad	Costo unitario	Costo total	Rendimiento	2.500
Arroz	0.4	kg	$5.98	$2.39	**costo**	**$3.72**
Cebolla 85%	0.33	kg	$8.00	$3.11		
Ajo	4	Diente	$0.13	$0.53		
Aceite	0.100	ℓ	$13.98	$1.40		
Caldo de pollo	1	ℓ	$1.88	$1.88		
				$9.31		

Producto: Cebolla desflemada   Fecha: Febrero de 2008
Rendimiento: 1.200 kilos   Elaboró: Gerencia operaciones

Ingredientes	Cantidad	Unidad	Costo unitario	Costo total	Rendimiento	1.200
Cebolla morada 85%	1.000	kg	$9.00	$10.59	**costo**	**13.48**
Chile habanero	0.070	kg	$30.70	$2.15		
Naranjas agrias	3	Pieza	$0.66	$1.98		
Orégano	0.010	kg	$141.13	$1.41		
Sal	0.010	kg	$4.30	$0.04		
				$16.17		

Producto: Frijoles refritos   Fecha: Febrero de 2008
Rendimiento: 1.300 kilos   Elaboró: Gerencia operaciones

Ingredientes	Cantidad	Unidad	Costo unitario	Costo total	Rendimiento	1.300
Frijol bayo	1	kg	$7.30	$7.30	**costo**	**$7.60**
Sal	0.015	kg	$4.30	$0.06		
Cebolla 85%	0.165	kg	$8.00	$1.55		
Ajo	2	Diente	$0.13	$0.27		
Aceite	0.050	ℓ	$13.98	$0.70		
				$9.88		

Producto: Guacamole   Fecha: Febrero de 2008
Rendimiento: 2.000 kilos   Elaboró: Gerencia operaciones

Ingredientes	Cantidad	Unidad	Costo unitario	Costo total	Rendimiento	2.000
Tomates	1.000	kg	$4.00	$4.00	**costo**	**$8.66**
Chile serrano	0.050	kg	$29.00	$1.45		
Ajo	4	Diente	$0.13	$0.53		
Sal	0.015	kg	$4.30	$0.06		
Aguacate	1.000	kg	$9.00	$9.00		
Cilantro 70%	0.100	kg	$5.00	$0.71		
Cebolla 85%	0.165	kg	$8.00	$1.55		
				$17.32		

Producto: Totopos   Fecha: Febrero de 2008
Rendimiento: 15 porciones   Elaboró: Gerencia operaciones

Ingredientes	Cantidad	Unidad	Costo unitario	Costo total	Rendimiento	15
Tortilla	9	Pieza	$0.34	$3.06	**costo**	**$0.25**
Aceite	0.050	ℓ	$13.98	$0.70		
Sal	0.015	kg	$4.30	$0.06		
				$3.82		

Producto: Cassé de tomate   Fecha: Febrero de 2008
Rendimiento: 2.000 litros   Elaboró: Gerencia operaciones

Ingredientes	Cantidad	Unidad	Costo unitario	Costo total	Rendimiento	2.00
Jitomate 93%	3	kg	$9.20	$29.68	**costo**	**$17.32**
Ajo	5	Diente	$0.13	$0.67		
Cebolla 85%	0.17	kg	$8.00	$1.60		
Aceite	0.090	ℓ	$13.98	$1.26		
Sal	0.02	kg	$4.30	$0.09		
Pimienta	0.01	kg	$135.21	$1.35		
				$34.64		

Producto: Salsa mexicana   Fecha: Febrero de 2008
Rendimiento: 1.200 kilos   Elaboró: Gerencia operaciones

Ingredientes	Cantidad	Unidad	Costo unitario	Costo total	Rendimiento	2.00
Jitomate 93%	1	kg	$9.20	$9.89	**costo**	**$11.45**
Chile serrano	0.050	kg	$29.00	$1.45		
Ajo	4	Diente	$0.13	$0.53		
Cebolla 85%	0.3	kg	$8.00	$2.82		
Limón	1	Pieza	$0.58	$0.58		
Orégano	0.05	kg	$141.13	$7.06		
Aceite	0.04	ℓ	$13.98	$0.56		

$22.90

Producto: Salsa verde   Fecha: Febrero de 2008
Rendimiento: 2.000 litros   Elaboró: Gerencia operaciones

Ingredientes	Cantidad	Unidad	Costo unitario	Costo total	Rendimiento	2.000
Tomates	2	kg	$4.00	$8.00	**costo**	**$5.61**
Chile serrano	0.050	kg	$29.00	$1.45		
Ajo	4	Diente	$0.13	$0.53		
Cilantro	0.080	Ramita	$5.00	$0.40		
Aceite	0.060	ℓ	$13.98	$0.84		

$11.22

Producto: Salsa roja   Fecha: Febrero de 2008
Rendimiento: 2.000 litros   Elaboró: Gerencia operaciones

Ingredientes	Cantidad	Unidad	Costo unitario	Costo total	Rendimiento	2.000
Jitomate 93%	2	kg	$9.20	$19.78	**costo**	**$12.72**
Chile serrano	0.050	kg	$29.00	$1.45		
Ajo	4	Diente	$0.13	$0.53		
Cebolla 85%	0.3	kg	$8.00	$2.82		
Aceite	0.060	ℓ	$13.98	$0.84		

$25.43

Producto: Pan, tortilla y mantequilla   Fecha: Febrero de 2008
Rendimiento: 1 porción   Elaboró: Gerencia operaciones

Ingredientes	Cantidad	Unidad	Costo unitario	Costo total	Rendimiento	1
Pan	2	Pieza	$1.00	$2.15	**costo**	**$4.32**
Tortilla	2	Pieza	$0.34	$0.68		
Mantequila	0.030	kg	$49.50	$1.49		

$4.32

8.1.7. Mezcla de ventas

Fecha fin: 3 de febrero de 2008

Producto	Acum	Lun	Mar	Mié	Jue	1 Vie	2 Sáb	3 Dom	Total	Acum
Entradas										
Ceviche						20	19	22	**61**	**61**
Corundas						8	9	12	**29**	**29**
Chalupas de pollo						22	22	25	**69**	**69**
Papatzules						20	25	26	**71**	**71**
Peneques						10	14	15	**39**	**39**
Sopas										
Caldo de queso						17	22	26	**65**	**65**
Flor de calabaza						20	15	29	**64**	**64**
Habas						8	12	15	**35**	**35**
Lentejas						10	16	27	**53**	**53**
Tortilla						25	28	33	**86**	**86**
Platos principales										
Huachinango a la veracruzana						10	14	16	**40**	**40**
Menudo						28	31	35	**94**	**94**
Pollo al pibil						18	22	28	**68**	**68**
Puerco con calabazas						16	14	19	**49**	**49**
Tampiqueña						26	26	28	**80**	**80**
Postres										
Alfajor de coco						11	9	10	**30**	**30**
Arroz con leche						22	20	25	**67**	**67**
Crepas con cajeta						30	28	33	**91**	**91**
Dulce de elote						15	16	17	**48**	**48**
Natilla						16	19	25	**60**	**60**
Bebidas										
Agua de alfalfa						15	17	14	**46**	**46**
Agua de horchata						20	16	22	**58**	**58**
Agua de jamaica						14	12	15	**41**	**41**
Limonada/naranjada						14	18	19	**51**	**51**
Refrescos						22	21	29	**72**	**72**
Alcohólicas										
Cerveza						28	25	37	**90**	**90**
Margarita frozen						12	9	12	**33**	**33**
Michelada						21	18	26	**65**	**65**
Paloma						15	7	12	**34**	**34**
Piña colada						28	23	32	**83**	**83**

Fecha fin: 10 de febrero de 2008

Producto	Acum	4 Lun	5 Mar	6 Mié	7 Jue	8 Vie	9 Sáb	10 Dom	Total	Acum
Entradas										
Ceviche	61	10	12	11	10	17	19	22	101	162
Corundas	29	4	5	3	5	6	9	12	44	73
Chalupas de pollo	69	8	10	9	14	19	22	25	107	176
Papatzules	71	14	16	15	18	23	25	26	137	208
Peneques	39	4	6	7	7	10	14	15	63	102
Sopas										
Caldo de queso	65	14	16	12	18	17	22	26	125	190
Flor de calabaza	64	8	12	10	16	20	15	29	110	174
Habas	35	4	6	6	7	8	12	15	58	93
Lentejas	53	5	2	4	6	10	16	27	70	123
Tortilla	86	10	14	16	19	25	28	33	145	231
Platos principales										
Huachinango a la veracruzana	40	4	6	6	7	8	14	16	61	101
Menudo	94	12	14	10	16	25	31	35	143	237
Pollo al pibil	68	8	7	9	13	14	22	28	101	169
Puerco con calabazas	49	5	8	8	10	11	14	19	75	124
Tampiqueña	80	14	12	10	15	21	26	28	126	206
Postres										
Alfajor de coco	30	5	6	4	8	7	9	10	49	79
Arroz con leche	67	11	15	12	16	18	20	25	117	184
Crepas con cajeta	91	16	15	17	20	24	28	33	153	244
Dulce de elote	48	5	6	3	8	14	16	17	69	117
Natilla	60	12	10	15	16	16	19	25	113	173
Bebidas										
Agua de alfalfa	46	7	10	7	12	13	17	14	80	126
Agua de horchata	58	3	5	8	12	18	16	22	84	142
Agua de jamaica	41	6	7	8	12	11	12	15	71	112
Limonada/naranjada	51	11	10	8	16	12	18	19	94	145
Refrescos	72	12	14	17	21	18	21	29	132	204
Alcohólicas										
Cerveza	90	22	18	21	18	15	25	37	156	246
Margarita frozen	33	4	6	4	6	6	9	12	47	80
Michelada	65	8	8	5	8	7	18	26	80	145
Paloma	34	5	4	3	2	7	7	12	40	74
Piña colada	83	12	16	8	9	15	23	32	115	198

Fecha fin: 17 de febrero de 2008

Producto	Acum	11	12	13	14	15	16	17	Total	Acum
		Lun	Mar	Mié	Jue	Vie	Sáb	Dom		
Entradas										
Ceviche	162	10	12	11	22	20	19	22	116	278
Corundas	73	4	5	3	10	11	9	12	54	127
Chalupas de pollo	176	8	10	9	20	21	22	25	115	291
Papatzules	208	14	16	15	29	24	25	26	149	357
Peneques	102	4	6	7	22	16	14	15	84	186
Sopas										
Caldo de queso	190	4	4	6	6	8	22	26	76	266
Flor de calabaza	174	8	12	10	16	20	15	29	110	284
Habas	93	4	6	6	7	8	12	15	58	151
Lentejas	123	5	2	4	6	10	16	27	70	193
Tortilla	231	10	14	16	19	25	28	33	145	376
Platos principales										
Huachinango a la veracruzana	101	4	6	6	12	11	14	16	69	170
Menudo	237	12	14	10	28	27	31	35	157	394
Pollo al pibil	169	8	7	9	18	16	22	28	108	277
Puerco con calabazas	124	5	8	8	12	16	14	19	82	206
Tampiqueña	206	14	12	10	23	25	26	28	138	344
Postres										
Alfajor de coco	79	5	6	4	8	13	9	10	55	134
Arroz con leche	184	11	15	12	25	21	20	25	129	313
Crepas con cajeta	244	16	15	17	30	32	28	33	171	415
Dulce de elote	117	5	6	3	10	15	16	17	72	189
Natilla	173	12	10	15	22	27	19	25	130	303
Bebidas										
Agua de alfalfa	126	7	10	7	12	13	17	14	80	206
Agua de horchata	142	3	5	8	15	19	16	22	88	230
Agua de jamaica	112	6	7	8	12	11	12	15	71	183
Limonada/naranjada	145	11	10	8	26	23	18	19	115	260
Refrescos	204	12	14	17	27	29	21	29	149	353
Alcohólicas										
Cerveza	246	22	18	21	25	27	25	37	175	421
Margarita frozen	80	4	6	4	8	12	9	12	55	135
Michelada	145	8	8	5	10	8	18	26	83	228
Paloma	74	5	4	3	4	9	7	12	44	118
Piña colada	198	12	16	8	9	32	31	32	140	338

Fecha fin: 24 de febrero de 2008

Producto	Acum	18 Lun	19 Mar	20 Mié	21 Jue	22 Vie	23 Sáb	24 Dom	Total	Acum
Entradas										
Ceviche	278	10	12	11	10	17	19	22	101	379
Corundas	127	4	5	3	5	6	9	12	44	171
Chalupas de pollo	291	8	10	9	14	19	22	25	107	398
Papatzules	357	14	16	15	18	23	25	26	137	494
Peneques	186	4	6	7	7	10	14	15	63	249
Sopas										
Caldo de queso	266	4	4	6	6	8	22	26	76	342
Flor de calabaza	284	8	12	10	16	20	15	29	110	394
Habas	151	4	6	6	7	8	12	15	58	209
Lentejas	193	5	2	4	6	10	16	27	70	263
Tortilla	376	10	14	16	19	25	28	33	145	521
Platos principales										
Huachinango a la veracruzana	170	4	6	6	7	8	14	16	61	231
Menudo	394	12	14	10	16	25	31	35	143	537
Pollo al pibil	277	8	7	9	13	14	22	28	101	378
Puerco con calabazas	206	5	8	8	10	11	14	19	75	281
Tampiqueña	344	14	12	10	15	21	26	28	126	470
Postres										
Alfajor de coco	134	5	6	4	8	7	9	10	49	183
Arroz con leche	313	11	15	12	16	18	20	25	117	430
Crepas con cajeta	415	16	15	17	20	24	28	33	153	568
Dulce de elote	189	5	6	3	8	14	16	17	69	258
Natilla	303	12	10	15	16	16	19	25	113	416
Bebidas										
Agua de alfalfa	206	7	10	7	12	13	17	14	80	286
Agua de horchata	230	3	5	8	12	18	16	22	84	314
Agua de jamaica	183	6	7	8	12	11	12	15	71	254
Limonada/naranjada	260	11	10	8	16	12	18	19	94	354
Refrescos	353	12	14	17	21	18	21	29	132	485
Alcohólicas										
Cerveza	421	22	18	21	18	15	25	37	156	577
Margarita frozen	135	4	6	4	6	6	9	12	47	182
Michelada	228	8	8	5	8	7	18	26	80	308
Paloma	118	5	4	3	2	7	7	12	40	157
Piña colada	338	12	16	8	9	15	23	32	115	453

Producto	Acum	25 Lun	26 Mar	27 Mié	28 Jue	29 Vie	Sáb	Dom	Total	Acum
Entradas										
Ceviche	379	10	12	11	10	21			64	443
Corundas	171	4	5	3	5	10			27	198
Chalupas de pollo	398	8	10	9	14	23			64	462
Papatzules	494	14	16	15	18	28			91	585
Peneques	249	4	6	7	7	14			38	287
Sopas										
Caldo de queso	342	14	16	12	18	24			84	426
Flor de calabaza	394	8	12	10	16	20			66	460
Habas	209	4	6	6	7	8			31	240
Lentejas	263	5	2	4	6	10			27	290
Tortilla	521	10	14	16	19	34			93	614
Platos principales										
Huachinango a la veracruzana	231	4	6	6	7	12			35	266
Menudo	537	12	14	10	16	27			79	616
Pollo al pibil	378	8	7	9	13	18			55	433
Puerco con calabazas	281	5	8	8	10	13			44	325
Tampiqueña	470	14	12	10	15	35			86	556
Postres										
Alfajor de coco	183	5	6	4	8	9			32	215
Arroz con leche	430	11	15	12	16	23			77	507
Crepas con cajeta	568	16	15	17	20	29			97	665
Dulce de elote	258	5	6	3	8	15			37	295
Natilla	416	12	10	15	16	23			76	492
Bebidas										
Agua de alfalfa	286	7	10	7	12	18			54	340
Agua de horchata	314	3	5	8	12	26			54	368
Agua de jamaica	254	6	7	8	12	15			48	302
Limonada/naranjada	354	11	10	8	16	19			64	418
Refrescos	485	12	14	17	21	32			96	581
Alcohólicas										
Cerveza	577	22	18	21	18	26			105	682
Margarita frozen	182	4	6	4	6	9			29	211
Michelada	308	8	8	5	8	15			44	352
Paloma	157	5	4	3	2	9			23	180
Piña colada	453	12	16	8	9	28			73	526

8.1.8. Consumos promedio

Producto	Lunes							Martes						
	Sem 1	Sem 2	Sem 3	Sem 4	Sem 5	Total	Prom	Sem 1	Sem 2	Sem 3	Sem 4	Sem 5	Total	Prom
Entradas														
Ceviche	0	10	10	10	10	40	10	0	12	12	12	12	48	12
Corundas	0	4	4	4	4	16	4	0	5	5	5	5	20	5
Chalupas de pollo	0	8	8	8	8	32	8	0	10	10	10	10	40	10
Papatzules	0	14	14	14	14	56	14	0	16	16	16	16	64	16
Peneques	0	4	4	4	4	16	4	0	6	6	6	6	24	6
Sopas														
Caldo de queso	0	14	4	4	14	36	9	0	16	4	4	16	40	10
Flor de calabaza	0	8	8	8	8	32	8	0	12	12	12	12	48	12
Habas	0	4	4	4	4	16	4	0	6	6	6	6	24	6
Lentejas	0	5	5	5	5	20	5	0	2	2	2	2	8	2
Tortilla	0	10	10	10	10	40	10	0	14	14	14	14	56	14
Platos principales														
Huachinango a la veracruzana	0	4	4	4	4	16	4	0	6	6	6	6	24	6
Menudo	0	12	12	12	12	48	12	0	14	14	14	14	56	14
Pollo al pibil	0	8	8	8	8	32	8	0	7	7	7	7	28	7
Puerco con calabazas	0	5	5	5	5	20	5	0	8	8	8	8	32	8
Tampiqueña	0	14	14	14	14	56	14	0	12	12	12	12	48	12
Postres														
Alfajor de coco	0	5	5	5	5	20	5	0	6	6	6	6	24	6
Arroz con leche	0	11	11	11	11	44	11	0	15	15	15	15	60	15
Crepas con cajeta	0	16	16	16	16	64	16	0	15	15	15	15	60	15
Dulce de elote	0	5	5	5	5	20	5	0	6	6	6	6	24	6
Natilla	0	12	12	12	12	48	12	0	10	10	10	10	40	10
Bebidas														
Agua de alfalfa	0	7	7	7	7	28	7	0	10	10	10	10	40	10
Agua de horchata	0	3	3	3	3	12	3	0	5	5	5	5	20	5
Agua de jamaica	0	6	6	6	6	24	6	0	7	7	7	7	28	7
Limonada/naranjada	0	11	11	11	11	44	11	0	10	10	10	10	40	10
Refrescos	0	12	12	12	12	48	12	0	14	14	14	14	56	14
Alcohólicas														
Cerveza	0	22	22	22	22	88	22	0	18	18	18	22	76	19
Margarita frozen	0	4	4	4	4	16	4	0	6	6	6	4	22	6
Michelada	0	8	8	8	8	32	8	0	8	8	8	8	32	8
Paloma	0	5	5	5	5	20	5	0	4	4	4	5	17	4
Piña colada	0	12	12	12	12	48	12	0	16	16	16	12	60	15

Miércoles / Jueves

Producto	Sem 1	Sem 2	Sem 3	Sem 4	Sem 5	Total	Prom	Sem 1	Sem 2	Sem 3	Sem 4	Sem 5	Total	Prom
Entradas														
Ceviche	0	11	11	11	11	44	11	0	10	22	10	10	52	13
Corundas	0	3	3	3	3	12	3	0	5	10	5	5	25	6
Chalupas de pollo	0	9	9	9	9	36	9	0	14	20	14	14	62	16
Papatzules	0	15	15	15	15	60	15	0	18	29	18	18	83	21
Peneques	0	7	7	7	7	28	7	0	7	22	7	7	43	11
Sopas														
Caldo de queso	0	12	6	6	12	36	9	0	18	6	18	18	60	15
Flor de calabaza	0	10	10	10	10	40	10	0	16	16	16	16	64	16
Habas	0	6	6	6	6	24	6	0	7	7	7	7	28	7
Lentejas	0	4	4	4	4	16	4	0	6	6	6	6	24	6
Tortilla	0	16	16	16	16	64	16	0	19	19	19	19	76	19
Platos principales														
Huachinango a la veracruzana	0	6	6	6	6	24	6	0	7	12	7	7	33	8
Menudo	0	10	10	10	10	40	10	0	16	28	16	16	76	19
Pollo al pibil	0	9	9	9	9	36	9	0	13	18	13	13	57	14
Puerco con calabazas	0	8	8	8	8	32	8	0	10	12	10	10	42	11
Tampiqueña	0	10	10	10	10	40	10	0	15	23	15	15	68	17
Postres														
Alfajor de coco	0	4	4	4	4	16	4	0	8	8	8	8	32	8
Arroz con leche	0	12	12	12	12	48	12	0	16	25	16	16	73	18
Crepas con cajeta	0	17	17	17	17	68	17	0	20	30	20	20	90	23
Dulce de elote	0	3	3	3	3	12	3	0	8	10	8	8	34 .	9
Natilla	0	15	15	15	15	60	15	0	16	22	16	16	70	18
Bebidas														
Agua de alfalfa	0	7	7	7	7	28	7	0	12	12	12	12	48	12
Agua de horchata	0	8	8	8	8	32	8	0	12	15	12	12	51	13
Agua de jamaica	0	8	8	8	8	32	8	0	12	12	12	12	48	12
Limonada/naranjada	0	8	8	8	8	32	8	0	16	26	16	16	74	19
Refrescos	0	17	17	17	17	68	17	0	21	27	21	21	90	23
Alcohólicas														
Cerveza	0	21	21	21	21	84	21	0	18	25	18	18	79	20
Margarita frozen	0	4	4	4	4	16	4	0	6	8	6	6	26	7
Michelada	0	5	5	5	5	20	5	0	8	10	8	8	34	9
Paloma	0	3	3	3	3	12	3	0	2	4	2	2	9	2
Piña colada	0	8	8	8	8	32	8	0	9	9	9	9	36	. 9

	Viernes							Sábado						
Producto	Sem 1	Sem 2	Sem 3	Sem 4	Sem 5	Total	Prom	Sem 1	Sem 2	Sem 3	Sem 4	Sem 5	Total	Prom
Entradas														
Ceviche	10	17	20	17	21	**95**	**19**	19	19	19	19	0	**76**	**19**
Corundas	8	6	11	6	10	**41**	**8**	9	9	9	9	0	**36**	**9**
Chalupas de pollo	22	19	21	19	23	**104**	**21**	22	22	22	22	0	**88**	**22**
Papatzules	20	23	24	23	28	**118**	**24**	25	25	25	25	0	**100**	**25**
Peneques	10	10	16	10	14	**60**	**12**	14	14	14	14	0	**56**	**14**
Sopas														
Caldo de queso	17	17	8	8	24	**74**	**15**	22	22	22	22	0	**88**	**22**
Flor de calabaza	20	20	20	20	20	**100**	**20**	15	15	15	15	0	**60**	**15**
Habas	8	8	8	8	8	**40**	**8**	12	12	12	12	0	**48**	**12**
Lentejas	10	10	10	10	10	**50**	**10**	16	16	16	16	0	**64**	**16**
Tortilla	25	25	25	25	34	**134**	**27**	28	28	28	28	0	**112**	**28**
Platos principales														
Huachinango a la veracruzana	10	8	11	8	12	**49**	**10**	14	14	14	14	0	**56**	**14**
Menudo	28	25	27	25	27	**132**	**26**	31	31	31	31	0	**124**	**31**
Pollo al pibil	18	14	16	14	18	**80**	**16**	22	22	22	22	0	**88**	**22**
Puerco con calabazas	16	11	16	11	13	**67**	**13**	14	14	14	14	0	**56**	**14**
Tampiqueña	26	21	25	21	35	**128**	**26**	26	26	26	26	0	**104**	**26**
Postres														
Alfajor de coco	11	7	13	7	9	**47**	**9**	9	9	9	9	0	**36**	**9**
Arroz con leche	22	18	21	18	23	**102**	**20**	20	20	20	20	0	**80**	**20**
Crepas con cajeta	30	24	32	24	29	**139**	**28**	28	28	28	28	0	**112**	**28**
Dulce de elote	15	14	15	14	15	**73**	**15**	16	16	16	16	0	**64**	**16**
Natilla	16	16	27	16	23	**98**	**20**	19	19	19	19	0	**76**	**19**
Bebidas														
Agua de alfalfa	15	13	13	13	18	**72**	**14**	17	17	17	17	0	**68**	**17**
Agua de horchata	20	18	19	18	26	**101**	**20**	16	16	16	16	0	**64**	**16**
Agua de jamaica	14	11	11	11	15	**62**	**12**	12	12	12	12	0	**48**	**12**
Limonada/naranjada	14	12	23	12	19	**80**	**16**	18	18	18	18	0	**72**	**18**
Refrescos	22	18	29	18	32	**119**	**24**	21	21	21	21	0	**84**	**21**
Alcohólicas														
Cerveza	28	15	27	15	26	**111**	**22**	25	25	25	25	0	**100**	**25**
Margarita frozen	12	6	12	6	9	**45**	**9**	9	9	9	9	0	**36**	**9**
Michelada	21	7	8	7	15	**58**	**12**	18	18	18	18	0	**72**	**18**
Paloma	15	7	9	7	9	**47**	**9**	7	7	7	7	0	**28**	**7**
Piña colada	28	15	32	15	28	**118**	**24**	23	23	31	23	0	**100**	**25**

	Domingo							Semanal						
Producto	Sem 1	Sem 2	Sem 3	Sem 4	Sem 5	Total	Prom	Sem 1	Sem 2	Sem 3	Sem 4	Sem 5	Total	Prom
Entradas														
Ceviche	22	22	22	22	0	**88**	**22**	61	101	116	101	64	**443**	**111**
Corundas	12	12	12	12	0	**48**	**12**	29	44	54	44	27	**198**	**50**
Chalupas de pollo	25	25	25	25	0	**100**	**25**	69	107	115	107	64	**462**	**116**
Papatzules	26	26	26	26	0	**104**	**26**	71	137	149	137	91	**585**	**146**
Peneques	15	15	15	15	0	**60**	**15**	39	63	84	63	38	**287**	**72**
Sopas														
Caldo de queso	26	26	26	26	0	**104**	**26**	65	125	76	76	84	**426**	**107**
Flor de calabaza	29	29	29	29	0	**116**	**29**	64	110	110	110	66	**460**	**115**
Habas	15	15	15	15	0	**60**	**15**	35	58	58	58	31	**240**	**60**
Lentejas	27	27	27	27	0	**108**	**27**	53	70	70	70	27	**290**	**73**
Tortilla	33	33	33	33	0	**132**	**33**	86	145	145	145	93	**614**	**154**
Platos principales														
Huachinango a la veracruzana	16	16	16	16	0	**64**	**16**	40	61	69	61	35	**266**	**67**
Menudo	35	35	35	35	0	**140**	**35**	94	143	157	143	79	**616**	**154**
Pollo al pibil	28	28	28	28	0	**112**	**28**	68	101	108	101	55	**433**	**108**
Puerco con calabazas	19	19	19	19	0	**76**	**19**	49	75	82	75	44	**325**	**81**
Tampiqueña	28	28	28	28	0	**112**	**28**	80	126	138	126	86	**556**	**139**
Postres														
Alfajor de coco	10	10	10	10	0	**40**	**10**	30	49	55	49	32	**215**	**54**
Arroz con leche	25	25	25	25	0	**100**	**25**	67	117	129	117	77	**507**	**127**
Crepas con cajeta	33	33	33	33	0	**132**	**33**	91	153	171	153	97	**665**	**166**
Dulce de elote	17	17	17	17	0	**68**	**17**	48	69	72	69	37	**295**	**74**
Natilla	25	25	25	25	0	**100**	**25**	60	113	130	113	76	**492**	**123**
Bebidas														
Agua de alfalfa	14	14	14	14	0	**56**	**14**	46	80	80	80	54	**340**	**85**
Agua de horchata	22	22	22	22	0	**88**	**22**	58	84	88	84	54	**368**	**92**
Agua de jamaica	15	15	15	15	0	**60**	**15**	41	71	71	71	48	**302**	**76**
Limonada/naranjada	19	19	19	19	0	**76**	**19**	51	94	115	94	64	**418**	**105**
Refrescos	29	29	29	29	0	**116**	**29**	72	132	149	132	96	**581**	**145**
Alcohólicas														
Cerveza	37	37	37	37	0	**148**	**37**	90	156	175	156	105	**682**	**171**
Margarita frozen	12	12	12	12	0	**48**	**12**	33	47	55	47	29	**211**	**53**
Michelada	26	26	26	26	0	**104**	**26**	65	80	83	80	44	**352**	**88**
Paloma	12	12	12	12	0	**48**	**12**	34	40	44	40	23	**180**	**45**
Piña colada	32	32	32	32	0	**128**	**32**	83	115	140	115	73	**526**	**132**

8.1.9. Costo potencial

Mes: Febrero de 2008

Producto	Cant	Precio con IVA	Precio sin IVA	Venta total	$ venta	Costo unitario	Costo total	% costo	Potencial
Entradas									
Ceviche	443	45.00	39.13	17 334.78	28.9	12.55	5 558.02	32.1	9.3
Corundas	198	28.00	24.35	4 820.87	8.0	3.51	694.25	14.4	1.2
Chalupas de pollo	462	33.00	28.70	13 257.39	22.1	3.42	1 578.92	11.9	2.6
Papatzules	585	35.00	30.43	17 804.235	29.7	5.06	2 959.42	16.6	4.9
Peneques	287	27.00	23.48	6 738.26	11.2	4.95	1 421.76	21.1	2.4
Sopas			**Entradas**	**59 955.65**	**100**		**12 212.37**	**20.4**	
Caldo de queso	426	42.00	36.52	15 558.26	24.2	12.35	5 259.37	33.8	8.2
Flor de calabaza	460	35.00	30.43	14 000.00	21.8	11.55	5 312.38	37.9	8.3
Habas	240	30.00	26.09	6 260.87	9.8	3.64	873.77	14.0	1.4
Lentejas	290	32.00	27.83	8 069.57	12.6	3.60	1 044.44	12.9	1.6
Tortilla	614	38.00	33.04	20 288.70	31.6	9.26	5 686.64	28.0	8.9
Platos principales			**Sopas**	**64 177.39**	**100**		**18 176.60**	**28.3**	
Huachinango a la veracruzana	266	130.00	113.04	30 069.57	17.0	43.36	11 534.65	38.4	6.5
Menudo	616	75.00	65.22	40 173.91	22.7	15.67	9 649.94	24.0	5.5
Pollo al pibil	433	80.00	69.57	30 121.74	17.0	24.08	10 425.60	34.6	5.9
Puerco con calabazas	325	65.00	56.52	18 369.57	10.4	12.76	4 148.50	22.6	2.3
Tampiqueña	556	120.00	104.35	58 017.39	32.8	33.49	18 623.21	32.1	10.5
Postres		**Platos principales**		**176 752.17**	**100**		**54 381.90**	**30.8**	
Alfajor de coco	215	35.00	30.43	6 543.48	9.2	6.37	1 369.03	20.9	1.9
Arroz con leche	507	33.00	28.70	14 548.70	20.5	3.98	2 019.74	13.9	2.8
Crepas con cajeta	665	45.00	39.13	26 021.74	36.6	14.19	9 437.34	36.3	13.3
Dulce de elote	295	30.00	26.09	7 695.65	10.8	4.09	1 207.22	15.7	1.7
Natilla	492	38.00	33.04	16 257.39	22.9	2.48	1 221.44	7.5	1.7
			Postres	**71 066.96**	**100**		**15 254.77**	**21.5**	
			Total alimentos	**371 952.17**	**73.4**		**100 025.64**	**26.9**	**19.7**
Bebidas									
Agua de alfalfa	340	22.00	19.13	6 504.35	16.7	1.35	459.10	7.1	1.2
Agua de horchata	368	22.00	19.13	7 040.00	18.1	5.37	1 977.96	28.1	5.1
Agua de jamaica	302	22.00	19.13	5 777.39	14.9	1.43	431.19	7.5	1.1
Limonada/naranjada	418	26.00	22.61	9 450.43	24.3	4.04	1 687.67	17.9	4.3
Refrescos	581	20.00	17.39	10 104.35	26.0	3.27	1 900.,60	18.8	4.9
Bebidas alcohólicas			**Bebidas**	**38 876.52**	**100**		**6 456.51**	**16.6**	
Paloma	682	60.00	52.17	35 582.61	37.0	15.03	10 249.12	28.8	10.7
Cerveza	211	25.00	21.74	4 586.96	4.8	6.90	1 455.90	31.7	1.5
Margarita Frozen	352	75.00	65.22	22 956.52	23.9	16.33	5 746.44	25.0	6.0
Michelada	180	35.00	30.43	5 478.73	5.7	9.40	1 692.43	30.9	1.8
Piña colada	526	60.0	52.17	27 443.48	28.6	8.20	4 313.93	15.7	4.5
		Bebidas alcohólicas		**96 048.29**	**100**		**23 457.82**	**24.4**	
		Total bebidas		**134 924.81**	**26.6**		**29 914.32**	**22.2**	**5.9**
		Venta total		**506 876.99**	**100**	**Costo**	**129 939.96**	**25.6**	

8.1.10. Costo real de alimentos y bebidas

Febrero de 2008

	Alimentos	$		Bebidas	$
	Inventario inicial	31 687.00		Inventario inicial	10 368.00
+	Compras	117 400.00	+	Compras	30 934.00
−	Notas de crédito	578.00	−	Notas de crédito	87.00
−	Inventario final	38 547.00	−	Inventario final	8 643.00
=	**Costo bruto**	109 962.00	=	**Costo bruto**	32 572.00
	Operación	7 589.00		Operación	0.00
	Administración	1 308.00		Administración	678.00
	Cortesías	876.00		Cortesías	897.00
−	Mermas	2 398.00	−	Mermas	206.00
	Créditos al costo	12 171.00		Créditos al costo	1 781.00
=	**Costo real**	97 791.00	=	**Costo real**	30 791.00

8.1.11. Comparación del costo potencial *vs.* real

Febrero de 2008

	Real	%	Presupuesto	%	Diferencia	%	
Ventas de alimentos	$371 952.17	73.4	$390 962.00	74.7	-$19 009.83	-3.75	
Ventas de bebidas	$134 924.81	26.9	$132 529.00	25.3	$2 395.81	0.47	
Ventas totales	$506 876.99	100	$523 491.00	100	-$16 614.01	-3.28	
	Real	%	**Potencial**	%	**Diferencia**	%	
Costo de alimentos	$97 791.00	26.3	$100 025.64	26	$2 628.93	0.71	?
Costo de bebidas	$30 791.00	22.8	$29 914.32	22.6	$335.89	0.25	☑
Costo de ventas	$128 582.00	25.4	$129 939.96	24.8	$2 964.82	0.6	

8.1.12. Estado de resultados

	Real	%	Presupuesto	%	Febrero de 2008 Diferencia	%
Ventas de alimentos	$371 952.17	73.4	$390 962.00	74.7	-$19 009.83	-3.75
Ventas de bebidas	$134 924.81	26.6	$132 529.00	25.3	$2 395.81	0.47
Ventas totales	$506 876.99	100	$523 491.00	100	-$16 614.01	-3.28
Costo de alimentos	$97 791.00	26.3	$100 025.64	25.6	$2 628.93	0.71
Costo de bebidas	$30 791.00	22.8	$29 914.32	22.6	$335.89	0.25
Costo de operación	$128 582.00	25.4	$129 939.96	24.8	$2 964.82	0.6
Utilidad bruta	$378 294.99	74.6	$393 551.04	75.2	-$15 256.05	-3.0
Fuerza de trabajo	$130 357.44	25.7	$130 872.75	25.0	-$515.31	-0.2
Gastos indirectos	$9 939.20	2.0	$10 469.82	2.0	-$530.62	-0.2
Gastos de venta	$43 084.54	8.5	$41 879.28	8.0	$1 205.26	0.5
Gastos de administración	$30 452.00	3.2	$26 174.55	5.0	$4 277.45	1.8
Gastos de mantenimiento	$16 680.69	3.3	$15 704.73	3.0	$975.96	0.4
Gastos de promoción	$6 589.40	1.3	$7 852.37	1.5	-$1 262.96	-0.5
Gastos de operación	$237 103.27	46.8	$232 953.50	44.5	$4 149.78	1.8
Utilidad de operación	**$141 191.71**	**27.9**	**$160 597.54**	**30.7**	**-$19 405.83**	**-3.83**

8.2. SNACK BAR

Ahora el campo de aplicación es un Snack Bar, donde los platillos son tortas, sándwiches, nachos, *hot dogs* y todo tipo de bebidas con y sin alcohol. Después de la oferta de este tipo de negocios, doy por hecho la elaboración de los recetarios básicos y complementarios, y te presentan las recetas estándar básicas y complementarias. Posteriormente tendrás la oportunidad de completar el costo potencial, la definición del costo real y la comparación del costo real contra el costo potencial. Este caso práctico finaliza permitiéndote calcular el estado de resultados.

8.2.1. Menú de alimentos y bebidas

	Con IVA	Sin IVA
Alimentos		
Hot Dog jumbo	$20.00	$17.39
Nachos	$17.00	$14.78
Papas a la francesa	$15.00	$13.04
Sándwich de jamón y queso	$25.00	$21.74
Torta chuza	$35.00	$30.43
Torta spare	$30.00	$26.09
Torta split	$25.00	$21.74
Bebidas		
Agua	$12.00	$10.43
Café americano /expresso	$15.00	$13.04
Café capuchino/moka	$18.00	$15.65
Jugo de naranja y piña	$13.00	$11.30
Jugo de tomate	$16.00	$13.91
Limonada/naranjada	$10.00	$8.70
Refrescos de lata	$9.00	$7.83
Refrescos Post Mix 16 oz	$14.00	$12.17
Refrescos Post Mix 22 oz	$17.00	$14.78
Té manzanilla /yerbabuena	$12.00	$10.43
Bebidas alcohólicas		
Bloody Mary	$39.00	$33.91
Cerveza 8 cubeta	$74.00	$64.35
Cerveza	$19.00	$16.52
Margarita	$39.00	$33.91
Margarita Frozen	$44.00	$38.26
Michelada	$23.00	$20.00
Piña colada	$39.00	$33.91

8.2.2. Estándares de compra

Producto	Marca	Empaque	Presentación	Precio compra	Unidad	Precio unitario
Alimentos						
Aceite para freír	Ultra Fray/Trons	Botella	3.500	$28.26	ℓ	$8.07
Adobo en polvo	Knorr	Paquete	0.070	$9.48	kg	$135.40
Aguacate Hass	La Sierra	kg	1.000	$16.00	kg	$16.00
Azúcar en sobre	Costco	Caja	2000	$200.00	Sobre	$0.10
Café en grano	Blasón	kg	1	$85.00	kg	$85.00
Canela en polvo	McCormick	Frasco	0.063	$13.91	kg	$220.84
Catsup	Del Monte	Lata	3.000	$23.04	kg	$7.68
Cebolla blanca		kg	1.000	$9.00	kg	$9.00
Chile nachos (rodajas drenado)	La Costeña	Lata	1.680	$23.39	kg	$13.92
Chile chipotle	La Costeña	Lata	2.750	$45.00	kg	$16.36
Chocolate jarabe	Tipo Hershey	kg	5.000	$92.00	kg	$18.40
Frijol refrito	La Sierra	Lata	3.000	$23.04	kg	$7.68
Jamón americano	Kir	kg	1.000	$32.50	kg	$32.50
Jitomate guaje (saladet)		kg	1.000	$12.00	kg	$12.00
Jugo Maggi 0.100	Nestlé	Frasco	0.100	$13.52	ℓ	$135.20
Leche evaporada (48/0.381)	Clavel	Caja	18.288	$396.40	ℓ	$21.68
Leche	Alpura 2000	Caja	12	$90.00	ℓ	$7.50
Limón sin semilla (8/1.000)		kg	1.000	$5.10	kg	$5.10
Longaniza de cerdo	Alpino	kg	1.000	$45.00	kg	$45.00
Margarina	Iberia	Barra	1.000	$22.00	kg	$22.00
Mayonesa	Kraft	Botella	3.500	$52.09	kg	$14.88
Pechuga de pollo		Pieza	1.000	$35.00	kg	$35.00
Milanesa de ternera		kg	1.000	$51.00	kg	$51.00
Mostaza	Helman's	Botella	4.000	$28.26	kg	$7.07
Pan blanco	Wonder/Bimbo	Paquete	23	$14.00	Pieza	$0.61
Pan media noche	Wonder/Bimbo	Paquete	8	$8.50	Pieza	$1.06
Pan molido	Wonder/Bimbo	Paquete	0.150	$4.00	Pieza	$26.67
Papa congelada	Lamb Weston	Caja	13.600	$145.00	kg	$10.66
Pierna de cerdo		kg	1	$60.00	kg	$60.00
Pimienta negra (0.453)	McCormick	Frasco	0.453	$51.90	kg	$114.57
Piña en trozos (peso drenado)	Agrover	Lata	2.800	$31.74	kg	$11.34
Queso amarillo fundido	Rico	Lata	4.000	$100.50	kg	$25.13
Queso amarillo rebanado	Esmeralda	kg	2.800	$142.80	kg	$51.00
Queso panela	Chilchota	kg	1.000	$60.00	kg	$60.00
Queso Oaxaca	Chilchota	kg	1.000	$65.00	kg	$65.00
Queso manchego	Chilchota	kg	1.000	$65.00	kg	$65.00
Sal	Klara	Frasco	1.000	$5.20	kg	$5.20
Salchicha Hot Dog jumbo	Kir	Paquete	8	$27.50	Pieza	$3.44
Salsa inglesa	Lea & Perrins	Frasco	0.150	$15.50	ℓ	$103.33
Salsa picante	Tabasco	Frasco	0.060	$27.22	ℓ	$453.67
Sustituto de crema	Costco	Caja	2000	$180.00	Sobre	$0.09
Sustituto de azúcar	Costco	Caja	2000	$200.00	Sobre	$0.10
Té manzanilla/yerbabuena	Lagg's	Caja	100	$62.00	Sobre	$0.62
Telera grande (90 g)		Pieza	1	$0.70	Pieza	$0.70
Tortilla Chip (3/1.000)	Barcel	Caja	3.000	$62.00	kg	$20.67

Producto	Marca	Empaque	Presentación	Precio compra	Unidad	Precio unitario
Bebidas						
Agua purificada (24/0.500)	Pureza Vital	Caja	24	$79.00	Pieza	$3.29
Brandy importado	Fundador	Botella	0.750	$149.00	ℓ	$198.67
Brandy importado	Terry	Botella	0.750	$164.00	ℓ	$218.67
Cerveza	Sol Lagger XX	Caja	20	$91.20	Pieza	$4.56
Cerveza ampolleta	Corona	Caja	20	$50.00	Pieza	$2.50
Crema de coco (24/0.480)	Calahua	Caja	11.520	$407.71	ℓ	$35.39
Jarabe natural (12/1.000)		Botella	12.000	$228.16	ℓ	$19.01
Jarabe post mix	Pepsi	Caja	18.900	$550.00	ℓ	$29.10
Jarabe de tamarindo	Gadi	Botella	1.000	$18.00	ℓ	$18.00
Jugo de limón concentrado	Country Orchard	Botella	0.946	$17.00	ℓ	$17.97
Jugo de naranja	Jumex	Paquete	4	$45.88	ℓ	$11.47
Jugo de piña	Jumex	Paquete	4	$45.88	ℓ	$11.47
Jugo de tomate	Jumex	Paquete	4	$45.88	ℓ	$11.47
Leche	Alpura	Caja	12	$111.60	ℓ	$9.30
Licor de naranja	Controy	Botella	0.750	$80.60	ℓ	$107.47
Refresco de lata	Pepsi	Paquete	24	$80.87	Lata	$3.37
Ron blanco	Bacardí	Botella	0.946	$97.96	ℓ	$103.55
Tequila reposado	Jimador	Botella	0.950	$131.44	ℓ	$138.36
Vodka nacional	Smirnoff	Botella	0.915	$101.68	ℓ	$111.13
Desechables						
Agitador	Costco	Paquete	900	$22.00	Pieza	$0.02
Plato de plástico	Costco	Paquete	25	$17.00	Pieza	$0.68
Plato para nachos	DNI	Paquete	500	$324.63	Pieza	$0.65
Popote	Costco	Paquete	100	$10.00	Pieza	$0.10
Removedor	Costco	Paquete	1,200	$22.00	Pieza	$0.02
Servilleta de papel	Costco	Paquete	500	$20.89	Pieza	$0.04
Tapa para vaso para café 8 oz	Costco	Paquete	50	$6.60	Pieza	$0.13
Tapa para vaso para café 10 oz	Costco	Paquete	50	$7.00	Pieza	$0.14
Tapa para vaso para capuchino	Costco	Paquete	50	$16.00	Pieza	$0.32
Tapa para vaso para refresco	Pepsi	Paquete	50	$16.00	Pieza	$0.32
Tenedor de plástico	Costco	Paquete	500	$27.28	Pieza	$0.05
Vaso para café 4 oz	Costco	Paquete	25	$3.70	Pieza	$0.15
Vaso para café 8 oz	Costco	Paquete	25	$4.30	Pieza	$0.17
Vaso para café 10 oz	Costco	Paquete	25	$5.30	Pieza	$0.21
Vaso de plástico 4 oz	Costco	Paquete	2,000	$245.00	Pieza	$0.12
Vaso de plástico 12 oz	Costco	Paquete	1,000	$190.96	Pieza	$0.19
Vaso para refresco 16 oz	Pepsi	Caja	2,000	$430.00	Pieza	$0.22
Vaso para refresco 22 oz	Pepsi	Caja	1,000	$275.00	Pieza	$0.28

8.2.3. Recetas estándar básicas

En este caso práctico, las recetas estándar incluyen el costo de los desechables utilizados para entregar los alimentos y las bebidas.

Alimentos

Producto: Hot dog jumbo
Rendimiento: 1 porción
Fecha: Febrero de 2008
Elaboró: Gerencia operaciones

Producto	Unidad	Cantidad	Costo unitario	Costo total	Precio de venta	$17.39
Pan media noche	Pieza	1	$1.06	$1.06	% costo	35.8
Salchicha jumbo	Pieza	1	$3.44	$3.44		
Catsup	kg	0.035	$7.68	$0.27		
Cebolla 85%	kg	0.020	$9.00	$0.21		
Chile para nachos	kg	0.030	$13.92	$0.42		
Mostaza	kg	0.01	$7.07	$0.07		
Servilleta de papel	Pieza	2	$0.04	$0.08		
Plato de plástico	Pieza	1	$0.68	$0.68		
				$6.23		

Producto: Nachos
Rendimiento: 0.100 kg
Fecha: Febrero de 2008
Elaboró: Gerencia operaciones

Producto	Unidad	Cantidad	Costo unitario	Costo total	Precio de venta	$14.78
Tortilla chips 84%	kg	0.100	$20.67	$2.46	% costo	36.10
Queso fundido 94%	kg	0.060	$25.13	$1.59		
Chile para nachos	kg	0.040	$13.92	$0.56		
Servilleta para papel	Pieza	2	$0.04	$0.08		
Plato para nachos	Pieza	1	$0.65	$0.65		
				$5.34		

Producto: Papas a la francesa
Rendimiento: 0.100 kg
Fecha: Febrero de 2008
Elaboró: Gerencia operaciones

Producto	Unidad	Cantidad	Costo unitario	Costo total	Precio de venta	$13.04
Papa congelada 65%	kg	0.200	$10.66	$3.28	% costo	37.76
Aceite para freír	ℓ	0.020	$8.07	$0.16		
Catsup	kg	0.040	$7.68	$0.31		
Chiles nachos	kg	0.030	$13.92	$0.42		
Sal	kg	0.005	$5.20	$0.03		
Plato para nachos	Pieza	1.000	$0.65	$0.65		
Servilleta de papel	Pieza	2	$0.04	$0.08		
				$4.93		

Producto: Sándwich de jamón y queso
Rendimiento: 1 porción

Fecha: Febrero de 2008
Elaboró: Gerencia operaciones

Producto	Unidad	Cantidad	Costo unitario	Costo total	Precio de venta	$21.74
Jamón americano	Rebanada	0.060	$32.50	$1.95	% costo	38.0
Queso manchego	kg	0.060	$65.00	$3.90		
Margarina	kg	0.020	$22.00	$0.44		
Pan blanco	Pieza	2	$0.61	$1.22		
Servilleta de papel	Pieza	2	$0.04	$0.08		
Plato de plástico	Pieza	1	$0.68	$0.68		
				$8.27		

Producto: Torta cubana
Rendimiento: 1 porción

Fecha: Febrero de 2008
Elaboró: Gerencia operaciones

Producto	Unidad	Cantidad	Costo unitario	Costo total	Precio de venta	$30.43
Pierna de cerdo 83%	kg	0.090	$60.00	$6.51	% costo	55.5
Jamón americano	Rebanada	0.060	$32.50	$1.95		Chuza
Queso manchego	kg	0.060	$65.00	$3.90		
Base de torta	Pieza	1	$4.54	$4.54		
				$16.89		

Producto: Torta de chorizo
Rendimiento: 1 porción

Fecha: Febrero de 2008
Elaboró: Gerencia operaciones

Producto	Unidad	Cantidad	Costo unitario	Costo total	Precio de venta	$26.09
Longaniza	kg	0.150	$45.00	$6.75	% costo	43.3
Base de torta	Pieza	1	$4.54	$4.54		Spare
				$11.29		

Producto: Torta hawaiana
Rendimiento: 1 porción

Fecha: Febrero de 2008
Elaboró: Gerencia operaciones

Producto	Unidad	Cantidad	Costo unitario	Costo total	Precio de venta	$30.43
Jamón americano	kg	0.060	$32.50	$1.95	% costo	37.2
Piña en almíbar 61%	kg	0.045	$11.34	$0.51		Spare
Mantequilla	kg	0.020	$22.00	$0.44		
Queso Oaxaca	kg	0.060	$65.00	$3.90		
Base de torta	Pieza	1	$4.54	$4.54		
				$11.34		

Producto:	Torta de milanesa		Fecha:	Febrero de 2008
Rendimiento:	1 porción		Elaboró:	Gerencia operaciones

Producto	Unidad	Cantidad	Costo unitario	Costo total	Precio de venta	$26.09
Milanesa de ternera	Pieza	1	$6.81	$6.81	% costo	44.1
Aceite	kg	0.020	$8.07	$0.16		Spare
Base de torta	Pieza	1	$4.54	$4.54		
				$11.50		

Producto:	Torta de milanesa con queso		Fecha:	Febrero de 2008
Rendimiento:	1 porción		Elaboró:	Gerencia operaciones

Producto	Unidad	Cantidad	Costo unitario	Costo total	Precio de venta	$30.43
Milanesa de ternera	Pieza	1	$6.81	$6.81	% costo	50.6
Aceite	kg	0.020	$8.07	$0.16		Chuza
Queso Oaxaca	kg	0.060	$65.00	$3.90		
Base de torta	Pieza	1	$4.54	$4.54		
				$15.40		

Producto:	Torta de pierna		Fecha:	Febrero de 2008
Rendimiento:	1 porción		Elaboró:	Gerencia operaciones

Producto	Unidad	Cantidad	Costo unitario	Costo total	Precio de venta	$30.43
Pierna de cerdo 83%	kg	0.120	$60.00	$8.67	% costo	44.8
Mantequilla	kg	0.020	$22.00	$0.44		Chuza
Base de torta	Pieza	1	$4.54	$4.54		
				$13.65		

Producto:	Torta de pierna con queso		Fecha:	Febrero de 2008
Rendimiento:	1 porción		Elaboró:	Gerencia operaciones

Producto	Unidad	Cantidad	Costo unitario	Costo total	Precio de venta	$30.43
Pierna de cerdo 83%	kg	0.120	$60.00	$8.67	% costo	57.7
Mantequilla	kg	0.020	$22.00	$0.44		Chuza
Queso Oaxaca	kg	0.060	$65.00	$3.90		
Base de torta	Pieza	1	$4.54	$4.54		
				$17.55		

Producto: Torta de salchicha
Rendimiento: 1 porción

Fecha: Febrero de 2008
Elaboró: Gerencia operaciones

Producto	Unidad	Cantidad	Costo unitario	Costo total	Precio de venta	$21.74
Salchicha para hot dog	Pieza	1	$3.44	$3.44	% costo	37.4
Aceite	kg	0.020	$8.07	$0.16		Split
Base de torta	Pieza	1	$4.54	$4.54		
				$8.13		

Producto: Torta de tres quesos
Rendimiento: 1 porción

Fecha: Febrero de 2008
Elaboró: Gerencia operaciones

Producto	Unidad	Cantidad	Costo unitario	Costo total	Precio de venta	$30.43
Queso Oaxaca	kg	0.060	$65.00	$3.90	% costo	49.6
Queso amarillo	kg	0.060	$51.00	$3.06		Chuza
Queso panela	kg	0.060	$60.00	$3.60		
Base de torta	Pieza	1	$4.54	$4.54		
				$15.10		

Bebidas

Producto: Agua purificada
Rendimiento: 1 porción

Fecha: Febrero de 2008
Elaboró: Gerencia operaciones

Producto	Unidad	Cantidad	Costo unitario	Costo total	Precio de venta	$10.43
Agua purificada	Pieza	1	$3.29	$3.29	% costo	31.5
				$3.29		

Producto: Bloody Mary
Rendimiento: 14 onzas

Fecha: Febrero de 2008
Elaboró: Gerencia operaciones

Producto	Unidad	Cantidad	Costo unitario	Costo total	Precio de venta	$33.91
Jugo de tomate	ℓ	0.300	$11.47	$3.44	% costo	33.9
Jugo de limón	ℓ	0.007	$17.97	$0.13		
Pimienta	kg	0.003	$114.57	$0.034		
Sal	kg	0.004	$5.20	$0.02		
Jugo Maggi	ℓ	0.007	$135.20	$0.95		
Salsa inglesa	ℓ	0.007	$103.33	$0.72		
Salsa Tabasco	ℓ	0.007	$453.67	$3.18		
Vodka	ℓ	0.045	$111.13	$5.00		
Popote	Pieza	1	$0.10	$0.10		
Servilleta de papel	Pieza	2	$0.04	$0.08		
				$13.96		

Producto: Café americano Fecha: Febrero de 2008
Rendimiento: 1 porción vaso de 8 onzas Elaboró: Gerencia operaciones

Producto	Unidad	Cantidad	Costo unitario	Costo total	Precio de venta	$13.04
Café de grano	kg	0.013	$85.00	$1.11	% costo	13.9
Azúcar	Sobre	2	$0.10	$0.20		
Sustituto de crema	Sobre	1	$0.09	$0.09		
Vaso para café 8 oz	Pieza	1	$0.17	$0.17		
Tapa para vaso 8 oz	Pieza	1	$0.13	$0.13		
Agitador	Pieza	1	$0.02	$0.02		
Servilleta de papel	Pieza	2	$0.04	$0.08		

$1.81

Producto: Café expresso Fecha: Febrero de 2008
Rendimiento: 1 porción vaso de 4 onzas Elaboró: Gerencia operaciones

Producto	Unidad	Cantidad	Costo unitario	Costo total	Precio de venta	$13.04
Café de grano	kg	0.013	$85.00	$1.11	% costo	12.9
Azúcar	Sobre	2	$0.10	$0.20		
Sustituto de crema	Sobre	1	$0.09	$0.09		
Vaso para café 4 oz	Pieza	1	$0.15	$0.15		
Agitador	Pieza	1	$0.05	$0.05		
Servilleta de papel	Pieza	2	$0.04	$0.08		

$1.68

Producto: Capuchino Fecha: Febrero de 2008
Rendimiento: 1 porción vaso de 10 onzas Elaboró: Gerencia operaciones

Producto	Unidad	Cantidad	Costo unitario	Costo total	Precio de venta	$15.65
Café de grano	kg	0.013	$85.00	$1.11	% costo	23.5
Azúcar	Sobre	2	$0.10	$0.20		
Leche	ℓ	0.120	$7.50	$1.58		
Canela en polvo	kg	0.002	$220.84	$0.44		
Vaso para café 10 oz	Pieza	1	$0.21	$0.21		
Agitador	Pieza	1	$0.05	$0.05		
Servilleta de papel	Pieza	2	$0.04	$0.08		

$3.67

Producto: Cerveza
Rendimiento: botella de ½ ℓ

Fecha: Febrero de 2008
Elaboró: Gerencia operaciones

Producto	Unidad	Cantidad	Costo unitario	Costo total	Precio de venta	$16.52
Cerveza ½	Botella	1	$4.56	$4.56	% costo	28.1
Servilleta de papel	Pieza	2	$0.04	$0.08		
				$4.64		

Producto: Cubeta de cerveza
Rendimiento: 8 botellas de ¼

Fecha: Febrero de 2008
Elaboró: Gerencia operaciones

Producto	Unidad	Cantidad	Costo unitario	Costo total	Precio de venta	$64.35
Cerveza ¼	Botella	8	$2.50	$20.00	% costo	31.86
Servilleta de papel	Pieza	12	$0.04	$0.50		
				$20.50		

Producto: Jugo de naranja
Rendimiento: 1 porción vaso de 14 onzas

Fecha: Febrero de 2008
Elaboró: Gerencia operaciones

Producto	Unidad	Cantidad	Costo unitario	Costo total	Precio de venta	$11.30
Jugo de naranja	ℓ	0.300	$11.47	$3.44	% costo	33.4
Popote	Pieza	1	$0.10	$0.10		
Vaso de plástico 12 oz	Pieza	1	$0.19	$0.19		
Servilleta de papel	Pieza	1	$0.04	$0.04		
				$3.77		

Producto: Jugo de piña
Rendimiento: 14 onzas

Fecha: Febrero de 2008
Elaboró: Gerencia operaciones

Producto	Unidad	Cantidad	Costo unitario	Costo total	Precio de venta	$11.30
Jugo de piña	ℓ	0.300	$11.47	$3.44	% costo	33.4
Popote	Pieza	1	$0.10	$0.10		
Vaso de plástico 12 oz	Pieza	1	$0.19	$0.19		
Servilleta de papel	Pieza	1	$0.04	$0.04		
				$3.77		

Producto: Jugo de tomate preparado   Fecha: Febrero de 2008
Rendimiento: 12 onzas   Elaboró: Gerencia operaciones

Producto	Unidad	Cantidad	Costo unitario	Costo total	Precio de venta	$13.91
Jugo de tomate	ℓ	0.300	$11.47	$3.44	**% costo**	**48.7**
Jugo de limón	ℓ	0.007	$17.97	$0.13		
Pimienta	kg	0.003	$5.20	$0.02		
Sal	kg	0.004	$5.20	$0.02		
Jugo Maggi	ℓ	0.007	$135.20	$0.95		
Salsa inglesa	ℓ	0.007	$103.33	$0.72		
Salsa Tabasco	ℓ	0.003	$453.67	$1.36		
Popote	Pieza	1	$0.10	$0.10		
Servilleta de papel	Pieza	1	$0.04	$0.04		
Vaso plástico 12 oz	Pieza	1	$0.19	$0.19		
				$6.78		

Producto: Limonada   Fecha: Febrero de 2008
Rendimiento: 14 onzas   Elaboró: Gerencia operaciones

Producto	Unidad	Cantidad	Costo unitario	Costo total	Precio de venta	$8.70
Jugo de limón	ℓ	0.015	$17.97	$0.27	**% costo**	**11.3**
Jarabe natural	ℓ	0.030	$19.01	$0.57		
Popote	Pieza	1	$0.10	$0.10		
Servilleta de papel	Pieza	1	$0.04	$0.04		
Vaso de plástico 12 oz	Pieza	1	$0.19	$0.19		
				$0.98		

Producto: Margarita   Fecha: Febrero de 2008
Rendimiento: 3 onzas   Elaboró: Gerencia operaciones

Producto	Unidad	Cantidad	Costo unitario	Costo total	Precio de venta	$33.91
Tequila	l	0.045	$138.36	$6.23	**% costo**	**24.4**
Jugo de limón	l	0.015	$17.97	$0.27		
Controy	l	0.015	$107.47	$1.61		
Sal	kg	0.007	$5.20	$0.04		
Popote	Pieza	1	$0.10	$0.10		
Servilleta de papel	Pieza	1	$0.04	$0.04		
Vaso de plástico 4 oz	Pieza	1	$0.12	$0.12		
				$8.29		

Producto: Margarita frozen   Fecha: Febrero de 2008
Rendimiento: 12 onzas   Elaboró: Gerencia operaciones

Producto	Unidad	Cantidad	Costo unitario	Costo total	Precio de venta	$38.26
Margarita	Porción	1	$8.29	$8.29	% costo	23.1
Jarabe de tamarindo	ℓ	0.030	$18.00	$0.54		
Servilleta de papel	Pieza	1	$0.04	$0.04		
Vaso de plástico 12 oz	Pieza	1	$0.19	$0.19		
				$8.83		

Producto: Michelada   Fecha: Febrero de 2008
Rendimiento: 12 onzas   Elaboró: Gerencia operaciones

Producto	Unidad	Cantidad	Costo unitario	Costo total	Precio de venta	$20.00
Cerveza	Pieza	1	$4.56	$4.56	% costo	30.5
Jugo de limón	ℓ	0.015	$17.97	$0.27		
Jugo Maggi (opcional)	ℓ	0.005	$135.20	$0.68		
Salsa inglesa (opcional)	ℓ	0.005	$103.33	$0.52		
Sal	kg	0.007	$5.20	$0.04		
Servilleta de papel	Pieza	1	$0.04	$0.04		
				$6.10		

Producto: Moka   Fecha: Febrero de 2008
Rendimiento: 1 porción vaso de 10 onzas   Elaboró: Gerencia operaciones

Producto	Unidad	Cantidad	Costo unitario	Costo total	Precio de venta	$15.65
Café de grano	kg	0.013	$85.00	$1.11	% costo	27.9
Azúcar	Sobre	2	$0.10	$0.20		
Leche	ℓ	0.210	$7.50	$1.58		
Chocolate en jarabe	ℓ	0.030	$18.40	$0.55		
Canela en polvo	kg	0.003	$220.84	$0.66		
Vaso para café 10 oz	Pieza	1	$0.21	$0.21		
Agitador	Pieza	1	$0.02	$0.02		
Servilleta de papel	Pieza	1	$0.04	$0.04		
				$4.37		

Producto: Naranjada   Fecha: Febrero de 2008
Rendimiento: 12 onzas   Elaboró: Gerencia operaciones

Producto	Unidad	Cantidad	Costo unitario	Costo total	Precio de venta	$8.70
Jugo de naranja	ℓ	0.090	$11.47	$1.03	% costo	20.1
Jarabe natural	ℓ	0.030	$19.01	$0.57		
Popote	Pieza	1	$0.10	$0.10		
Servilleta de papel	Pieza	1	$0.04	$0.04		
Vaso de plástico 12 oz	Pieza	1	$0.19	$0.19		

$1.74

Producto: Piña colada   Fecha: Febrero de 2008
Rendimiento: 12 onzas   Elaboró: Gerencia operaciones

Producto	Unidad	Cantidad	Costo unitario	Costo total	Precio de venta	$33.91
Ron blanco	ℓ	0.045	$103.55	$4.66	% costo	31.8
Mezcla colada	ℓ	0.240	$19.46	$4.67		
Leche evaporada	ℓ	0.060	$21.68	$1.30		
Popote	Pieza	1	$0.10	$0.10		
Servilleta de papel	Pieza	1	$0.04	$0.04		
Vaso de plástico 12 oz	Pieza	1	$0.19	$0.19		

$0.77

Producto: Refresco   Fecha: Febrero de 2008
Rendimiento: vaso 16 oz   Elaboró: Gerencia operaciones

Producto	Unidad	Cantidad	Costo unitario	Costo total	Precio de venta	$12.17
Refresco 98%	ℓ	0.360	$4.85	$1.78	% costo	20.2
Vaso 16 oz	Pieza	1	$0.22	$0.22		
Tapa para vaso	Pieza	1	$0.32	$0.32		
Popote	Pieza	1	$0.10	$0.10		
Servilleta de papel	Pieza	1	$0.04	$0.04		

$2.46

Producto: Refresco   Fecha: Febrero de 2008
Rendimiento: vaso 22 oz   Elaboró: Gerencia operaciones

Producto	Unidad	Cantidad	Costo unitario	Costo total	Precio de venta	$14.78
Refresco 98%	ℓ	0.520	$4.85	$2.57	% costo	23.0
Vaso 22 oz	Pieza	1	$0.28	$0.28		
Tapa para vaso	Pieza	1	$0.32	$0.32		
Popote	Pieza	1	$0.05	$0.05		
Servilleta de papel	Pieza	1	$0.17	$0.17		

$3.40

Producto: Té de manzanilla/yerbabuena   Fecha: Febrero de 2008
Rendimiento: Vaso 8 onzas   Elaboró: Gerencia operaciones

Producto	Unidad	Cantidad	Costo unitario	Costo total	Precio de venta	$10.43
Té	Sobre	1	$0.62	$0.62	% costo	11.0
Azúcar	Sobre	2	$0.10	$0.20		
Sustituto de crema	Sobre	1	$0.09	$0.09		
Vaso para café 8 oz	Pieza	1	$0.17	$0.17		
Agitador	Pieza	1	$0.02	$0.02		
Servilleta de papel	Pieza	1	$0.04	$0.04		

$1.15

8.2.4. Recetas estándar complementarias

Producto: Base para torta   Fecha: Febrero de 2008
Rendimiento: 1   Elaboró: Gerencia operaciones

Producto	Unidad	Cantidad	Costo unitario	Costo total	Rendimiento	1
Telera	Pieza	1	$0.70	$0.70	costo	$4.54
Margarina	kg	0.018	$22.00	$0.40		
Aguacate 45%	kg	0.045	$16,00	$1.60		
Jitomate guaje 92%	kg	0.020	$12.00	$0.26		
Frijoles refritos	kg	0.025	$7.68	$0.19		
Cebolla blanca 85%	kg	0.010	$9.00	$0.11		
Servilleta de papel	Pieza	2	$0.04	$0.08		
Plato de plástico	Pieza	1	$0.68	$0.68		
Sal	kg	0.005	$5.20	$0.03		
Chiles chipotles	kg	0.030	$16.36	$0.49		

$4.54

Producto: Milanesa de ternera   Fecha: Febrero de 2008
Rendimiento: Una pieza   Elaboró: Gerencia operaciones

Producto	Unidad	Cantidad	Costo unitario	Costo total	Rendimiento	1
Milanesa de ternera	kg	0.120	$51.00	$6.24	costo	$6.81
Sal	kg	0.003	$5.20	$0.02		
Pan molido	kg	0.020	$26.67	$0.54		

$6.81

Producto: Mezcla colada
Rendimiento: 1.480 *l*

Fecha: Febrero de 2008
Elaboró: Gerencia operaciones

Producto	Unidad	Cantidad	Costo unitario	Costo total	Rendimiento	1.48
Crema de coco 98%	*l*	0.480	$35.39	$17.33	costo	$19.46
Jugo de piña	*l*	1	$11.47	$11.47		
				$28.80		

Producto: Refresco Post Mix
Rendimiento: 113.400 litros Brix 1 × 5

Fecha: Febrero de 2008
Elaboró: Gerencia operaciones

Producto	Unidad	Cantidad	Costo unitario	Costo total	Rendimiento	113.40
Jarabe	*l*	18.900	$29.10	$550.00	costo	$4.85
Agua	*l*	94.500	$0	$0.00		
				$550.00		

8.2.5. Costo potencial

Con base en la información de las recetas estándar y de los datos registrados, calcula el costo potencial de alimentos, bebidas y bebidas alcohólicas. Al final determina el costo combinado. Los resultados están al final del libro.

									Febrero de 2008
Producto	**Cant**	**Precio con IVA**	**Precio sin IVA**	**Venta total**	**%**	**Costo unitario**	**Costo total**	**% costo**	**Potencial**
Alimentos									
Hot dog jumbo	456	$20.00	$17.39			$6.23	$2 842.03		
Nachos	165	$17.00	$14.78			$5.34	$880.59		
Papas a la francesa	458	$15.00	$13.04			$4.93	$2 256.02		
Sándwich de jamón y queso	163	$25.00	$21.74			$8.27	$1 348.17		
Torta chuza	354	$35.00	$30.43			$15.72	$5 564.04		
Torta spare	164	$30.00	$26.09			$11.37	$1 865.36		
Torta split	97	$25.00	$21.74			$8.13	$789.02		
Subtotal alimentos							**$15 545.22**		
Bebidas									
Agua	246	$12.00	$10.43						
Café americano/expresso	189	$15.00	$13.04						
Café capuchino/moka	232	$18.00	$15.65						
Jugo de naranja y piña	76	$13.00	$11.30						
Jugo de tomate	29	$16.00	$13.91						
Limonada/naranjada	276	$10.00	$8.70						
Refrescos de lata	342	$9.00	$7.83						
Refrescos Post Mix 16 oz	412	$14.00	$12.17						
Refrescos Post Mix 22 oz	258	$17.00	$14.78						
Té de manzanilla/yerbabuena	21	$12.00	$10.43						
Subtotal bebidas									
Bebidas alcohólicas									
Bloody Mary	98	$39.00	$33.91	$3 323.48	6.0	$13.96	$1 368.17	41.2	
Cerveza 8 cubeta	379	$74.00	$64.35	$24 387.83	44.4	$20.50	$7 770.02	31.9	
Cerveza	359	$19.00	$16.52	$5 931.30	10.8	$4.64	$1 667.04	28.1	
Margarita	58	$39.00	$33.91	$1 966.96	3.6	$8.29	$480.58	24.4	
Margarita Frozen	223	$44.00	$38.26	$8 532.17	15.5	$8.83	$1 968.16	23.1	
Michelada	342	$23.00	$20.00	$6 840.00	12.4	$6.10	$2 086.34	30.5	
Piña colada	118	$39.00	$33.91	$4 001.74	7.3	$10.77	$1 271.23	31.8	
Subtotal bebidas alcohólicas				**$54 983.48**	100.0		**$16 611.53**	30.2	

Venta [   ]   **Costo** [   ] %

8.2.6. Costo real de alimentos y bebidas

		Febrero de 2008	

🍽 Alimentos y bebidas	$
Inventario inicial	3 687.00
+ Compras	32 240.00
– Notas de crédito	578.00
– Inventario final	8 554.00
= Costo bruto	
Operación	2 589.00
Administración	308.00
Cortesías	276.00
– Mermas	1 098.00
Créditos al costo	
= Costo real	

🍸 Bebidas alcohólicas	$
Inventario inicial	$4 368.00
+ Compras	18 934.00
– Notas de crédito	87.00
– Inventario final	3 643.00
= Costo bruto	
Operación	0.00
Administración	678.00
Cortesías	597.00
– Mermas	206.00
Créditos al costo	
= Costo real	

8.2.7. Comparación del costo potencial *vs.* real

Febrero de 2008

	Real	%	Presupuesto	%	Diferencia	%
Ventas						
Alimentos y bebidas			$65 790.00	55.7		
Bebidas alcohólicas			$52 380.00	44.3		
Ventas totales			$118 170.00	100		
Costo						
Alimentos y bebidas						?
Bebidas alcohólicas						☑
Costo de operación						

8.2.8. Estado de resultados

Febrero de 2008

	Real	%	Presupuesto	%	Diferencia	%
Ventas de alimentos			$65 790.00	55.7		
Ventas de bebidas			$52 380.00	44.3		
Ventas totales			$118 170.00	100		
Costo de alimentos y bebidas						
Costo de bebidas alcohólicas						
Costo de operación						
Utilidad bruta						
Fuerza de trabajo		25.7	$29 542.50	25.0		
Gastos indirectos		2.0	$2 363.40	2.0		
Gastos de venta		8.5	$9 453.60	8.0		
Gastos de administración		3.2	$3 545.10	3.0		
Gastos de mantenimiento		3.3	$3 545.10	3.0		
Gastos de promoción		1.3	$1 772.55	1.5		
Gastos de operación						
Utilidad de operación						

Glosario

A

A la veracruzana. Preparación de alimentos, principalmente pescado con base en un *cassé* de tomate, alcaparras, aceitunas y chiles güeros.

ABASTUR. Gran feria anual a inicios del mes de octubre para exponer lo mejor de los proveedores para restaurantes y para la actividad turística. En forma paralela ofrece la oportunidad de actualización profesional por los temas y contenidos tratados en los seminarios.

Acuse de recibo. Comprobante que recibe el proveedor para tramitar el pago de la factura de la mercancía entregada en el restaurante.

AIDA. Siglas de los cuatro pasos clave para la promoción de ventas, los cuales son: llamar la *Atención*, crear el *Interés*, desarrollar el *Deseo* y por último lograr la *Acción* de compra.

Ajillo. Preparación de pescados, mariscos y pastas con base en ajo, aceite y chile guajillo.

Alimentos perecederos. Grupo alimenticio con un reducido tiempo de conservación, por su alto contenido de humedad.

Angulas. Crías de la anguila.

Aprovechamiento. Expresión porcentual de la utilización de un producto alimenticio que sufre pérdida de peso, durante el proceso limpieza, corte o cocimiento. Se conoce también como rendimiento.

Áreas de oportunidad. Aspectos o competencias que se deben mejorar en el negocio o en el comportamiento de un producto. Otro enfoque para enfrentar las debilidades del producto o negocio.

Armar. Ensamblar un alimento o bebida.

Ayuda visual. Gráfico que puede visualizar el cocinero para corroborar el armado correcto de un platillo.

Azafrán. Especia. Estigmas de la flor del *Crocus sativus*. Proporciona sabor y color a los platillos, como la paella.

B

BBQ. Salsa de sabor agridulce que acompaña las carnes asadas. Indispensable en la cocina Tex-Mex.

Boloñesa. Salsa clásica para las pastas, elaborada principalmente con cassé de tomate y carne molida.

Boquetero. Cocinero que organiza y dirige la preparación de los alimentos.

C

Call Center. Centro de servicio al cliente, normalmente para fincar los pedidos y reclamaciones.

Cash-flow. Flujo de efectivo.

Cassé **de tomate.** Base de cocina elaborada con jitomate picado gruesamente.

Certificación TIF. Es la carne elaborada bajo los más estrictos controles y normas internacionales de sanidad e higiene, en rastros y empacadoras tipo Inspección Federal.

Cheque promedio. Es la cantidad ponderada de dinero que los clientes gastan en el restaurante.

Choice. Grado de excelente calidad con suficiente cantidad de **marmoleo**.

Comanda. Registro manual o electrónico de los alimentos y bebidas solicitados por el cliente.

Contaminación bacterial. Enfermedades en alimentos ocasionadas por microorganismos.

Contribución marginal. Valor excedente de restar a la venta el costo de producción.

Control diario de costos. Metodología que compara las cantidades de platillos y bebidas vendidos contra el valor del consumo real. Inventario inicial más requisiciones durante el turno, menos inventario final.

Costo. Valor de la materia prima utilizada para preparar y acompañar un platillo o bebida preparada, que es vendido en el restaurante

Costo potencial. Valor contra el que se debe comparar el costo real de alimentos o bebidas.

Crepes suzzetes. Postre preparado con tortillas delgadas, bañadas con salsa de naranja aromatizada con coñac y licor de naranja.

Cross dock. Almacenes situados estratégicamente sin *stocks*, donde realizan la recepción, verificación y distribución física inmediata de los pedidos.

Curry. Es un producto de especias exóticas muy apreciadas. Se compone de cúrcuma, jengibre, tamarindo, chiles, cilantro, flores de mirística, pimienta, clavo, canela, laurel, ajo, pescados y crustáceos secados al aire y limón.

D

Dash. Acción de hacer pasar rápidamente por la boquilla de la botella un líquido concentrado.

Distintivo H. Es el reconocimiento que se otorga a los prestadores de servicios de alimentos y bebidas que manejan la materia prima con altos índices de higiene y que, de manera voluntaria, lo solicitan y cumplen con los requisitos establecidos en la norma NMX-F-605-NORMEX-2000.

E

Efecto de cascada. Beneficios por la derrama económica tanto primarios como secundarios al pagar bienes y servicio a proveedores en una localidad determinada.

Empowerment. Conferir poder de decisión a las personas que colaboran en el restaurante.

Especificaciones estándar. Son los atributos básicos de calidad que debe presentar la materia prima para adquirirlos y procesarlos. Éstos describen el color, tamaño, el grado de calidad, marca, presentación de compra o cualquier otra característica que lo diferencie.

Estatus. Características o progreso de una actividad o tarea que se supervisa.

Etiqueta de máximos y mínimos. Monitorea las existencias de cada producto, exige cotejar las condiciones de seguridad, calidad y el tiempo de vida durante el almacenaje.

Etiqueta de producto. Ayuda a leer y decidir qué artículo utilizar primero, ya que contiene nombre del producto, la fecha y hora de entrada y quién lo almacenó.

Explosión de materiales. Calcular la cantidad de compra de materia prima con base en la receta estándar y en los consumos promedio. También se aplica para la preparación de la *mise en place* y descongelación de carnes.

Expo restaurantes. Evento anual durante el mes de julio para exponer lo mejor de los proveedores para restaurantes. En forma paralela ofrece la oportunidad de actualización profesional por los temas contenidos tratados en los seminarios.

F

Fahrenheit. Unidad de medida de temperatura.

Flujo de control. Las etapas que deben cuidarse y registrarse desde que se conceptualiza el menú, pasando por la adquisición, recepción, almacenaje, producción y servicio de alimentos y bebidas.

Flyer. Folleto promocional.

Focus group. Dinámica grupal para conocer las preferencias y comportamiento de consumo de clientes potenciales.

Foie grass. Paté de hígado de pato, cubierto de un áspic o gelatina de carne.

Food court. Área de comida rápida.

Fortalezas. Atributos que hacen que un producto sea competitivo en relación con la competencia.

G

Gasto. Erogación efectuada para vender productos o servicios.

Gastos de operación. Valor de las tareas y compras que directa o indirectamente hacen posible la comercialización de los productos y servicios.

Gastos fijos. Erogaciones necesarias para mantener en operación el restaurante, como la renta mensual, primas de seguros, fumigación, papelería de administración, en cierta medida la misma nómina, mantenimiento preventivo, etcétera.

Gastos variables. Erogaciones que se requieren efectuar para operar el restaurante como luz, agua, gas, papelería de ventas, mantenimiento correctivo, etcétera.

Generador de tráfico. Atractivos y áreas de conveniencia que provocan el tránsito de clientes potenciales hacia el restaurante.

H

Hospitalidad. Exceder las expectativas de servicio al cliente.

I

Ingeniería de producto. Técnicas estadísticas para optimizar las ventas y costos de alimentos y bebidas. Útil para replantear la oferta gastronómica y bajar el costo del restaurante.

Interfase. Conexión entre dos software distintos pero compatibles, para procesar datos de comunes.

IQF (Individually Quick Frozen). Proceso de congelación rápido para productos en forma individual.

J

Jigger. Medida utilizada en la barra al preparar bebidas.

Just in time. Filosofía de entrega de alimentos y bebidas en el momento que se requiere. Un imperativo en la administración de almacenes *Cross Dock.*

K

Kárdex. Registro de entradas y salidas de mercancías en términos de unidades o valores.

Kosher. Tipo de alimentos y formas de elaborar platillos de uso general en la cultura hebrea.

L

Licores premium. Aguardientes con cuidados especiales en su fabricación, que provocan altos estándares de calidad.

Línea de ensamble. Área de trabajo del cocinero, conocida también como cocina fría o caliente.

Local store marketing. Estrategias de comercialización en el área de influencia del negocio.

M

Marmoleo. La grasa intramuscular producto de la alimentación con base en granos seleccionados, que en el momento de la cocción dan sabor, suavidad y jugosidad a cada corte. A mayor marmoleo, mejor calidad.

Masa crítica. Gran volumen de compras de un producto o empresa, que al consolidarse hace posible abatir considerablemente los precios de adquisición.

Matriz de *Boston Consulting Group*. Estudio del comportamiento de ventas de un producto o de una empresa, en relación con la competencia, mostrando las fortalezas y debilidades comerciales para desarrollar áreas de oportunidad y lograr el posicionamiento que se busca.

Menu board. Desplegado del menú utilizado en negocios de autoservicio.

Mezcla de ventas. Comportamiento de ventas de cada uno de los productos de la carta de un restaurante.

Mise en place. Tareas y trabajos de preparación tanto en el comedor, como en la cocina antes de iniciar el servicio al cliente.

Mojo de ajo. Preparación con ajo, aceite y jugo de limón. Utilizada principalmente para pescados, mariscos y pastas.

Montar. Colocar los alimentos en el plato, decorando con su guarnición.

Mopets. Aguardiente servido en vaso tequilero con una porción de refresco con gas, el cual es agitado en forma brusca y el cliente lo toma rápidamente.

N

Nachos. Platillo de la cocina Tex-Mex consistente en totopos cubiertos con chilli & carne y bañados con queso amarillo fundido.

Nivel de pedido. Existencia de un producto, que requiere se finque inmediatamente el pedido de compra.

Nivel máximo. Existencia tope de cierto alimento o bebida que permite afrontar la demanda semanal de producción.

Nivel mínimo. Existencia de un producto, que en corto tiempo será requerido para la preparación de algún platillo o bebida.

Nota de crédito. Documento que compromete al proveedor a reponer un producto rechazado o faltante, o a descontar el valor del producto no entregado de la factura original.

O

Orden de compra. Documento por el cual el comprador solicita al proveedor la adquisición de la materia prima listada.

P

Palomilla. Denominación del corte delgado del *Top Sirloin*. Plato principal, donde la carne se sirve en una plancha metálica sumamente caliente, con guarnición de cebolla salteada y chiles toreados.

Pantry. También se denomina así a la cocina fría.

Papas Saratoga. Papas en rodajas finas y fritas.

Percolar. Preparación en la que se hace pasar agua hirviendo sobre la fuente de sabor. Preparar café americano.

Posicionamiento. Satisfacción completa de las necesidades del segmento de mercado que has elegido o identificado, empleando una mezcla de mercadotecnia (producto, ubicación, precio de venta y comunicación comercial), que proyecte en la mente del cliente la ventaja competitiva de tu restaurante.

Prime. La más alta calidad en carnes con gran cantidad de marmoleo en cada corte.

Prime Rib. Corte proveniente del costillar de la res. El corte contiene el hueso y la grasa natural que le proporciona su inigualable sabor, jugosidad y suavidad. Es un corte tierno de mucho sabor.

Proactivo. Anticipar o prever acciones que faciliten o resuelvan problemas latentes.

Producción diaria. Tabla de producción. Cantidad de cada preparación durante la *mise en place*.

Product mix. Mezcla semanal de ventas de cada platillo.

Productividad. Porcentaje que representa el gasto de sueldos y prestaciones en relación con la venta lograda. Cuánto vende el restaurante por cada hora pagada a los empleados.

Productos estrella. Son aquellos platillos o bebidas que requieren esmerados cuidados, son de alta inversión, demanda, precio y costo, pero generan flujo de efectivo.

Productos niño problema. Platillos que vende la competencia ventajosamente, pero que ocurre lo contrario en tu restaurante. El cliente duda si el precio concuerda con la calidad de la competencia. Requieren de publicidad y la promoción. Afectan el flujo de efectivo. Necesitan que se les haga adecuaciones o comprar nuevos equipos para cocina y reentrenamiento de los cocineros y meseros.

Productos perro. Platillos con nula venta. Son alimentos especiales para grupos específicos: paquetes infantiles, comida vegetariana, comida *light* entre otros.

Productos vacas lecheras. Productos con la mejor venta que generan mayor contribución marginal que ayudan a tener un sano flujo de efectivo para reinvertir. Benefician el porcentaje de costo mensual. Son platillos y bebidas ampliamente reconocidos por el cliente. Si se mantiene en la calidad e innovación pueden llegar a ser productos Estrella.

R

Receta estándar básica. Es la metodología para costear las bases, los fondos de cocina y las guarniciones.

Receta estándar complementaria. Es la metodología para costear los productos que el mesero lleva a la mesa.

Recetario básico. Es la herramienta que estandariza la calidad y que utilizan los cocineros para preparar con anticipación las bases, los fondos de cocina y las guarniciones.

Recetario básico. Es la herramienta que estandariza la calidad en el momento en que los cocineros ensamblan el producto que el mesero llevará a la mesa.

Rendimiento. Expresión porcentual de la utilización de un producto alimenticio que sufre pérdida de peso, durante el proceso limpieza, corte o cocimiento. Se conoce también como *aprovechamiento*.

S

Salsa aurora. Aderezo para platillos y entradas frías, elaborado con mayonesa y salsa de tomate.

Salsa bearnesa. Salsa que baña principalmente carnes, elaborado con una reducción de vinagre, estragón y finas hierbas, todo esto con mantequilla y yemas de huevo trabajadas en baño María.

Salsa bechamel. Una salsa que da consistencia a otras preparaciones claras, elaborada con base en un *roux*, cebolla, leche y nuez moscada.

Salsa holandesa. Salsa derivada de mantequilla caliente y yemas de huevo montada a baño María.

Select. Calidad que contiene un marmoleo ligero y deseable.

Servicio. Satisfacción de las necesidades básicas del cliente, a través de la interacción oportuna y correcta.

Sopa azteca. Sopa de tortilla.

Steward. Personal de apoyo en las tareas de aprovisionamiento y mantenimiento de loza, cristal y plaqué. Así como la limpieza de áreas de servicio y lavado de equipos de servicio y de producción.

Stock. Existencia de artículos en el almacén.

T

Tabla de producción. Planeación de la *mise en place* de la cocina con base en los consumos promedios.

Target. Grupo de personas clave o pretendido comercialmente.

Tronco. Una forma de repartición de las propinas para el personal de comedor y de cocina.

U

Utilidad bruta. Cantidad obtenida al restarle a las ventas reales, el monto de los costos de alimentos y bebidas.

Utilidad operacional. Cantidad obtenida al restarle a la utilidad bruta, el monto de los gastos de operación. También llamada utilidad neta.

V

Valor agregado. Servicios otorgados que exceden las expectativas del cliente. Necesario para brindar hospitalidad.

Venganza de moctezuma. Rumor que se propaga entre los turistas estadounidenses que ocasiona enfermedad estomacal debida a la deficiente sanidad en los alimentos y lo irritante del picante utilizado.

Virus. Contaminación alimenticia microbiana que se reproduce fácilmente en alimentos vivos.

W

Wellington. Filete de res con paté y envuelto en pasta hojaldrada horneada.

Solución de casos prácticos

Rendimiento pollo

Rendimiento/aprovechamiento

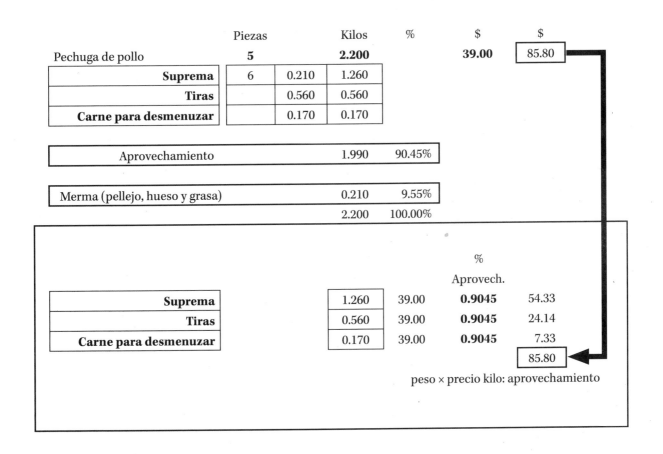

	Piezas		Kilos	%	$	$
Pechuga de pollo	**5**		**2.200**		**39.00**	85.80
Suprema	6	0.210	1.260			
Tiras		0.560	0.560			
Carne para desmenuzar		0.170	0.170			

	Kilos	%
Aprovechamiento	1.990	90.45%

	Kilos	%
Merma (pellejo, hueso y grasa)	0.210	9.55%
	2.200	100.00%

			% Aprovech.	
Suprema	1.260	39.00	**0.9045**	54.33
Tiras	0.560	39.00	**0.9045**	24.14
Carne para desmenuzar	0.170	39.00	**0.9045**	7.33
				85.80

peso × precio kilo: aprovechamiento

Solución al caso práctico tarjeta de kárdex

Tarjeta de kárdex

Producto: Jugo de naranja Jumex

Unidad: Lata

Mes: Abril de 2008

Almacenista: Jorge Lara

Fecha	Referencia	Unidades			Precio de valuación	Valores			Recibió	Capturó
		Entrada	Salida	Existencia		Entrada	Salida	Existencia		
01-abr-08	Inventario			21	$7.50			157.5		
04-abr-08	f 200	24		45	$7.60	182.4		339.9		
05-abr-08	r 458		12	33	$7.55		90.64	249.26		
11-abr-08	f 345	12		45	$7.60	91.2		340.46		
14-abr-08	r 479		6	39	$7.57		45.39	295.07		
18-abr-08	f 378	24		63	$7.70	184.8		479.8653		
19-abr-08	r 489		10	53	$7.62		76.17	403.70		
25-abr-08	f 404	12		65	$7.65	91.8		495.4962		
27-abr-08	r 494		24	41	$7.62		182.95	312.54		
31-abr-08	Inventario			41	$7.62					

Solución al caso práctico SNACK

Costo potencial

Febrero de 2008

Producto	Cant	Precio con IVA	Precio sin IVA	Venta total	%	Costo unitario	Costo total	% costo	Potencial
Alimentos									
Hot dog jumbo	456	$20.00	$17.39	$7 930.43	21.4	$6.23	$2 842.03	35.8	7.7
Nachos	165	$17.00	$14.78	$2 439.13	6.6	$5.34	$880.59	36.1	2.4
Papas a la francesa	458	$15.00	$13.04	$5 973.91	16.1	$4.93	$2 256.02	37.8	6.1
Sándwich de jamón y queso	163	$25.00	$21.74	$3 543.48	9.6	$8.27	$1 348.17	38.0	3.6
Torta chuza	354	$35.00	$30.43	$10 773.91	29.1	$15.72	$5 564.04	51.6	15.0
Torta spare	164	$30.00	$26.09	$4 278.26	11.5	$11.37	$1 865.36	43.6	5.0
Torta split	97	$25.00	$21.74	$2 108.70	5.7	$8.13	$789.02	37.4	2.1
Subtotal alimentos				**$37 047.83**	100.0		**$15 545.22**	**42.0**	
Bebidas									
Agua	246	$12.00	$10.43	$2 566.96	10.7	$3.29	$809.75	31.5	3.4
Café americano/expresso	189	$15.00	$13.04	$2 465.22	10.2	$1.74	$529.63	13.4	1.4
Café capuchino/moka	232	$18.00	$15.65	$3 631.30	15.1	$4.02	$933.17	25.7	3.9
Jugo de naranja y piña	76	$13.00	$11.30	$859.13	3.6	$3.77	$286.80	33.4	1.2
Jugo de tomate	29	$16.00	$13.91	$403.48	1.7	$6.78	$196.50	48.7	0.8
Limonada/naranjada	276	$10.00	$8.70	$2 400.00	10.0	$1.36	$376.22	15.7	1.6
Refrescos de lata	342	$9.00	$7.83	$2 676.52	11.1	$3.37	$1 152.40	43.1	4.8
Refrescos Post Mix 16 oz	412	$14.00	$12.17	$5 015.65	20.9	$2.46	$1 012.88	20.2	4.2
Refrescos Post Mix 22 oz	258	$17.00	$14.78	$3 813.91	15.9	$3.40	$75.93	23.0	3.6
Té de manzanilla/yerbabuena	21	$12.00	$10.43	$219.13	0.9	$1.15	$24.11	11.0	0.1
Subtotal bebidas				**$24 051.30**	100		**$5 997.38**	**24.9**	
Bebidas alcohólicas									
Bloody Mary	98	$39.00	$33.91	$3 323.48	6.0	$13.96	$1 368.17	41.2	2.5
Cerveza 8 cubeta	379	$74.00	$64.35	$24 387.83	44.4	$20.50	$7 770.02	31.9	14.1
Cerveza	359	$19.00	$16.52	$5 931.30	10.8	$4.64	$1 667.04	28.1	3.0
Margarita	58	$39.00	$33.91	$1 966.96	3.6	$8.29	$480.58	24.4	0.9
Margarita Frozen	223	$44.00	$38.26	$8 532.17	15.5	$8.83	$1 968.16	23.1	3.6
Michelada	342	$23.00	$20.00	$6 840.00	12.4	$6.10	$2 086.34	30.5	3.8
Piña colada	118	$39.00	$33.91	$4 001.74	7.3	$10.77	$1 271.23	31.8	2.3
Subtotal bebidas alcohólicas				**$54 983.48**	100.0		**$16 611.53**	30.2	

Venta **116 082.61**   Costo **38 154.14** **32.9** %

Costo real de alimentos y bebidas

Febrero de 2008

🍽 Alimentos y bebidas	$		🍸 Bebidas alcohólicas	$
Inventario inicial	3 687.00		Inventario inicial	$4 368.00
+ Compras	32 240.00	+	Compras	18 934.00
– Notas de crédito	578.00	–	Notas de crédito	87.00
– Inventario final	8 554.00	–	Inventario final	3 643.00
= **Costo bruto**	26 795.00	=	**Costo bruto**	19 572.00
Operación	2 589.00		Operación	0.00
Administración	308.00		Administración	678.00
Cortesías	276.00		Cortesías	597.00
– Mermas	1 098.00	–	Mermas	206.00
Créditos al costo	4 271.00		Créditos al costo	1 481.00
= **Costo real**	22 524.00	=	**Costo real**	18 091.00

Comparación costo potencial *vs.* real

Febrero de 2008

	Real	%	Presupuesto	%	Diferencia	%	
Ventas							
Alimentos y bebidas	$61 099.13	52.6	$65 790.00	55.7	$-4 690.87	-4.04	
Bebidas alcohólicas	$54 983.48	47.4	$52 380.00	44.3	$2 603.48	22.4	
Ventas totales	$116 082.61	100	$118 170.00	100	$2 087.39	-1.80	
Costo							
Alimentos y bebidas	$22 524.00	36.9	$21 542.61	327	$2 517.40	4.12	?
Bebidas alcohólicas	$18 091.00	32.9	$16 611.53	31.7	$653.81	1.19	☑
Costo de operación	$40 615.00	35.0	$38 154.14	32.3	$3 171.21	2.7	

	Real	%	Presupuesto	%	Febrero de 2008 Diferencia	%
Ventas de alimentos	$61 099.13	52.6	65 790.00	55.7	-4 690.87	-4.04
Ventas de bebidas	54 983.48	47.4	52 380.00	44.3	2 603.48	22.4
Ventas totales	116 082.61	100.0	118 170.00	100.0	-2 087.39	-1.80
Costo de alimentos y bebidas	22 524.00	36.9	21 542.61	32.7	2 517.40	4.12
Costo de bebidas alcohólicas	18 091.00	32.9	16 611.53	31.7	653.81	1.19
Costo de operación	40 615.00	35.0	38 154.14	32.3	3 171.21	2.7
Utilidad bruta	75 467.61	65.0	80 015.86	67.7	4 548.25	-3.9
Fuerza de trabajo	29 853.86	25.7	29 542.50	25.0	311.36	0.6
Gastos indirectos	2 276.23	2.0	2 363.40	2.0	-87.17	-0.2
Gastos de venta	9 867.02	8.5	9 453.60	8.0	413.42	0.8
Gastos de administración	3 720.69	3.2	3 545.10	3.0	175.59	0.3
Gastos de mantenimiento	3 820.13	3.3	3 545.10	3.0	275.03	0.5
Gastos de promoción	1 509.07	1.3	1 772.55	1.5	-263.48	-0.5
Gastos de operación	51 047.00	44.0	50 222.25	42.5	824.75	1.6
Utilidad de operación	**24 420.61**	**21.0**	**29 793.61**	**25.2**	**-5 373.00**	**-0.05**

Bibliografía

Blake y Mouton, *El modelo del cuadro gerencial grid,* México, Fondo Educativo Interamericano, 1972.

Covey, Stephen, *Los 7 hábitos de la gente eficaz,* 2da. ed., México, Paidós, 1994.

Guajardo, Eduardo, *Administración de la calidad total,* México, Pax México, 1996.

Münch, Lourdes, *Fundamentos de administración,* México, Trillas, 2001.

Salomon, Michaely Elnora Stuart, *Marketing. Personas reales, decisiones reales, 2a. ed.,* Colombia, Prentice Hall, 2001.

Stanton Etzel, Walter, *Fundamentos de Marketing,* 11a, ed., México, McGraw Hill, 2001.

Youshimatz, Alfredo, *Control de costos de alimentos y bebidas I,* México, Trillas, 2006.

Youshimatz, Alfredo, *Control de costos de alimentos y bebidas II,* México, AMHyM AC, 1996.

Agradecimientos especiales

Gracias a **Jabar Singh hijo**, Director de ventas y mercadeo de Ho-Tech del Caribe por autorizar utilizar la información de los software Newstock – Existencias de alimentos y bebidas, Newpos – Punto de Venta para Restaurante y Bar y AZBAR – Sistema de Control Total en el Bar AZ-200. Así como las fotografías de su propiedad.

----- Mensaje original -----

De: Jabar J <jjsingh@ho-tech.com>
Fecha: Viernes, Agosto 18, 2006 0:54 a.m.
Asunto: Re: Respuesta a formulario por e-mail

Saludos Sr. Lara,

Sí, no veo problema con esto, siempre y cuando se ponga debidamente la referencia de Ho-Tech del Caribe como suplidor de estas herramientas. Si quiere información más actualizada me avisa, para facilitársela. Inclusive, no sólo NewStock, también AZBAR, que es el único dispositivo inventado que controla en 100% el escape de bebidas no contabilizadas en un bar.

Pronto le envío *brochures* de todos nuestros productos y soluciones.

Muchas gracias,

Jabar Singh hijo
Dpto. Ventas y Mercadeo
Ho-Tech del Caribe
oficina. 809-541-8064
www.ho-tech.com.

Agradezco a **Alfredo Berlanga Gómez**, Director Comercial de PFS de México, por facilitarme la información electrónica de la identidad y servicios de Pacific Star, empresa líder de distribución.

De la misma manera doy infinitas gracias al Ingeniero **R. Osiris Sandoval Rico**, Director de OSIRIS SISTEMAS EN INFORMÁTICA, por autorizar utilizar la información del software SICBR 2.0 Estandar-Sistema de Control para Bares y Restaurantes 2.0. Así como, las fotografías de su propiedad.

De: Osiris Sandoval Rico <osiris@osi2001.com>
Enviado: Miércoles, agosto 16, 2006 12:15 pm
Para : larasapo@prodigy.net.mx
Asunto: Re: Autorización

Estimado Jorge:

Te agradezco el seleccionar parte de nuestra información para el libro que estás escribiendo, cuentas con la autorización necesaria y en caso de que nos sea posible apoyarte en algo más cuenta con ello de antemano, te agradeceremos que nos proporciones el nombre del libro una vez que lo hayas finalizado, para adquirirlo y tenerlo en nuestras oficinas.

Así mismo te informo del programa de donación de software para instituciones educativas que venimos realizando desde hace años, el cual consiste en la donación del software de nuestra manufactura que nos requieran las instituciones educativas, con fines didácticos, así como de un seminario de capacitación para el uso del mismo, y las subsecuentes actualizaciones que surjan de los sistemas.

Te invito a que te sientas en completa libertad de bajar el software en modo *demo*, así como te proporciono el correo de soporte para cualquier duda que pudieras tener.

Messenger: soporte_osi@hotmail.com Correo: soporte@osi2001.com
Nuestros teléfonos : Tel / Fax: (33)3638-7185, Skype : Osiris_Sistemas
Sin otro particular quedo a tus apreciables ordenes.
Atentamente,

Ing. R. Osiris Sandoval Rico
Director

Por último, pero no menos importante a **Héctor Quezada**, Director de Operaciones de Restaurantes Chilis, Grill & Bar, a **Sofía Robles**, Gerente General de Chilis Parque Lindavista y a **Jorge García** Gerente del restaurante citado, por otorgarme todas las facilidades para fotografiar los excelentes procedimientos que aplican en la recepción, almacenaje y procesamiento de las mercancías con las que elaboran los exitosos platillos de su carta.